Opere di Oriana Fallaci

Opere di Oriana Fallaci

BUR

LETTERA A UN BAMBINO MAI NATO

NIENTE E COSÌ SIA

PENELOPE ALLA GUERRA

UN UOMO

SE IL SOLE MUORE

INSCIALLAH

ORIANA FALLACI

NIENTE E COSI' SIA

BUR

ISBN 88-17-15012-6

prima edizione BUR-Opere di Oriana Fallaci: novembre 1997
settima edizione BUR-Opere di Oriana Fallaci: febbraio 2002

Prefazione

«*Tutti coloro che entrarono nel villaggio avevano in mente di uccidere. L'ordine era distrugger My Lai fino all'ultima gallina, non doveva restare nulla di vivo. Ma per noi non erano civili, erano vietcong o simpatizzanti vietcong. Quando arrivai vidi una donna e un uomo e un bambino che scappavano verso una capanna. Nella loro lingua gli dissi di fermarsi ma loro non si fermarono e io avevo l'ordine di sparare e sparai. Sì, è ciò che feci: sparai. Li ammazzai. Anche la signora e il bambino. Avrà avuto due anni.*» (Dalla testimonianza del soldato Varnado Simpson della Compagnia Charlie.)

«*C'era un vecchio dentro un rifugio. Era tutto raggomitolato dentro. Un vecchio molto vecchio. Il sergente David Mitchell gridò: ammazzatelo! Così uno lo ammazzò. Raggruppammo uomini donne bambini e neonati al centro del villaggio, come un'isoletta. Piombò il tenente Calley e disse: sapete cosa dovete farne, no? E io dissi sì e lui si allontanò e dopo dieci minuti tornò e disse: perché non li avete ancora ammazzati? E io gli dissi che credevo volesse farceli sorvegliare e basta. E lui disse no no, li voglio morti. E incominciò a spargli. E mi disse di spargli anch'io. E infilai nel mio M16 quattro caricatori per un totale di sessantotto colpi e glieli sparai addosso e ne avrò ammazzati non so, dieci o quindici. E poi si trovò altra gente e la si buttò dentro una capanna e si gettò una bomba a mano dentro la capanna. E poi i ragazzi portarono altre settanta o settantacinque persone, così ci aggiungemmo le nostre e il tenente Calley mi disse: Meadlo, abbiamo un altro lavoro da fare. E andò verso quella gente e si mise pigiarla, a spingerla, a spa-*»

I

rarla, e anche noi si spingeva e si pigiava e infine gli si scaricò addosso i colpi delle nostre armi automatiche. Il giorno dopo misi un piede su una mina. E persi il piede. E pensai: Dio mi punisce per ieri.» *(Dalla testimonianza del soldato Paul David Meadlo della Compagnia Charlie.)*

«*Si sparava a tutti, a tutto, anche senza ragione, per esempio alle capanne che bruciavano, a molte capanne s'era dato fuoco. Si sparava anche ai bambini. La mia squadra radunò le donne e i bambini, per spararli, ma uno dei miei uomini disse: io non posso ammazzar questa gente. Allora gli dissi di consegnarli al capitano Medina. A una curva incontrammo sei civili coi pionieri. Si misero a correre impauriti, chi verso di noi, chi scappando da noi, e non si distingueva gli uomini dalle donne perché indossavano tutti lo stesso pigiama nero, sicché io e la mia squadra si aprì il fuoco con gli M16. Lasciando il villaggio passammo accanto a un bambino che piangeva. Era ferito a un braccio e a una gamba. Un GI disse: e di lui che ne facciamo? Senza rispondere, un altro GI imbracciò il suo M16 e sparò nella testa del bambino. Il bambino cadde. No, non cercai di impedirlo. La nostra era una missione Cerca-e-Distruggi, e avevamo gli ordini, e se qualcuno dev'essere giudicato in Corte Marziale dev'essere qualcuno più in alto di noi. Quel giorno io pensavo da militare e pensavo alla sicurezza dei miei uomini e pensavo che era una brutta cosa dover uccidere quella gente ma se dicessi che mi dispiaceva per quella gente direi una bugia. Prima di partire il capitano Medina ci aveva detto che quella sarebbe stata una buona occasione per vendicare i nostri compagni uccisi.*» *(Dalla testimonianza del sergente Charles West della Compagnia Charlie.)*

«*Nessuno dei civili sparò, nessuno sparava ai GI. Non incontrammo alcuna resistenza, nessuna, e io vidi catturare solo tre fucili. Anzi, non ricordo di aver visto un solo maschio in età da militare, non uno in tutto il villaggio, né vivo né morto. Gli uomini di Calley facevano strane cose. Bruciavano le capanne, mettevano la dinamite alle case, e aspettavano che la gente scappasse fuori per ammazzarla. Ammucchiavano la gente a gruppi e poi la sparavano. Fu un assassinio bello e buono, po-*

chi di noi si rifiutarono di commetterlo. Io mi rifiutai. Dissi al-
l'inferno con questa storia, non voglio entrarci. Dissi: non lo
faccio. Avevamo ricevuto l'ordine ma non era un ordine legit-
timo. » (Dalla testimonianza del sergente Michael Bernhardt
della Compagnia Charlie.)

« Fuori del villaggio c'era questa pila di cadaveri. E c'era
questo bambino minuscolo che aveva addosso una camicina e
basta. E questo bambino avanzò a piccoli passi verso la pila dei
cadaveri e sollevò la mano di una morta. Allora uno dei GI die-
tro a me si inginocchiò in posizione di sparo, a trenta metri da
questo bambino, e lo ammazzò con un colpo solo. E poi c'era
questo gruppo di donne con questa ragazzina che avrà avuto
tredici anni e indossava il pigiama nero. Un GI agguantò la ra-
gazzina e mentre gli altri la tenevano ferma si mise a spogliarla.
Diceva: guardiamo di cosa è fatta! E gli altri dicevano: VC
bum-bum! Per dire che era una puttana dei vietcong. E uno dis-
se: sono in caldo! Mentre spogliavano la ragazzina, tutto intorno
bruciava: capanne, cadaveri. La madre della ragazzina interven-
ne per difenderla. Allora un soldato la prese a calci e un altro la
picchiò forte. Smisero solo quando Haeberle, il fotografo, piom-
bò lì per fare una fotografia. Presero a comportarsi come se tutto
fosse normale. Poi uno disse: be', che ne facciamo? E un altro
rispose: ammazzale. Mi voltai per non vedere ed entrò in azio-
ne l'M60 che è un mitragliatore leggero. Poi guardai e sia le
donne che la ragazzina che i bambini eran morti. E poi trova-
rono un vecchio, nascosto. Gli cadevano i pantaloni e due GI
lo agguantarono, lo portarono dal capitano Medina perché lo
interrogasse. Il vecchio non sapeva nulla. Si preoccupava solo
dei suoi pantaloni. Qualcuno chiese a Medina cosa voleva farne,
del vecchio, e Medina rispose: non me ne importa. Poi udim-
mo uno sparo e ci girammo e il vecchio era morto. E poi c'era
un soldato che accoltellava un vitello, con la baionetta. Si di-
vertiva perché il vitello tentava di avvicinarsi alla vacca, alla
mamma. E anche gli altri si divertivano: ad ammazzare i ma-
iali e le vacche che non volevan morire. In seguito pensammo
molto a My Lai, ci pesò. Ma nessuno di noi era un portabandie-
ra di nulla e, quando scrissi la storia per il giornalino della Bri-

gata, imbrogliai un po' le carte. Presentai tutto come un grosso successo. » (Dalla testimonianza del caporale Jay Roberts, addetto stampa della Compagnia Charlie.)

« *Quando la faccenda fu sistemata, Billy e io ci mettemmo finalmente a mangiare. Ma vicino a noi c'era questo mucchio di vietnamiti sparati e alcuni stavano ancora rantolando, mugolando. Il tenente Calley era passato di lì, mi spiego. Be', era ovvio che non li avrebbe curati un dottore. Così Billy e io si andò verso di loro e, come dire, si finirono. Così si poté mangiare in pace.* » (Dalla testimonianza del soldato Michael Terry della Compagnia Charlie.)

« *Apparve una forma di donna, e una testa. Apparve dietro la siepe. Nessuno cercò di interrogarla, fermarla, robe del genere. Gridando presero a spararle e la donna cadde restando agganciata a una canna. Da quel momento la sua testa divenne un bersaglio, la sparavano e la sparavano e potevi vederne le ossa che schizzavano via pezzo per pezzo. Non credevo ai miei occhi. Lungo il sentiero incontrammo due bambini: uno quattro e uno cinque anni, direi. Un GI sparò al bambino più piccolo e allora il bambino più grande si gettò addosso a lui per proteggerlo. Il GI gli scaricò addosso sei colpi. Lo fece con molto distacco, in modo professionale. E poi incontrammo un uomo con altri due bambini, piccoli piccoli, un maschio e una femmina. Camminavano lungo il sentiero ed erano tremendamente impauriti, la bambina piangeva e diceva in vietnamita: no, no, no! La bambina era a destra e il bambino a sinistra. L'uomo era nel mezzo. Tutti insieme, i GI aprirono il fuoco e li tagliarono a metà. Quanto al bambino ferito al braccio e alla gamba, lo vidi anch'io. Avanzava verso di noi come in preda allo sbalordimento, perdeva sangue. Mi inginocchiai per fotografarlo e un GI si inginocchiò accanto a me, per spararlo. Gli sparò tre volte, non una. Il primo colpo lo gettò all'indietro, il secondo in aria, sul terzo ricadde. Allora il GI si allontanò, indifferente. Non v'era espressione sulla sua faccia, non v'era espressione sulle facce di tutti gli americani. Distruggevano e uccidevano con assoluta indifferenza, il tono di chi sta facendo un lavoro tranquillo. Bianchi e neri. Solo un negro mi disse che non*

aveva lo stomaco di continuare e più tardi seppi che s'era spa-
rato a un piede. Lo scorsi mentre lo caricavano sull'elicottero.
Sembrava felice. » (Dalla testimonianza di Ron Haeberle, foto-
grafo della Compagnia Charlie.)

« Io arrivai quando il massacro era quasi finito. Ma i ragaz-
zi stavano ancora sparando alla gente, per esempio ai superstiti
che cercavano di nascondere gli animali dietro gli alberi. Cada-
veri si ammucchiavano lungo i sentieri, nei fossati, ovunque. E
c'era questo bambino che era il bambino più piccolo che avessi
mai visto, e se ne stava in piedi sui corpi di quindici adulti, e
accarezzava la mano di una donna morta, e il capitano Medina
gli sparò. Non so perché gli sparò. Suppongo che la donna mor-
ta fosse la mamma del bambino. » (Dalla testimonianza del sol-
dato Richard Pendleton della Compagnia Charlie.)

« Quando vidi atterrare gli elicotteri, presi i miei due ni-
poti e corsi a nascondermi nel rifugio della nostra capanna. Era
un rifugio molto piccolo, un buco di un metro e mezzo per due,
coperto da uno sportello di legno. Udimmo i soldati che en-
travano nel villaggio e quando videro il rifugio si fermarono.
Un soldato guardò dentro, ci vide. Puntò il fucile e uccise i
miei due nipoti. Io mi salvai perché ero sotto di loro. » (Dalla
testimonianza resa a Life dal contadino Truong Quang An, un
superstite del massacro.)

« Non ricordo altro che la gente ammazzata. C'era sangue
dappertutto. Sia gli americani bianchi che gli americani neri
ammazzavano. Spaccavano le teste in due e molti americani
avevano addosso pezzi di carne. A me ammazzarono una figlia
di ventiquattro anni e un nipotino di quattro anni. » (Dalla te-
stimonianza resa a Time dalla contadina Do Thi Chuc, scam-
pata al massacro.)

« Quando seppi quel che era successo a My Lai potevo be-
nissimo dirmi: è la guerra, in guerra si muore, in Vietnam gli
altri uccidono senza guardare in faccia chi ha la divisa e chi
non ce l'ha, lascia perdere, Ron, cosa te ne viene a raccontare
la storia di Song My. Me lo dissi del resto. Ma conclusi che do-
vevo denunciare ciò che sapevo di Song My. Lo dovevo fare
nel quadro di una denuncia completa della guerra e delle sue

V

atrocità. A spingermi non è stato il desiderio di veder puniti i colpevoli del massacro di Song My ma la convinzione che portando dinanzi agli occhi del mondo un fatto specifico potevo contribuire a dimostrare la bestialità della guerra. Ho scritto le trenta lettere, le ho imbucate, e per due settimane non ho saputo nulla. Poi è arrivato qui un colonnello dell'ispettorato generale militare. Mi ha detto: stia tranquillo, la faccenda non sarà insabbiata, ma avevo paura che si cercasse di impedire lo scandalo. Certo al Pentagono la presero molto alla larga: bisogna esser prudenti, mi dicevano. Per qualche tempo ebbi l'impressione che il Pentagono cercasse di limitare l'affare buttando la responsabilità su qualche uomo del plotone, per tenerne fuori gli ufficiali e i comandanti. Allora scrissi un'altra lettera con cui dicevo che se le cose non si fossero mosse avrei informato la stampa.» (Dall'intervista, pubblicata sull'Europeo, dell'ex soldato Ron Ridenhour.)

È la strage di My Lai, nel villaggio di Song My, provincia di Quang Ngai: così come la raccontan gli stessi che l'hanno compiuta, poi coloro che l'hanno sofferta, il 16 marzo 1968, un mattino pieno di sole, di viltà, e di vergogna. Ma non cercare la strage di My Lai in questo libro. Non c'è. Gli americani riuscirono a tenerla segreta per un anno e mezzo, io la seppi leggendo i giornali. E appena la seppi mi misi a sfogliar queste pagine, a cercare dov'ero il 16 marzo 1968, e scoprii che ero a Saigon, immobilizzata nel disgusto, nell'amarezza, in procinto di lasciare per la seconda volta il Vietnam. Solo per un colpo del destino o del caso avrei potuto trovarmi a My Lai, hamlet sperduto tra la giungla ed il mare, neanche segnato sulle carte geografiche. Del resto, se il caso o il destino mi avesse condotto laggiù, oggi non potrei raccontarla. Ben difficilmente il capitano Medina, soprannominato dai suoi soldati Mad Dog e cioè Cane Pazzo, ben difficilmente il tenente William Calley che ora affronta la Corte Marziale, ben difficilmente gli ottanta uomini della Compagnia Charlie avrebbero permesso a un giornalista e straniero per giunta di lasciar vivo My Lai. Una pallottola dei loro M16 sarebbe toccata anche a me, o a chiunque si fosse trovato al mio posto. Malgrado ciò una domanda *sorge più che legittima: non mi capitò mai di raccoglier la voce, l'insinuazione, che tale massacro fosse avvenuto?*

No, mai. I contatti coi vietcong, cioè i soli in grado di denunciarlo, erano impossibili. Avvicinavi i vietcong solo se essi ti catturavano, e in tal caso eri fortunato se non finivi dinanzi ai loro plotoni di esecuzione: di noi giornalisti i vietcong non si fidavano mai, perché eravamo bianchi, perché stavamo in Vietnam col permesso degli americani, perché al fronte indossavamo l'uniforme degli americani. I contatti con gli americani erano facili, invece, continui, e oserei dire forzati: ma certe cose non potevi saperle da loro, non ti aspetterai mica che venissero a raccontarti d'aver assassinato vecchi e bambini. C'è stato uno scontro a fuoco, dicevano, e il nemico ha lasciato sul terreno cento morti, duecento, trecento. Ai giornalisti, ovvio, presentavano sempre un'immagine pulita dei loro soldati: l'immagine dei bravi ragazzi che si battono in nome della democrazia, della libertà, e ai bambini offrono dolci, chewingum, agli adulti tolleranza, pietà, e son degni figli degni nipoti degli uomini che liberaron l'Europa dal tallone nazista poi celebrarono il processo di Norimberga. E pazienza se tutti sapevano che i bravi ragazzi non erano proprio bravi ragazzi, o molto di rado, che verso i vietnamiti si comportavano con arroganza, disprezzo, spesso crudeltà: credo d'essere stata la prima a rivelar, non creduta, un particolare cui tutti credono oggi perché ci sono le fotografie e cioè che certi prigionieri vietcong, quei bravi ragazzi, li interrogavano in volo sugli elicotteri e poi, parlassero o no, li buttavano giù a capofitto. Credo d'esser stata l'unica, durante l'offensiva del Tet, a denunciar l'episodio del bambino vietnamita impalato dai coreani al servizio degli americani, e l'immensa ipocrisia di usare i coreani per i servizi peggiori. E descrissi l'infamia dei bombardamenti aerei su Cholon, Kien Hoa, Go Vap, perché in nome della logica vorrei sapere se uccidere con un fucile un vecchio o un bambino è più grave che ucciderli con una bomba al napalm. Ma di stragi come My Lai non ebbi mai notizia, ripeto. All'inizio del 1968 c'era stata quella strage a Dak Son, villaggio sulle Pianure Centrali, compiuta dai sudvietnamiti sebbene gli americani dessero la colpa ai vietcong. E se n'era fatto, sì, un gran parlare. Ma dopo Dak Son l'unico massacro che trapelò, e che io stessa vidi, fu il massacro di Hué: questo commesso davvero dai vietcong giacché non son teneri nemmeno i vietcong, sia ben chiaro. Neanche loro ti chiedono l'atto di nascita prima di pigiare il grilletto, neanche loro si curano che tu abbia due anni o settanta.

C'erano, è vero, i rastrellamenti. Le evacuazioni. Si sapeva, è vero, che in quei casi i bravi ragazzi non si comportavan da bravi ragazzi: bruciavano i villaggi, sparavano a chi non voleva lasciar la capanna. Ma tali accuse le muovevi sui sentito-dire perché ai rastrellamenti, le evacuazioni, non ti lasciavano partecipare. Se ci provavi, e Dio sa se ci provavi, ti rispondevano è difficilissimo, avvengono all'improvviso, bisognerebbe trovarsi per l'appunto con la compagnia che li fa. Il comando in realtà non gradiva. Non gradiva nemmeno che un giornalista si mischiasse alle Forze Speciali, quei Berretti Verdi che tagliavan la testa ai vietcong e poi gli ficcavano in bocca i genitali. Come dicevan le voci. Giacché non avevi le prove. La prova venne il giorno in cui fu pubblicata una fotografia dove si vedevano cinque Berretti Verdi, cinque biondoni, che sghignazzavan mostrando le teste mozze di cinque vietcong coi genitali in bocca. L'aveva ceduta, per soldi, uno delle Forze Speciali: più o meno il caso di quel fotografo Haeberle che su My Lai s'è fatto un conto in banca, ma cos'altro ti aspetti da un tipo che ha la freddezza il cinismo di fotografare una ragazzina mentre la violentano o un neonato mentre lo sparano. Ed eccoci alla conclusione della mia premessa, al motivo per cui l'ho scritta.

L'America è anche il paese di Ron Ridenhour, l'ex soldato che ha informato il mondo sulla strage di My Lai. L'America è anche il paese del Moratorium, delle marce contro la guerra in Vietnam, dei giornali che propagandano con dolore con sdegno un delitto che altri si guarderebbero perfin dall'ammettere. Ma recitare il mea culpa non basta ad alleggerire la colpa, i rei confessi restano rei, e la strage di My Lai vale la strage di Sant'Anna, di Marzabotto, di Lidice, di Babi Yar, supera quella di Hué e delle Fosse Ardeatine. Non c'è bisogno d'esser nazisti per diventare assassini: in nome della democrazia, del cristianesimo, della libertà, si massacra tanto bene quanto in nome del "grande" Reich. E se il processo di Norimberga fu un processo legale dovremo rifarlo: al banco degli accusati mettendo stavolta quei bravi ragazzi, quei bravi generali che davan l'ordine di ammazzare i civili, di non lasciar viva neanche una gallina. E tuttavia, tuttavia, tuttavia, il discorso da fare non è sugli americani: il discorso da fare è sugli uomini. Sulla guerra e sugli uomini. Sui vari tenenti Calley e sulle loro medaglie di bronzo, sulla loro coscienza intatta. Sui vari Varnado Simpson, Charles West, Paul David Meadlo, Michael Terry, ora bianchi ora neri ora gialli ora pentiti ora non pentiti ma sempre descritti come persone perbene, normalissime, miti, figli rispettosi, padri affettuosi, questi mostri che non sanno d'essere mostri, e al collo portano le crocettine, le medagliette con la Madonna, in tasca portano le fotografie dei parenti, e se ci parli a quattr'occhi ti rubano il cuore, ti dimostran d'avere sani ideali, e poi una bella mattina di marzo, una mattina di sole, salgono su un elicottero coi loro sani ideali, le loro medagliette, le loro crocettine, la loro presunzione di civiltà, e fanno ciò che hanno fatto « perché tali eran gli ordini ».

È il discorso che fo in questo libro. Questo libro che spiega My Lai. Perché quasi niente quanto la guerra, e niente quanto una guerra ingiusta, frantuma la dignità dell'uomo.

ORIANA FALLACI

Capitolo primo

Era entrata con piccoli passi esitanti, la prudenza dei bambini quando voglion qualcosa. Appoggiata ad una valigia, s'era messa a fissarmi dondolando un piede su e giù. Fuori era novembre, il vento invernale gelava i boschi della mia Toscana.

« È vero che parti? »

« Sì, Elisabetta. »

« Allora resto a dormire con te. »

Le avevo detto va bene, era corsa a prendere il pigiama e il suo libro dal titolo *La vita delle piante*, poi m'era venuta accanto nel letto: minuscola, indifesa, contenta. Fra qualche mese avrebbe compiuto i cinque anni. Tenendola stretta m'ero messa a leggerle il libro, d'un tratto m'aveva puntato gli occhi negli occhi e posto quella domanda.

« La vita, cos'è? »

Io coi bambini non sono brava. Non so adeguarmi al loro linguaggio, alla loro curiosità. Le avevo dato una risposta sciocca, lasciandola insoddisfatta.

« La vita è il tempo che passa fra il momento in cui si nasce e il momento in cui si muore. »

« E basta? »

« Ma sì, Elisabetta. Basta. »

« E la morte, cos'è? »

« La morte è quando si finisce, e non ci siamo più. »

« Come quando viene l'inverno e un albero secca? »

« Più o meno. »

« Però un albero non finisce, no? Viene la primavera e allora lui rinasce, no? »

« Per gli uomini non è così, Elisabetta. Quando un uomo muore, è per sempre. E non rinasce più. »

« Anche una donna? Anche un bambino? »

« Anche una donna, anche un bambino. »

« Non è possibile! »

« Invece sì, Elisabetta. »

« Non è giusto! »

« Lo so. Dormi. »

« Io dormo ma non ci credo alle cose che dici Io credo che quando uno muore fa come gli alberi che d'inverno seccano ma poi viene la primavera e loro rinascono, sicché la vita deve essere un'altra cosa. »

« È anche un'altra cosa. E se dormi te la racconterò. »

« Quando? »

« Domani, Elisabetta. »

L'indomani ero partita per il Vietnam. C'era la guerra in Vietnam e se uno faceva il giornalista finiva prima o poi per andarci. Perché ce lo mandavano, o perché lo chiedeva. Io l'avevo chiesto. Per dare a me stessa la risposta che non sapevo dare a Elisabetta, la vita cos'è, per ricercare i giorni in cui avevo troppo presto imparato che i morti non rinascono mai a primavera. Ed ora mi trovavo a Saigon e i miei occhi vagavan sorpresi senza vedere la guerra: dov'era la guerra? Nell'aeroporto di Than Son Nhut i caccia a reazione, gli elicotteri con le mitraglie pesanti, i rimorchi con le bombe al napalm si allineavano insieme ai soldati dall'aria triste. Ma questa non era ancora la guerra. Lungo la strada che porta in città si ammucchiavano sbarramenti di filo spinato, fortificazioni coi sacchi di sabbia, torrette da cui i soldati puntavan fucili. Ma questa non era ancora la guerra. In città passavano jeep coi militari armati, camion coi cannoncini spianati, convogli con le cassette di munizioni. Ma questa non era ancora la guerra. Cosa c'entra la guerra coi risciò che si tuffan leggeri, a pedalate, nel traffico, le venditrici di acqua che corrono a piccoli passi bilanciando la merce sui piatti a stadera sospesi a una canna di bambù, le minuscole donne dai lunghi vestiti e i capelli sciolti che dondolan dietro le spalle come veli neri, le biciclette, le motociclette, i bambini con le scatole di cera e le spazzole per pulirti le scarpe, i taxi luridi e svelti. C'era un caos quasi allegro a Saigon nel novembre del 1967, ricordi? Tu giungevi a Saigon, nel novembre del 1967, ricordi, e non ti accorgevi molto della guerra. Essa sembrava semmai un dopoguerra: coi negozi pieni di cibo, le gioiellerie piene d'oro, i ristoranti aperti, ed il sole. Entravi in albergo e funzionava perfin l'ascensore, il telefono, il ventilatore al soffitto, e il cameriere vietnamita era sempre pronto a un tuo cenno e sul tavolo c'era sempre un vassoio di ananas freschi e di mango, e non pensavi a morire.

Poi, all'improvviso, era notte, la guerra mi lacerò gli orecchi. Con un colpo di cannone. E poi un altro, ed un altro. Le mura tremarono sotto le scosse, i vetri tintinnarono fin quasi a spaccarsi, la lampada in mezzo alla stanza paurosamente oscillò. Corsi alla finestra, il cielo all'orizzonte era rosso, e riconobbi la guerra in cui avevo troppo presto imparato che non si rinasce più a primavera. E pensai che in quel momento, nel resto del mondo, la polemica infuriava sui trapianti del cuore: la gente, nel resto del mondo, si chiedeva se fosse lecito togliere il cuore a un malato cui restano dieci minuti di respiro per darlo a un altro malato cui restano dieci mesi di vita, qui invece nessuno si chiedeva se fosse lecito togliere l'intera esistenza a un intero popolo di creature giovani, sane, col cuore a posto. E l'ira mi avvolse penetrandomi sotto la pelle, bucandomi fino al cervello, e promisi di scrivere questa incoerenza, e da questa incoerenza crebbe un diario per te, Elisabetta. Tu che non sai perché rido così forte quando rido, e piango così fitto quando piango, e mi accontento di così poco quando mi accontento, ed esigo tanto quando esigo. Tu che non sai come la vita sia molto più del tempo che passa fra il momento in cui si nasce e il momento in cui si muore, su questo pianeta dove gli uomini fanno miracoli per salvare un moribondo e le creature sane le ammazzano a cento, mille, un milione per volta.

* * *

18 novembre pomeriggio. La notizia è piombata a mezzogiorno, mentre stavo negli uffici dell'Agence France Presse. Mi avevano detto che il luogo giusto per aver le notizie era la France Presse, l'uomo da conoscere era il suo direttore François Pelou, così prima di mezzogiorno sono andata a cercarlo ed eccolo: un bel giovanotto dai capelli grigi e il corpo di atleta, il volto duro ed attento, due occhi cui non sfugge nulla, insieme dolorosi ed ironici. Dapprima mi ha fatto impressione per questo: sai il tipo che ti giri a guardare più d'una volta perché è diverso dagli altri, si lascia dietro qualcosa. Poi mi ha fatto impressione per i suoi gesti bruschi e scontrosi: non ti dava confidenza e non ne cercava. Infine, per quel che è successo. È successo quando è entrato un vietnamita con l'uniforme mimetizzata, e gli ha porto un biglietto, gli ha sussurrato qualcosa: non ho capito cosa. Subito lui ha fatto un balzo, la sua mano sinistra s'è abbattuta sul ricevitore del telefono e lo ha sollevato con ira, il suo indice destro s'è messo a comporre un numero, rabbiosamente, mentre gli altri restavano come paralizzati a guardarlo. Ho chiesto cosa succedesse, non mi hanno risposto, solo dopo qualche minuto ho saputo: domattina alle cinque tre vietcong saranno fucilati nella prigione centrale di Saigon. Si chiamano Bui Van Chieu, Le Minh Chau, Troung Thanh Danh, furono condannati a morte la scorsa estate. Il primo per tradimento e detenzione abusiva di armi, gli altri due per il lancio di una granata in un bar.

« Sai cosa significa » ha sibilato Pelou sbattendo il telefono.

Cercava di rintracciare il capo della polizia, generale Loàn, per avere una conferma.

« No, cosa significa? »

« Significa che i morti non saranno tre ma sei e forse nove. »

« E perché? »

Allora mi ha spiegato perché: se i tre condannati a morte verranno giustiziati dalle autorità governative di Saigon, almeno tre prigionieri americani verranno giustiziati per rappresaglia dal Fronte di Liberazione Nazionale. È sempre così, dal giugno 1965, quando fu annunciata la fucilazione di Tram Van Dang, il vietcong che aveva compiuto l'attentato all'hotel Metropol. Il governo sudvietnamita ne dette l'annuncio e la radio dell'FLN rispose: « Se Tram Van Dang sarà fucilato, noi giustizieremo un prigioniero americano ». Tram Van Dang fu fucilato e lo stesso giorno, dopo sommario processo, il soldato George Bennett cadde sotto il fuoco di un plotone vietcong. L'ambasciata statunitense protestò, il governo vietnamita promise di sospendere le fucilazioni, e neanche tre mesi dopo, all'alba del 22 settembre, nello stadio di Danang, il generale Thi fucilò senza processo tre studenti vietcong: Huyn Van Lam, Huyn Van Chou, Pha Van Cau. I primi due eran fratelli. E, il 26 settembre, la radio dell'FLN interruppe le trasmissioni per un comunicato speciale: « Il Comitato Militare ci informa che in seguito all'assassinio dei nostri patrioti a Danang, due prigionieri americani sono stati passati per le armi. Essi sono il sergente Kenneth Dorabach e il capitano Humbert Varsace ». Al momento della cattura il capitano Varsace stava per finire la ferma e aveva deciso di farsi prete. Era contro la guerra in Vietnam.

C'è voluto almeno mezz'ora perché Pelou rintracciasse il generale Loan ma alla fine l'ha rintracciato ed egli ha ammesso che la notizia era vera: misure di sicurezza eran già state prese per evitare assalti alla prigione. È seguito un grande silenzio. E in quel silenzio la mano di Pelou ha deposto il ricevitore, poi l'ha sollevato di nuovo, stavolta con calma, di nuovo l'indice ha composto un numero, mentre tutti guardavano, zitti, e Pelou ha parlato con un certo Barry Zorthian dell'ambasciata americana.

« Sì, Barry, una fucilazione... Sì, Barry, domattina alle cinque... No, Barry, possibilissimo invece... Lo so che il governo dovrebbe avvertirvi ma non vi ha avvertito, Barry, ecco tutto. E non c'è tempo da perdere, Barry. »

Mentre parlava il suo volto s'era come incavato, e le sue pupille s'eran come fatte di pietra, e con quelle pupille di pietra mi ha raccontato come li fucilano i vietcong a Saigon,, con quale criterio. Li fucilano nella piazza del Mercato, dinanzi al ministero delle Poste. Li fucilano prima dell'alba, quando c'è il coprifuoco, alla luce dei fari delle jeep. Infilano i pali nei sacchi di rena, ce li legano, e li fucilano così, di nascosto, più per fare dispetto agli americani che per fare dispetto ai vietcong.

Specialmente se non sono vietcong. Dopo la morte del capitano Varsace infatti gli americani persero la calma: « Noi mandiamo i nostri soldati a morire per voi e voi ci ringraziate causando altre vittime », e pretesero la cacciata del generale Thi, l'assicurazione che tali incidenti non si sarebbero più ripetuti. Ma una settimana dopo altri cinque cadevano nella piazza del Mercato. Criminali comuni con l'etichetta di vietcong, creature che in circostanze normali se la sarebbero cavata con tre o quattro anni: sacrificate dal governo sudvietnamita per non perder la faccia, non chinare la testa dinanzi agli ordini di Washington. La stessa ragione per cui fu giustiziato mesi fa quel ricco cinese, Ta Vinh, colpevole di commercio coi vietcong, e neanche di nascosto, stavolta, neanche alla luce dei fari delle jeep: fu giustiziato di giorno, lui, e ci portarono la famiglia ad assistere, moglie, genitori, bambini. I bambini gridavano papà, papà. Lui piangeva. E la radio dell'FLN commentò: « La farsa continua. La rappresaglia non è avvenuta perché neanche questa vittima era un compagno. Ma il governo sudvietnamita sa: per ogni vietcong fucilato noi risponderemo con due e anche tre prigionieri americani ».

« Dimmi, François: quante probabilità ci sono che l'esecuzione venga rinviata? »

« Cinquanta per cento, se gli americani agiscono con molta rapidità. »

Più tardi sono andata al Juspao, il servizio di informazioni americano. I funzionari del Juspao non aprono bocca. Li inferocisce il particolare d'essere stati avvertiti da un giornalista, francese per giunta, li deprime la certezza che l'esecuzione non sia sospesa. Sembra che lo stesso ambasciatore americano sia andato dal presidente Van Thieu per convincerlo. Se ci stia riuscendo o no, nessuno lo dice. E nessuno ci crede. Neanche Pelou che ha provocato ogni cosa. Dopo il Juspao sono tornata alla France Presse e l'ho sorpreso a telefonare di nuovo col generale Loan. Questi ammette che le probabilità di un rinvio non siano più del cinquanta per cento, anzi del quarantacinque: comunque non sapremo nulla prima di mezzanotte. E sono le sei del pomeriggio, che agonia lunga. È come tornare indietro di ventitré anni, quando il rinvio dell'esecuzione riguardava mio padre, e altri due. Quale dei tre vietcong assomiglia a mio padre? Tutti e tre. Sono tutti mio padre, io non ce la fo a stare qui. Non capisco Pelou che balza laborioso da un telefono all'altro, dalla telescrivente alla macchina da scrivere, non capisco gli altri: Felix Bolo e il suo volto composto che non si torce oltre una smorfia di perplessità: « Je crois qu'on va les tuer », io dico che li ammazzano. Claude Lorrieux e il suo viso rotondo, con la bocca a salvadanaio: « Ma chère, c'est la guerre! », mia cara questa è la guerra. Ora esco e torno verso le undici. Capisci, una cosa è veder morire la gente in battaglia, quando anche tu rischi la morte. Una cosa è star qui impotenti a pensare che la vita di nove creature dipende da un sì o no di pochi imbecilli che si fanno i dispetti. Sono le sette di sera. Chi pregheranno quelle nove creature? Chi malediranno? La sera fa caldo a Saigon. E l'aria s'è come fermata in un'afa che toglie il respiro.

Sera. Sono tornata alle dieci, non riuscivo a star sola. Ho detto buonasera e quasi nessuno ha risposto. Eran diventati nervosi anche loro, e zitti. Nel silenzio turbato soltanto dalle telescriventi, lo spostar di una sedia rimbombava come una cannonata. Lorrieux si mangiava le unghie. Bolo si tormentava un orecchio. Pelou stava immobile su una poltrona: coi piedi posati sulla scrivania, le braccia conserte, la bocca serrata. Siamo andati avanti così più di un'ora. Poi, dopo le undici, il telefono ha squillato. Due, quattro, sei mani si son tese verso il ricevitore. L'ha alzato Pelou, con un guizzo di un gatto: « Hallo France Presse ». Mi si è chiuso lo stomaco, l'ho guardato in faccia, e un lampo dei suoi occhi pungenti m'ha detto ciò che ascoltava. Non c'è stato bisogno di altro. Ho capito subito che l'esecuzione era stata sospesa. E ho incominciato a ridere, a ridere. A ripetere grazie, François, grazie!

Felix diceva che all'inizio, in Vietnam, è sempre così. Ci si scalda per nulla. Poi ci si fa l'abitudine, passa.

19 novembre. Tutti continuano a dire che bisogna andare a Dak To dove infuria quella battaglia. Così stamani io e Moroldo siamo andati a comprar le uniformi e a firmare un foglio con cui sdebitiamo le Forze Armate e il governo degli Stati Uniti della nostra possibile morte. Ci siamo anche divertiti perché in fondo al foglio c'era questa domanda: « A chi dovrà essere consegnato, eventualmente, il vostro cadavere? ». Presi alla sprovvista abbiamo scritto « Ambasciata Italiana di Saigon » e immaginare la faccia dell'ambasciatore Tornetta che riceve i due pacchi ha scatenato la nostra ilarità. Moroldo è qui per fare le fotografie. È già venuto in Vietnam, due anni addietro, e ciò gli dà una disinvoltura che io non ho, però in battaglia non c'è mai stato e quando parla del viaggio a Dak To diventa inquieto quanto me. Continua a ripetere che siamo arrivati di venerdì 17, il diciassette porta scalogna, e poi bando alle spiritosaggini: in poco più di due anni sono morti dieci giornalisti in Vietnam. Ricordiamoli, non lo fa mai nessuno. Maggio 1965, Pieter Ronald Van Thiel: ucciso dai vietcong a sud di Saigon. Giugno 1966, Jerry Rose: precipitato con l'aereo, colpito da una cannonata a Quang Ngai. Ottobre 1966, Bernard Kolenberg: precipitato con un caccia nella zona demilitarizzata. Ottobre 1966, Huynh Than My: ucciso in battaglia a Can Tho. Novembre 1966, Dickie Chapelle: saltata su una mina a sud di Danang. Novembre 1966, Charlie Chellapah: disintegrato da un mortaio a Cu Chi. Dicembre 1966, Sam Castan: ucciso in combattimento nelle Pianure Centrali. Febbraio 1967, Bernard Fall: sventrato da una mina nella foresta di Hué. Marzo 1967, Ronald Gallagher: ucciso per errore dall'artiglieria americana nei pressi di Saigon. Maggio 1967, Felipha Schuler: mitragliata sull'elicottero che la portava a Danang.

Di feriti, quest'anno, ce ne sono stati una trentina. Ierl'altro, al bar dell'hotel Continental, ho conosciuto la fotografa francese Catherine Leroy che lo scorso maggio, durante un combattimento al 17° parallelo, fu colpita da diciotto schegge di mortaio. È una biondina di ventitré anni, dal corpo di fanciullo e il volto di vecchia. Il suo braccio destro, la sua gamba destra, la sua guancia destra son coperti di cicatrici e cammina zoppa perché la ferita al piede continua a riaprirsi. Le ho chiesto: « Perché non torni a casa, Catherine? ». Ha alzato le spalle come se avessi detto una stupidaggine. Che strani tipi questi miei colleghi in Vietnam. Alcuni, come Pelou, sono fior di giornalisti e potrebbero stare a Londra o a Parigi: invece bestemmiano e rimangono. Molti altri, come Catherine, sono reporter improvvisati e nessuno li avrebbe mandati se non si fossero pagati il viaggio. Cosa cercano qui? Uno scopo che non avevano prima? Un brivido che li scuota dalla noia? Una pallottola che risolva un loro dolore? Un'imitazione di Hemingway? Ho tentato un'indagine, uno ha risposto: « Voglio dimostrare a mio padre di non essere il cretino che dice ». Un altro ha risposto: « Mia moglie ha divorziato ». Un altro ha risposto: « È eccitante e, se fai la foto giusta, sei a posto per sempre ». Catherine ha risposto: « Volevo vedere com'è fatta la guerra, ne sentivo sempre parlare ».

Quasi nessuno m'ha dato la sola risposta che a me sembra valida: io sono qui per capire gli uomini, cosa pensa e cosa cerca un uomo che ammazza un altro uomo che a sua volta lo ammazza. Sono qui per provare qualcosa a cui credo: che la guerra è inutile e sciocca, la più bestiale prova di idiozia della razza terrestre. Sono qui per spiegare quanto è ipocrita il mondo quando si esalta per un chirurgo che sostituisce un cuore con un altro cuore; e poi accetta che migliaia di creature giovani, col cuore a posto, vadano a morire come vacche al macello per la bandiera. È da quando sono al mondo che mi rompono l'anima con la bandiera, la patria, in nome di queste sublimi sciocchezze mi impongono il culto di uccidere, essere uccisa, e nessuno mi ha ancora detto perché uccidere per rapina è peccato, uccidere perché hai un'uniforme è glorioso. Mi dà fastidio quest'uniforme comprata stamani. È ridicola, non ho voglia di indossarla. E poi gli scarponi mi fanno male. E poi non voglio morire, ho paura. Non è facile seguire il consiglio che François m'ha dato con quel bigliettino.

Stasera, rientrando in albergo, ho trovato un suo bigliettino. Era firmato solo con la sigla e, lì per lì, non ho riconosciuto la sigla. Ma ho capito che veniva da lui per il tono affettuoso, insolente: « Amuse-toi à Dak To. N'aie pas peur. FP ».

20 novembre mattina. Non è facile. La paura sta dentro di me, mi ghiaccia i piedi, e le mani, e non mi abbandona. Era quasi scomparsa mentre andavamo all'aeroporto, forse perché mi sentivo eccitata, ma è riapparsa appena siamo saliti sul cargo militare che ci avrebbe condotto a Pleiku: prima tappa per raggiungere Dak To. Era un grande cargo, un C130. Trasportava ottanta soldati diretti alla zona del fuoco, i soldati se ne stavano lì col fucile ritto fra le gambe, il volto chiuso in una rassegnata tristezza, e non ti dedicavan neppure un sorriso, uno sguardo curioso. Qualcuno dormiva, con l'elmetto calato sugli occhi. Poi, volavamo da un'ora, un sergente ha aperto bocca.

« Ragazzi, sapete che ieri un C130 è precipitato fra Pleiku e Saigon? »

« Chiudi il becco » ha risposto qualcuno.

« E perché? »

« Già, perché? »

« Un sabotaggio forse, o una cannonata. Nessuno ha fatto in tempo ad usare il paracadute, del resto il paracadute a che serve, mettiamo che ora succeda lo stesso, mentre cali a terra ti sparano. »

« E chiudi il becco! »

Allora lui s'è rivolto a Moroldo.

« Siete giornalisti voi due? »

« Sì. »

« Andate a Dak To? »

« Sì. »

« Idioti, chi ve lo fa fare? »

Me lo chiedo anch'io, ora che siamo a Pleiku, sotto questa tenda dove aspettiamo l'elicottero che ci porterà a Dak To, e la guerra non è più una parola, un'immagine sul giornale o alla televisione, un tintinnare di vetri, è qualcosa che stai per veder da vicino e toccare, in mezzo a questa pianura dove non c'è nulla fuorché una tenda e un'attesa, un nome che ripetono

16

tutti: Dak To, Dak To, Dak To. Dak To è un villaggio situato a dieci miglia dal confine col Laos e la Cambogia, proprio dove sbocca la Pista Ho Ci Min, vale a dire la strada da cui arrivano i rifornimenti di Hanoi alle formazioni vietcong e alle truppe nordvietnamite infiltrate nel Sud. Verso la fine d'ottobre a Dak To c'era solo un battaglione di americani, una piccola base aerea. Poi un disertore vietcong rivelò che i nordvietnamiti erano riusciti ad ammassare sulle colline ben settemila soldati, con questi si accingevano a sferrare un attacco. Westmoreland parò il colpo concentrando diecimila fra paracadutisti e Marines, il 1° novembre ebbe inizio la più sanguinosa battaglia combattuta finoggi in Vietnam. A Saigon si dice: « O gli americani vincono entro sette giorni a Dak To, o Dak To diviene la loro Dien Bien Phu ».

No, non è facile non avere paura.

Pomeriggio. Invece è facile. La paura ti passa, di colpo, con la paura degli altri. L'elicottero che abbiamo preso a Pleiku aveva posto per quattro persone, oltre i due piloti e i due mitraglieri. Uno dei quattro era un telecronista appena giunto da New York. In preda a un tremito convulso, il viso colore del gesso, si agitava, si mordeva le mani, gemeva: a un certo punto s'è perfino alzato per scongiurare il pilota di tornare indietro, e il pilota non gli ha neanche risposto. Ecco, ho provato una tale vergogna che subito son diventata un'altra persona: tranquilla, lucida, attenta. Mentre lui gemeva potevo addirittura sporgermi fuori dell'elicottero, osservar freddamente le colline a sinistra da cui si alzavano fumate nere, il napalm che i caccia americani sganciavano sui nordvietnamiti, poi le colline a destra da cui si alzavano fumate bianche, i razzi che i nordvietnamiti lanciavano sugli americani, non mi preoccupava nemmeno che ci stessimo volando nel mezzo. Pensa, ho mantenuto la calma perfino quando il mitragliere a destra s'è abbassato sulla mitraglia e ha sparato due raffiche contro una macchia che si muoveva, la giungla qui pullula vietcong, e in quella calma ho compreso perché dicono che questa guerra è una guerra diversa da tutte, non ha un fronte preciso, il fronte è dovunque.

In Vietnam gli americani non posseggono che qualche fortino, cioè le basi aeree, e per spostarsi da fortino a fortino non hanno che gli elicotteri oppure gli aerei. Quando sei su quegli aerei o su quegli elicotteri sei già al fronte, e ti par d'essere un bianco dentro un vagone coperto, intento ad attraversare le zone occupate dagli indiani Navajo o Cherochee.

Siamo a Dak To. Un campo militare con una pista nel mezzo, bucata dai mortai di stanotte. Decine di velivoli che decollano o atterrano in una tempesta di polvere rossa, un fragore che spacca i timpani. Centinaia di camion e jeep che trasportan soldati dallo sguardo stanco e la barba lunga. Postazioni di artiglieria che vomitano cannonate ogni trenta secondi, scuotendo la terra e il tuo stomaco. Baracche squallide, tristi. Eppure come doveva esser bello, allegro, il Vietnam quando non c'era la guerra. I monti dove ora si muore son blocchi di giada e smeraldo, il cielo dove ora schizzan le bombe è una cappa color fiordaliso, e il fiume che ora serve a spenger gli incendi ha un'acqua così limpida, fresca. Come doveva esser semplice sentirsi felici quaggiù, andando a pescar sulle rive, a passeggiare nei boschi. Ma perché si deve sempre sporcar la bellezza? L'ha sporcata anche lui, mentre stavo ammirando quell'azzurro e quel verde. S'è fatto avanti coi suoi gradi di tenente e ci ha offerto una rivoltella ciascuno.

« No, grazie » ha detto Moroldo.

« No, grazie » ho detto io.

« Ve la consiglio, siete in uniforme e chiunque porti l'uniforme è un bersaglio. I nordvietnamiti non fanno prigionieri. »

« No, grazie. »

« Quasi tutti i corrispondenti ce l'hanno. Se dovete crepare, tanto vale che vendiate cara la vostra pelle. »

« No, grazie. »

Sembrava sbalordito dai nostri « no, grazie ». Povero tenente. Ha due baffetti cretini su un muso cretino, da topo, e un elmetto che sembra nato con lui. Magari ci dorme. Nella tasca dei pantaloni tiene una scatolina di fotocolor che mostra a ogni nuovo arrivato: la sua ragazza in camicia da notte e senza camicia da notte, fotografata durante una licenza a Honolulu. Quando la guarda si gratta, ed è sconsolante pensare che lo avremo fra i piedi per la maggior parte del tempo: è addetto alla stampa. Come tale, ci ha condotto alla tenda dei giornalisti: dove sto scrivendo, seduta sopra una branda. Ma non è la mia branda: sono tutte occupate e stanotte dovrò dormire per terra. Pazienza, dormirò sempre meglio del soldatino nordvietnamita che ho visto cinque minuti fa. Diciott'anni sì e no, preso sulla collina 1383, mezzo morto di fame e di sete. I pantaloni lordi di sangue, gli occhi chiusi, ansimava e non riusciva neanche a camminare: lo trascinavano due MP reggendolo sotto le ascelle.

« Dove lo portano, tenente? In infermeria? »

« No, no. Lo portano all'interrogatorio e poi ad incidere un disco da trasmettere con l'altoparlante sulle colline. »

« E cosa inciderà su quel disco? »

« Inviterà i suoi compagni ad arrendersi. »

« E se lui non vuol farlo? »

« Lo farà, lo farà. »

Il soldatino era scalzo, su un sasso ha inciampato. Allora i due MP lo hanno tirato su e, per un attimo, i suoi piedi nudi hanno penzolato grotteschi come i piedi di un impiccato. Il tenente s'è messo a ridere: « Look how funny! », guarda che buffo. Il soldatino ha aperto un occhio, lo ha guardato fisso con quell'occhio solo.

Chissà, forse fu lui a ideare la giacca ricamata che vendono in molti negozi a Saigon. Una giacca impermeabile, il ricamo è dietro sulle spalle. Dice: « Quando morirò, andrò in Paradiso perché su questa terra ho vissuto all'Inferno ». Però è una giacca americana. E le parole ricamate, in inglese: « When I shall die I shall go to Paradise because on this Earth I have lived in the Hell. Vietnam 1967 ».

Notte. L'allarme è suonato quando i primi colpi di mortaio erano già caduti sul ponte e sulla pista. Io e Moroldo stavamo mangiando alla mensa degli ufficiali. Sono scappati tutti rovesciando i vassoi, i bicchieri, e sono scappata anch'io, in cerca di un bunker, ma era molto buio e il bunker non si vedeva. Si vedevano solo sagome nere che correvano ripetendo: « I mortai! I mortai! ». Io chiedevo « Il bunker, dov'è il bunker? » ma nessuno mi rispondeva. Come si diventa egoisti alla guerra. L'artiglieria americana intanto s'era scatenata con un lancio di razzi, il cielo bruciava fiammate in fuga verso le colline, non distinguevi più fra i colpi in arrivo e i colpi in partenza, e in quel caos ho perso Moroldo. Gridavo « Moroldo, dove sei, Moroldo? », ma lui chissà dov'era. D'un tratto m'è parso di udir la sua voce ma nello stesso momento una mano ha afferrato il mio polso e una voce ha detto: « Viens avec moi », vieni con me. Poi ho sentito una gran spinta alle spalle e mi son ritrovata a capofitto in un bunker pieno di soldati, mentre la voce mi cascava addosso: « Ça va? ».

« Oui... »

« Non te la cavi bene con i mortai. »

« No... »

La voce s'è fatta più dolce.

« François Mazure. Agence France Presse. Pelou mi ha telefonato da Saigon avvertendomi che saresti arrivata, che ti sarebbe servita una spinta. Il tuo fotografo dov'è? »

« L'ho perso. »

« Non preoccuparti. È un bombardamento da nulla. »

Lui ha detto così ma siamo rimasti più d'un'ora nel bunker, assordati da quel fracasso infernale. Anche i soldati non ne potevano più, e per distrarsi accendevano un fiammifero sotto la mia faccia: « Sì, è proprio una donna! ». Con uno di quei fiammiferi ho potuto vedere Mazure che è un bel ragazzo dal naso eccessivo e gli occhi color fiordaliso. Poi, insieme a lui, mi son messa ad ascoltare i discorsi dei soldati.

« Capisci, con la storia della mamma a carico, lui è rimasto a Los Angeles e s'è fatto la piscina. »

« Be', Jack è stato ancora più furbo. »

« Che ha fatto? »

« Si mise a bere, a bere, finché gli venne l'ulcera e lo riformarono per via dell'ulcera. »

« Mi venisse un'ulcera! »

« Il più furbo, però, è stato Howard. »

« Perché? »

« Quando gli hanno chiesto se gli piacevan le donne, ha risposto: oddio, no, lo sanno tutti che vo coi ragazzi. »

« Ci va?!? »

« No certo, sei pazzo? Ma se dici d'essere frocio, ti riformano immediatamente: non lo sapevi? »

« Maledizione, no! E se lo dicessi ora? »

« Troppo tardi, mio caro. Dovevi pensarci prima. E io con te. »

Quando l'allarme è cessato, ci hanno detto che il ponte era quasi distrutto e che sette eran morti. Mazure è andato a vederli ed io son tornata alla tenda dove ho ritrovato Moroldo. Era finito dietro alcuni sacchi di sabbia insieme al fifone dell'elicottero. Era arrabbiato con me.

« Dove ti sei cacciata? »

« E tu allora? »

« Con quel disgraziato! M'ha vomitato anche addosso! »

« E che? È colpa mia se t'ha vomitato addosso? »

« Sicuro! Io cercavo te! »

« E io cercavo te. »

« Va' all'inferno! »

« Vacci tu. »

Che strano. Non era mai successo che litigassi con Moroldo. Si cade anche in certe meschinità dinanzi alla morte? Forse è questo campo. La sensazione che hai in questo campo è d'essere chiuso in un pozzo, cioè in trappola. Le colline dei nordvietnamiti ci circondano proprio a raggiera, e solo tre sono in mano degli americani: la 1383, la 1124, la 1089. Notte e giorno si è esposti al fuoco dei mortai, dei razzi: il buco dinanzi alla nostra tenda lo ha fatto un mortaio poco fa. Sembra che stavolta sparassero dalla collina 875, quella che non riescono a prendere. La notte scorsa il 173° Airborn aveva l'ordine di arrivarci in cima a ogni costo ma l'attacco è fallito. Ora gli uomini sono ammassati in un perimetro angusto da cui non possono andare né avanti né indietro, e i nordvietnamiti sono dietro ogni albero. In quel mucchio di carne umana vi sono almeno cento morti e altrettanti feriti. Il sole decompone i cadaveri, i feriti muoiono dissanguati: evacuarli è impossibile. Dieci elicotteri ci hanno provato, otto sono stati abbattuti. I soldati al campo sono depressi. Sfuggendo al controllo del tenente mi sono avvicinata ad alcuni di loro e un portoricano urlava, urlava...

« Questo lo zio Sam non ce l'aveva detto. Devi combattere il comunismo, gracchia lo zio Sam. Io cosa sia questo comunismo non lo so, e non me ne frega un corno di saperlo, e non me ne frega un corno dei dannatissimi vietnamiti. Se lo combattano da sé il comunismo, non c'è neanche un sudvietnamita fra noi. »

Gli è saltato addosso un caporale.

« Chiudi il becco, Hector. »

Ma lui non l'ha chiuso per niente.

« Aveva ragione mio padre quando si arrabbiò perché andai volontario. Imbecille, diceva, facci andare i figli dei signori. Loro mica ci vanno. Perché mio padre è operaio, e sai che ti dico? Sono sempre i figli degli operai che vanno a morire alla guerra! »

« Chetati, Hector! »

Corre voce che alla collina 1383 si aspettino un contrattacco. Domattina ci andremo. Ma intanto bisogna dormire, e fa freddo. Di giorno fa caldo, di notte fa freddo. Menomale che Mazure mi ha dato il suo sacco a pelo. Moroldo invece ha rimediato un paio di coperte. È già per terra, a dormire. Ma a pochi passi da noi c'è una postazione di artiglieria e le cannonate non alleviano il suo malumore. Si gira, sbuffa, brontola: « E spara, e spara, e spara. Ma quanto costa ogni colpo? Mezzo milione? Un milione? Come sono ricchi gli americani. Io, la guerra agli americani non gliela farò mai ».

21 novembre mattina. Si chiama Pip, ha ventitré anni, un volto buono ed arguto, un fucile, una Leica, e un blocco di carta col lapis. È addetto al servizio informazioni della Quarta Divisione Fanteria e ci porta sulla collina 1383. Stiamo aspettando un elicottero, qui sulla pista.

« E scrivi e scrivi e scrivi! Ma tu scrivi sempre? Si può sapere cosa scrivi? » dice.

« Un diario per Elisabetta, la mia sorellina. »

« Quanti anni ha la tua sorellina? »

« Cinque. »

« E legge il tuo diario? »

« Lo leggerà da grande, Pip. »

Non ci crede. Ride.

Ride anche Moroldo, rido anch'io. Ci siamo svegliati contenti, com'è bello essere vivi. Se imparassimo ad esser contenti per il solo fatto d'essere vivi. Capiremmo perfino il piacere di lavarsi la faccia con un bicchiere di acqua, e pazienza se nell'uniforme ci hai dormito e sudato, se il sacco a pelo puzzava, se trovare un gabinetto è stata impresa drammatica. C'era una latta d'acqua per tutti e, quando sono arrivata buon ultima, ce n'era rimasto un bicchiere. Quanto al gabinetto, ecco, è andata così. Il generale Peers m'ha offerto l'uso del suo gabinetto, che è una scatola di legno con su scritto *Privato*, però tutte le volte che volevo andarci ci trovavo lui. Al quarto tentativo il gabinetto era libero ma lui stava sotto la doccia. « Oh! » ha esclamato arrossendo. Poi è fuggito nudo e scalzo, scansando i sassolini come se fossero spilli. Povero generale. A guardarlo così nudo e scalzo, non sembrava davvero il demonio che al tempo della Seconda Guerra Mondiale terrorizzava i giapponesi in Birmania. Ancor meno sembrava il grande stratega che da venti giorni manda i ragazzi a morire sulla collina 875, e ogni sera ripete: « Stanotte la collina 875 cadrà nelle nostre mani ».

L'ho detto anche a Pip che continua a dire: « Devi raccontarlo al capitano Scher! ».

Il capitano Scher è quello che ha conquistato le tre colline e Pip sostiene che se la 875 fosse capitata al capitano Scher non sarebbe successo quel che è successo all'alba. E sai che è successo? Il comandante della 875 ha chiesto l'intervento dei Phantom per bombardare i bunker dei nordvietnamiti. Ma i bunker erano troppo vicini al perimetro dove sono ammassati i feriti, e una bomba dei Phantom è caduta in mezzo ai feriti. Era una bomba da trecento chili. Ha fatto un massacro.

Mezzogiorno. Per colpa di Pip, che s'era allontanato, abbiamo perso il primo elicottero. Quando è giunto l'altro, il pilota ha detto: « Chi di voi tre porta bene? L'elicottero che avete perduto è precipitato per una raffica vietcong alla pala ». Non ho sentito più di un brivido breve: è vero che ci si abitua a tutto. Ci si abitua a non stupirsi perché la morte t'è passata accanto senza vederti. Ci si abitua a volare rasente sui boschi da cui i vietcong sparano alle pale. Ci si abitua ad affacciarsi dalla fiancata aperta mentre il mitragliere risponde al fuoco. Ci si abitua a non battere ciglio dinanzi alla desolazione, all'orrore. Non sono rimasti che mozziconi anneriti di alberi, su questa collina 1383. Si levano contro il cielo in mille schegge contorte e intorno ad essi vedi solo buche, trincee, tende coperte da sacchi di sabbia, uomini dallo sguardo sbalordito e il passo incerto. Io sono seduta su un tronco di castagno che un razzo ha spaccato a metà. Accanto è il recinto dei mortai. Un ragazzino dagli occhi tristi sta sparandoli contro la cima della 875.

« Larry, ti ho portato un pacco » gli dice Pip.

« Vengo subito » risponde Larry. Poi infila un altro obice nella bocca del mortaio, si inginocchia appoggiando la testa bionda alla canna, grida con voce stentorea: « Tremilaquarantotto, uno, due, fuoco! ».

« Larry! » insiste Pip.

« Un momento! Tremilaquarantanove, uno, due, fuoco! » Cede il posto ad un altro e agguanta il pacco che viene dalla zia Dolores di Kansas City e contiene pop-corn, burro di noccioline, torroni, e soprattutto caramelle perché a Larry piacciono tanto le caramelle.

« Larry, da quanto tempo sei qui? »

« Da un tempo lungo come la mia stupidaggine. »

« Perché? »

« Sono volontario. »

« E perché sei andato volontario? »

« Cosa vuoi, eran tre anni che il Vietnam incombeva su me. Alla fine mi dissi: meglio andar volontario, o la va o la spacca, se torno mi becco un congedo di centocinquanta dollari al mese. I miei genitori si arrabbiarono molto, la mamma piangeva. Anche per questo mi pentii subito di quello che avevo fatto. Ma ormai l'avevo fatto. »

« Quando l'hai fatto, Larry? »

« Oh, mi sembra un secolo. E fu solo tre mesi fa. Ho ancora nove mesi da passare qui. Credi che tornerò a casa? »

« Certo, Larry. »

« A volte ho paura di no. E prego, sai, non fo che pregare. Prego anche quando non ho tempo. Per esempio quando vo all'assalto. Dico alla svelta: Dio, non farmi morire. »

Dal recinto arriva un bercio.

« Dico, Larry, vuoi riprenderti o no questo fetentissimo aggeggio? »

E Larry se ne va, masticando le caramelle di zia Dolores, a sparar colpi che ammazzeranno un ragazzo come lui. Con gli occhi a mandorla, giallo.

« Vero, George? »

George è il soldato che ha chiamato Larry con quel bercio. Ventiquattr'anni, meccanico, figlio di italiani emigrati a New York nel 1926. Sposato da un mese quando lo mandarono qui.

« Sì, vero, ma vedi: quando spari tu non ci pensi mica. Perché se tu non spari a lui, lui spara a te. »

« E a cosa si pensa, George? »

« Ad uccidere. A non essere uccisi. A non aver troppa paura. Io, quando andai all'attacco, avevo tanta paura. Era la prima volta che andavo all'attacco, capisci, e mia moglie aveva scritto d'essere incinta, e io avevo tanta paura. Mi tenevo tutto accostato a Bob. Bob era il mio amico. Eravamo partiti insieme e stavamo sempre insieme perché lui era un tipo zitto e io sono un tipo che chiacchiera. Si legava come due innamorati. E... posso dirti una cosa? »

« Certo, George. »

« È una cosa che non ho ancora detto a nessuno. »

« Dilla a me. »

« Ecco... riguarda Bob. Quando arrivò il razzo. Io vidi arrivàre quel razzo e non dissi niente a Bob. Mi buttai per terra e non lo buttai per terra, capisci? Non pensavo che a me. E mentre non pensavo che a me, vidi Bob scoppiare. Proprio scoppiare, centrato nel petto. E morì. Era la prima volta che vedevo morire un uomo, e quell'uomo era Bob. Gridai: Bob! Ma lui era già morto. E poi, che Dio mi perdoni, e poi... Anche questa è una cosa che non l'ho mai detta a nessuno... »

« Dilla a me, George. »

« Te la dico sennò divento pazzo. E poi, ecco, poi fui così felice che il razzo avesse preso lui anziché me. Ci credi? »

« Sì. »

« Me ne vergogno. Dio quanto me ne vergogno. Ma è così. E ti dico di più, lo sai che ti dico? Se in questo momento arriva un altro razzo, io spero che prenda te anziché me. Ci credi? »

« Sì. »

« E poi... poi ammazzai un uomo. Era la prima volta che ammazzavo un uomo. Era un piccolo viet. Correva, correva, e gli sparavano tutti, sembrava d'essere al tirassegno del Luna-park. Ma lui non cadeva. Gli ho sparato io ed è caduto. »

« George, cosa hai sentito quando è caduto? »

« Nulla. È stato come sparare a un albero e colpire l'albero. Non ho sentito nulla. Brutto, vero? »

« Non lo so, George. È la guerra. »

« Lo dice anche il tenente: è la guerra. Ma è brutto lo stesso, vero, tenente? »

« Vai a riposarti, George » risponde il tenente.

Sembra una giornata tranquilla, qui sulla 1383. Non è piombato su noi neanche un razzo, neanche una granata. Il sole è caldo, gentile, e i ragazzi si lavano la biancheria che poi appendono alle schegge degli alberi perché si asciughi. Pip mi ha portato una razione C, pollo disossato e fagioli, mentre mangiavo non mi sembrava che in questo posto si fosse svolta una battaglia feroce: se il mio sguardo cadeva sulle piante annerite pensavo, ecco, a un incendio di quelli che accadono d'estate in Toscana quando i boschi bruciano per disgrazia. Ma poi mi viene l'idea di parlar col tenente che siede tutto solo su un tronco, fissando qualcosa ai suoi piedi, e fissandola ci costruisce sopra un mucchietto di terra e di foglie. Lentamente, pazientemente, con la punta degli scarponi, sai come quando si sta sulla spiaggia ad oziare, e ci si guarda i piedi, e coi piedi si fa un mucchietto di sabbia, a piramide...

« Buongiorno, tenente. »

« Buongiorno. »

« Quel soldato... George. È ancora sconvolto. Dev'essere stato tremendo. Vero, tenente? »

Annuisce senza togliere lo sguardo dal suo mucchietto che è proprio a piramide. E sulla cima della piramide il tenente posa una bella foglia rossa.

« Tremendo. Io la guerra l'avevo vista al cinematografo e basta, non credevo che fosse così. Stamani ho scritto a mio fratello, quello di diciotto anni. Ho due fratelli nel Massachusetts: uno di quattordici e uno di diciotto anni. E su lui pende il rischio di venire in Vietnam. Gli ho scritto: non voglio che tu veda quello che ho visto io, non farti fregare con il Vietnam. Vai volontario in Marina, così sfuggi al Vietnam. »

Si china a raccogliere un'altra foglia rossa. La posa con delicatezza sopra il mucchietto. Neanche fosse una minuscola tomba.

« Le pallottole ti passavano sopra la testa, e colpivano l'albero. Allora volevi così bene all'albero che l'avresti abbracciato: per non lasciarlo mai più. Non lo abbracciavi e andavi avanti, portavi gli uomini avanti proteggendo la testa come se la testa fosse l'unica cosa di cui preoccuparti. Come se salvata quella tu avessi salvato tutto. Forse perché il primo che avevi visto morire aveva perso la testa, gli era volata via come un pallone. »

Osserva assorto il mucchietto che sembra davvero una minuscola tomba.

« Non voglio che mio fratello veda queste cose, non voglio che muoia. Se l'America pretende ch'io muoia qui, pazienza. Però mio fratello no: una morte in famiglia è già un prezzo abbastanza caro. E malgrado sia un cittadino ubbidiente, malgrado sia abbastanza d'accordo sulla nostra presenza in Vietnam, chi vuol essere qui? Chi ne è fiero? »

Poi con rabbia tira un calcio al mucchietto, e lo disfa completamente. E sotto c'è una manina gialla, con le dita tese, un avanzo di tre giorni fa.

Pomeriggio. La battaglia avvenne tre giorni fa. Cominciò alle nove del mattino e andò avanti fino alle sei del pomeriggio, senza un minuto di sosta. La 1383 è una collina ripida, a punta, coperta da una fitta vegetazione di alberi, liane, bambù, e il capitano Scher incitava la sua compagnia a fare presto, ma i soldati procedevano lenti perché ad ogni passo incontravano una trincea nordvietnamita. Eran trincee fatte bene, con gran senso strategico. Partivano dalla cima e scendevano giù a spirale, come quando si sbuccia un'arancia in un nastro. Quei cerchi concentrici erano uniti fra loro con sottopassaggi, i più vecchi avevan sei mesi: da giugno i soldatini gialli scavavano zitti, sotto gli occhi degli americani, e gli americani non s'erano accorti di nulla. Le trincee erano piccole perché i vietnamiti son piccoli e gli basta pochissimo spazio: ciò rendeva ancor più difficile l'individuarle. Te le trovavi addosso, col fuoco, ed era ormai tardi. Il capitano Scher e i suoi uomini avanzavano con quell'angoscia, aggrappandosi ad ogni macchia, ogni arbusto, scivolando, cadendo, e la conquista di un albero era già una vittoria. Per andare da qui a quel bambù, quanti metri saranno, quindici al massimo, ci mettevano un'ora, due ore. Verso le tre del pomeriggio il capitano pensò di non farcela e chiese l'intervento dell'aviazione, col rischio d'essere bombardato anche lui. Arrivarono i Phantom, scaricarono sulle trincee quintali di napalm: trasformati in torce, i soldatini gialli sparavano coi fucili agli aerei. Dopo, però, l'attacco si svolse più in fretta. E in capo a due ore il capitano era qui, sulla cima.

È la cima più alta di queste colline. Da qui si domina l'intera vallata, ecco laggiù la pista ed il campo, il fiume che si stende ondulato come in un acquerello cinese. Ci son venuta col capitano Scher in elicottero, sennò a piedi avremmo trovato mine e vietcong. L'elicottero non s'è neanche posato, s'è abbassato e basta, per scendere abbiamo dovuto saltare. Prima che saltassi il capitano m'ha detto: « Attenta a non cadere lì ». Ma io ho calcolato male le distanze e son caduta proprio lì, affondando su un oggetto molle: il cadavere di un nordvietnamita, appena coperto di terra. I cadaveri qui sono dovunque, in tre giorni ne han sepolti appena sessanta. Il fatto è che per quelli rimasti dentro le trincee il lavoro è semplice: prendi una vanga e via. Ma per quelli sparsi su e giù ci vuol tempo.

« Capitano, quante vite è costata questa collina? »

« Tante. Troppe. Centocinquanta, duecento. Ma un calcolo esatto è impossibile perché i morti, loro, li portano via. Preparano lunghe funi prima della battaglia e, al momento di ritirarsi, li legano pei piedi alle funi, li trascinano via. Questi che vede appartengono alla retroguardia. »

« Capitano, e i prigionieri? »

« Non si fanno prigionieri in Vietnam. Né da una parte né dall'altra. Salvo casi rarissimi, chi si fida a fare i prigionieri? Quando ti avvicini, fanno scoppiare una bomba e si ammazzan con te. »

Gli indico il cadavere su cui ero saltata.

« È così che lui è morto? »

Si stringe nelle spalle.

« Probabile. »

Poi mi afferra un braccio.

« Non lo guardi, venga via. »

Il capitano ha trentasei anni ed è bello come Tyrone Power quando Tyrone Power era bello. Da mesi non vede una donna. Per tal ragione, credo, s'è disturbato a portarmi quassù, e mi guarda fisso negli occhi, e quando c'è un ostacolo mi tende una mano con infinita dolcezza, e sul mio gomito le sue dita indugiano qualche momento più del necessario. Inconsapevolmente, però. Se lo sapesse, ne arrossirebbe. È inconsapevole anche della sua contentezza per la vacanza che gli è capitata col nostro arrivo. E così ce ne andiamo per la collina, io e il capitano, scavalcando obici vuoti, lamiere contorte, pestando fasce macchiate di sangue, pallottole: ma lui è così felice di avere accanto una donna. Non si accorge nemmeno che questa donna puzza di sudore, ha la faccia sporca, è vestita come un soldato. Lui la vede vestita d'azzurro, profumata, pulita, e la guida fra quei cadaveri come la guiderebbe su un prato di margherite. Dovessi morire stasera, ecco, morirei pensando che ho regalato una illusione a quest'uomo: tre giorni dopo l'inferno, gli ho regalato una passeggiata su un prato di margherite.

« Attenta... mi dia la mano... Ecco, così. Qui si cammina meglio... » E sotto i suoi piedi fioriscono le margherite della fantasia. O della disperazione? Perché questa, capitano, non è una margherita. Questo è, anzi era, un uomo. Guardalo bene, capitano. Giace contorto fra le canne di bambù e il suo viso giallo sta diventando già verde. Macchie nere gli sporcano l'uniforme kaki, bucata sul petto. Una lucertola gli corre addosso, gli si inoltra scodinzolando pel collo, gli si posa su un occhio e gli mette le zampine proprio sulla pupilla.

« Capitano... »

Il capitano mi lascia il braccio. Solleva l'elmetto, si passa le dita fra i capelli, riassesta l'elmetto, sospira.

« Dio che cosa schifosa è la guerra: lo lasci dire a me che sono un soldato. Dev'esserci qualcosa di sbagliato nel cervello di quelli che si divertono a fare la guerra, che la trovano gloriosa o eccitante. Non è nulla di glorioso, nulla di eccitante, è solo una sporca tragedia sulla quale non puoi che piangere. Piangi su quello cui negasti una sigaretta e non è tornato con la pattuglia, piangi su quello che rimproverasti e ti si è disintegrato davanti, piangi su lui che ha ammazzato i tuoi amici... »

Indica il cadavere.

« Tre me ne ha ammazzati, lui. Con una granata sola. Era nascosto dietro questa macchia e loro non l'hanno visto. Lui invece poteva guardarli in gola fino alle tonsille. »

« E lui chi l'ha ammazzato, capitano? »

« Io. »

« Lei? »

« Io... Con una raffica, subito dopo. E magari se lo incontravo in un bar di New York lo trovavo simpatico, e mi mettevo a discuter con lui sul comunismo e sul capitalismo, e lo invitavo a casa mia. Dio che cosa schifosa è la guerra. »

« Allora perché la fa, capitano? Perché l'ha scelta come mestiere? »

« Perché quando diventi un militare non ci pensi mica che il tuo mestiere diventerà uccidere. Mi piaceva lavorare con gli uomini, mi sembrava di fare il maestro: prima ero un maestro. Non ci pensi mica. E quando viene il momento di uccidere ti assale come uno stupore. Ma ormai è troppo tardi. »

« Cosa sentì, capitano, quando lo ammazzò? »

« Paura. »

« Lei, paura? »

Ha un'aria così marziale, così sicura, il capitano.

« Paura » ripete. E sorride con amarezza.

« Dalle nove alle sei di quel giorno ho avuto paura. E anche prima. Prima, io ho sempre paura, perché penso che non voglio morire. E vo avanti gridando ai miei uomini di non avere paura, e ne ho tanta, e sa cosa le dico? Le dico che in quei momenti non ti guida il dovere, non ti guida il coraggio: ti guida la paura. »

E così scompare il prato, capisci, e scompaiono le margherite, e scompare la sua contentezza, la sua vacanza, e in quel bosco scheggiato bruciato non rimane che il fetore del ragazzo giallo che uccise tre ragazzi bianchi e per questo gli bucarono il cuore. Le labbra del ragazzo giallo sono scostate, sembra che sorrida. Ma a cosa, mioddio? L'ultima cosa che vide fu il capitano che gli puntava addosso la sua paura e il suo mitra. E prima di quello c'era stata un'agonia di razzi, di mortai, di napalm, prima ancora c'era stata l'attesa, nel freddo, c'eran state le funi con cui legare i compagni che sarebbero morti, c'eran stati quei mesi a scavar le trincee, nel silenzio, nel buio. E cos'altro? Dal giorno in cui era nato, forse diciotto, forse diciannove anni fa, egli non aveva visto che guerra. La guerra ai francesi, la guerra agli americani, la guerra a qualcuno che non doveva esserci, perché nel suo paese c'era sempre qualcuno che non doveva esserci, perché al diavolo il comunismo e il noncomunismo, questa collina apparteneva a lui, come le altre colline, e le pianure ed i fiumi, e i tre ragazzi bianchi erano lì per rubargliela. Non ci hai pensato, capitano Scher? Non ci pensi? No, non ci pensa. Malgrado la sua umanità egli è convinto d'esser nel giusto a trovarsi su questa collina che non gli appartiene, come le altre colline e le pianure ed i fiumi, è convinto d'avere ucciso in nome della giustizia, della libertà, mi guarderebbe con stupore innocente se gli dicessi: quale giustizia, quale libertà?

P.S. Scrivo queste note sull'elicottero che ci riporta al campo. Ce ne siamo andati sotto il fuoco: forse il contrattacco temuto. Siamo saltati sull'elicottero con la velocità di due lepri: io mi calcavo in testa l'elmetto fino a schiacciarmi. "La testa, la testa, proteggi la testa come se fosse l'unica cosa di cui preoccuparti." E intanto Joe Tinnery, vent'anni, da Filadelfia, strappato alle scuole medie, stava lì a testa nuda ed urlava: « Ehi, m'ero dimenticato, tu che sei giornalista, mi fai un favore? Mi mandi una fotografia con l'autografo di Julie Christie? Non te ne dimenticare! Joe Tinnery! Terzo Battaglione! Dodicesimo Fanteria! Sì, Julie Christieee! ». Era divertito. Il capitano invece era triste. Aveva gli occhi come due polle d'acqua.

Sera. Siamo di nuovo al campo. Siamo giunti in tempo per vedere i feriti della collina 875. Stamani una colonna del 173° Airborn ha stabilito un contatto col perimetro del massacro e ora i feriti possono essere evacuati con gli elicotteri. Ero sulla pista mentre arrivavano gli elicotteri. Calavano come un branco di calabroni, accecandoci in un vento di polvere rossa. Gli infermieri correvano con le barelle quand'erano ancora librati per aria. Ma solo i moribondi venivano adagiati sulle barelle. Gli altri si buttavano in terra da sé, e laceri, insanguinati, zoppicando, ridendo, piangendo, venivano verso di noi. Uno che rideva istericamente mi si è buttato addosso e gridava: « Prendete la collina, era l'ordine. Prendete la dannata collina! Ma non potevamo, capisci, non potevamo! ». Poi, di colpo, ha smesso di ridere. S'è staccato da me, m'ha guardato serio ed ha detto: « Ma tu chi sei? Cosa vuoi? ». Un altro, seminudo, era in preda a una crisi selvaggia. Batteva i piedi, si batteva la fronte, singhiozzava: « Li odio! Vi odio! Maledetti! Sudicioni! ». Cercavano di calmarlo, di condurlo all'infermeria, ma non ce la facevano mica. Un altro, negro, s'era seduto con una ciotola di minestra e piangeva quieto mentre le lacrime gli cadevano nella minestra. « Quella bomba. Un mucchio di morti per quella bomba. Non sapevi più dove andare, dove nasconderti. Dormivi sotto i cadaveri. Ho dormito sotto Joe. Era morto ma faceva caldo. Dammi una sigaretta. Hai mai dormito sotto un morto che facesse caldo? »

È arrivato il tenente cretino e ha cacciato i giornalisti strillando incoscienti, datemi i rotolini delle fotografie, incoscienti. Siamo dovuti scappare perché non ce li prendesse. C'è uno strano modo, qui, di giudicar l'incoscienza. Alla conferenza stampa il generale, con l'uniforme stirata e le guance rasate di fresco, ha dichiarato: « Detesto apparire ottimista ma ritengo di potervi annunciare, stavolta con certezza, che entro stanotte la collina 875 sarà nelle nostre mani ».

22 novembre mattina. La collina 875 non è affatto nelle mani del generale che continua a rinfrescarsi sotto la doccia del gabinetto così impedendomi di farci la pipì. Non solo, raggiungere la collina 875 è ormai impossibile per noi giornalisti: gli elicotteri vi portano esclusivamente i soldati che ci vanno a morire. All'alba ho fatto un tentativo ma inutile. Imbarcavano una compagnia appena giunta dagli Stati Uniti e respingevano anche i fotografi militari. Nella compagnia c'era un ragazzo dai capelli rossi. M'ha chiesto con voce strozzata: « Signora, è vero che è così brutto lassù? ».

« Ma no, soldato, ma no. Oggi è quieto, vedrai » gli ho risposto.

E lui ci ha creduto.

Siamo fermi qui al campo, qualche colpo di mortaio piomba a intervalli, ma nessuno ci fa caso. Ammenoché non si tratti di un vero bombardamento non suona neppure l'allarme. A chi tocca, tocca: se non ragioni così, stai sempre rannicchiato in un buco. È una bella giornata, io e Moroldo abbiamo fatto due amici: il sergente Norman Jeans e il caporale Bobby Janes. Hanno entrambi ventitré anni, il primo è nero come la notte, il secondo è biondo come il sole, e dove va uno va l'altro: non si staccano mai. Il fatto è che Norman ha salvato in combattimento la vita di Bobby e Bobby ha salvato in combattimento la vita di Norman. Dal maggio scorso sono stati insieme in ben sette combattimenti. Io e Moroldo li abbiamo conosciuti sul fiume dove prendevano l'acqua. E, mentre Bobby caricava le latte d'acqua sul camion, mi son messa a chiacchierare con Norman che è in Vietnam da undici mesi ma dice undici mesi come se dicesse undici anni.

« Ero appena sposato, capisci, quando partii. Non voleva vedermi partire e piangeva, piangeva. Così me ne andai mentre dormiva. Scesi piano dal letto, mi vestii zitto zitto, e uscii di casa scalzo. Com'era bella così addormentata. Non potei nemmeno baciarla. E se non la rivedessi? »

« Sì che la rivedrai, Norman. Fra un mese. »

« In un mese si muore cento milioni di volte. Stamani il capitano cercava volontari per la collina. Ho risposto no, ma se vogliono posson mandarmi lo stesso. Bobby dice: sei sempre triste, sorridi! Prima non ero triste, ero allegro, ero buffo. Perché ero giovane. Ora son vecchio. Sai che mi sono trovato un capello bianco? Guardalo, è qui a sinistra, è proprio bianco. »

« Io non lo vedo. »

« Tu non lo vedi ma c'è. Forse è venuto quando ho letto la lettera di mio fratello Charlie. Diceva che l'hanno richiamato, che lo mandano in Vietnam. Gli ho risposto Charlie, tenta di farti mettere nel servizio trasporti, non in fanteria. Charlie è così buono, non ha mai ammazzato nessuno, io invece sì, e se qualcuno deve morire in famiglia è più giusto che succeda a me, ti sembra? L'ho detto anche al cappellano Waters che a volte mi fa proprio bene parlare col cappellano Waters, gli ho detto: se deve accadere, che accada a me. E lui ha risposto: oh, figliolo, allora che accada a me. »

« Non accadrà neanche a te, Norman. »

« Sono cose che si dicono. A me la paura invece di andarsene cresce. Per esempio, la seconda volta che fui in combattimento. Avevo più paura della prima. Pensavo: Norman, questa volta ti beccheranno. E la terza volta avevo più paura della seconda, e la quarta più paura della terza. E tutte le volte, sai, tutte, mi hanno ferito. E la prossima volta mi beccheranno. »

« Non devi dirlo, Norman. »

« Perché no, se lo penso? E poi, vedi, non mi piace ammazzare. Non capisco perché ci si debba ammazzare. Io vorrei che tutti fossero vivi, felici, e invece ne ho ammazzati tanti. Lì per lì non ci pensi. Sei arrabbiato perché i tuoi amici son morti, e odii il mondo, e il nemico rappresenta il mondo per te. Dopo però ti dispiace, e dici: Buon Dio perdonami, Buon Dio. Ma quando finirà questa guerra? »

« Non lo so, Norman. Dovrà pur finire. »

« Sì, ma allora ne faranno un'altra. È sempre così. Perché loro che voglion la guerra stanno al sicuro, e a morire ci mandano gli altri, ci mandano noi. Io, vedi, non voglio essere ricco, non voglio essere eroe, io voglio vivere e basta. Perché la vita è bella, sai. Prima non lo sapevo, ma ora lo so, e sono più buono da quando lo so. Ma davvero non lo vedi il mio capello bianco? Tu non lo vedi ma c'è. »

Poi Norman s'è messo a caricare le latte d'acqua al posto di Bobby, Bobby è venuto a sedersi al posto di Norman, e m'ha spiegato perché gli vuol bene.

« Perché ad esempio stamani gli è arrivata una radio transistor. E sapendo che mi piaceva me l'ha regalata. No, non è neanche questo. È il modo in cui m'accolse quando arrivai. Non come un sergente, sai qui il colore della pelle non conta, come un fratello. Partimmo in pattuglia, lungo il sentiero c'eran le mine, e lui volle andare avanti per primo. E mi ordinò di stare a distanza. E poi il primo combattimento che facemmo insieme. Norman restò ferito. Corsi verso di lui per aiutarlo e restai a mia volta ferito. E mi svenni. Quando aprii gli occhi, Norman era sopra di me. S'era trascinato con la gamba piena di schegge, il braccio pieno di schegge, e mi tirava via. Ci credi? Ci devi credere perché questa è amicizia. E l'amicizia è bella, più bella dell'amore. E l'unica cosa positiva alla guerra è che a volte ci trovi un amico. Il resto è spazzatura. Io, vedi, venni volontario. Ma ora odio tanto questa guerra che non so come esprimerlo. Forse così: vorrei non esser venuto, mi vergogno d'esserci venuto. »

« Quanto tempo ti resta, Bobby? »

« Tre mesi. Sai quante volte fo in tempo a morire? Fino ad

oggi son rimasto al campo per via delle ferite, ma ora sono guarito e ogni giorno è l'attesa di quando mi rimanderanno in battaglia. E non voglio tornarci, maledizione. Sono così giovane, e ho tanto tempo da vivere, e non si viene al mondo per morire a vent'anni alla guerra. Si viene al mondo per morire in un letto quando si è vecchi. »

Era proprio una bella giornata, con quegli alberi verdi e quel fiume pulito, e a un certo punto un gruppo di bambini vietnamiti son venuti verso di noi cantando sotto il cappello a cono. Sono venuti da una vicina casa colonica e, a pensarci bene non c'era nulla di straordinario: ma a me è parso un fatto straordinario e l'ho detto a Bobby. Bobby non m'ha neanche risposto: i suoi occhi eran pieni di lacrime e non vedevano alberi verdi, né fiumi puliti, né bambini che cantassero sotto il cappello a cono, non vedevano nulla. Così l'ho lasciato solo e mi sono allontanata e ho raggiunto il camion e lo sguardo m'è caduto sullo specchietto retrovisivo del camion. Eran tre giorni che non mi vedevo allo specchio. Quasi con timidezza mi sono avvicinata, mi sono cercata, e son rimasta a fissare allibita un volto che non conoscevo. Possibile che in soli tre giorni si possa cambiare così? Ha ragione Bobby. Non ci sono alberi verdi, né fiumi puliti, né bambini che cantano, qui.

Sera. Al tramonto s'è udito un grido. « I morti, i morti! » Siamo corsi sulla pista, gli elicotteri li avevano già scaricati. Erano centodieci e venivano dalla collina 875. Erano chiusi in sacchi di plastica argentea, con una lampo nel mezzo, ed erano allineati in file prolisse: neanche dovessero sfilar sull'attenti per il generale. Alcuni avevano ancora la sagoma di una figura umana, altri erano pacchi informi di roba, tutti erano in stato di decomposizione e il tenente cretino urlava: « Via di qui, via! ».

Mi sono allontanata trattenendo il respiro, dietro una fila di camion ho trovato Bobby e Norman. In piedi, immobili, con le braccia conserte e gli occhi fissi sulla pista. Poi Bobby ha detto: « C'è anche Charlie Waters. Ma hanno trovato soltanto la testa ». Waters, il cappellano che aveva detto a Norman

« se uno deve morire, allora che accada a me, figliolo ». E Norman ha balbettato roco: « No! ».

Ora vado a dormire, mi hanno dato una branda. È un gran sollievo perché per terra i colpi di cannone rintronano come legnate nel ventre. E poi stare con gli altri ti dà un certo conforto. Nella branda accanto alla mia c'è Mazure. Continua a ripetere che domani ci sarà un altro attacco sulla collina 875, e stavolta gli americani la conquisteranno.

23 novembre sera. La collina 875 è stata conquistata dagli americani. Prendo questi appunti sull'aereo che da Pleiku ci riporta a Saigon. Li prendo malvolentieri perché non ho voglia di ricordare, credo che nessuno abbia voglia di ricordare. E poi c'è una gran confusione nel mio cervello, è successo tutto così in fretta. D'un tratto è apparso il tenente cretino e battendo le mani ha annunciato: « Elicotteri a disposizione, zona del fuoco, zona del fuoco! ». Sembrava che offrisse i biglietti gratis per andare a teatro. S'è formata quella fila lungo la pista e, mentre gli elicotteri partivano, dalla collina si alzavano fumate nere: era in corso l'ultima pioggia di napalm per ridurre al minimo la resistenza dei nordvietnamiti. Nessuno parlava con nessuno, Mazure aveva un volto chiuso, tirato, quasi cattivo. Gli elicotteri atterravano vicino al perimetro del massacro, dov'eran riuniti i soldati e i paracadutisti del 173° Airborn: pronti per l'assalto. Neanche qui nessuno parlava e tutti avevano lo sguardo vuoto di chi non ha scelta. Due ore avanti il cappellano Roy Peters, che ha sostituito il cappellano Waters, aveva detto la Messa. Molti s'erano comunicati. Il perimetro era ancora pieno di bende insanguinate, scatole vuote di medicinali, bossoli anneriti, elmetti con un buco dentro. Jack Russell, della NBC, era l'unico che se la sentisse di andare in giro a imporre domande, e poneva a tutti la stessa domanda: « Credi che ne valga la pena? ». I più rispondevano: « Sì, perché abbiamo perso troppi ragazzi, bisogna prenderla questa dannata collina ». Altri dicevano « No » e non volevano aggiungere altro. Un negro ha risposto senza alzare il viso: « Lasciatemi in pace, non m'importa di nulla, non m'importa nemmen di morire ».

Poi s'è udito un bercio: « Ora voglio che arriviate lassù e becchiate quei figli di cani ». Sono scattati tutti, hanno incominciato a salire. Sono andati avanti per cinque minuti senza che accadesse nulla, come una scalata in montagna. Poi s'è udito un fischio, poi un altro fischio, ed è esploso l'inferno. Razzi, colpi di mortaio, granate, una valanga di fuoco che rotola giù e rotolando si gonfia, si ingrossa, si spezza in mille altre valanghe di fuoco, tra gli urli. Urlavano tutti. Chi urlava: « Avanti, avanti! ». Chi urlava: « Barelle, barelle! ». Chi urlava bestemmie atroci. Un razzo ha centrato il negro che aveva detto « lasciatemi in pace, non m'importa di nulla, non m'importa nemmen di morire ». Di lui è rimasta soltanto una scarpa. Un altro razzo ha centrato un soldato coi capelli rossi e di lui non è rimasta neanche una scarpa, sono rimaste soltanto queste macchie color ruggine che ora lordano la camicia di Mazure. Era il soldato che aveva chiesto: « Signora, è vero che è così brutto lassù? ». E io gli avevo risposto: « Ma no, soldato, ma no. Oggi è quieto, vedrai ». L'assalto è durato sessanta minuti e a quanto sembra la prima ad arrivare sulla cima della collina è stata Eurate Kazikas, una ragazza che fa la fotografa. Il fatto è che sulla cima della collina non c'era nessuno, i nordvietnamiti l'avevano lasciata di notte trascinandosi dietro anche l'ultimo morto. Quando gli americani sono giunti lassù non hanno trovato che Eurate, sassi, tronchi bruciati, frammenti di corpi. « Signore, » ha detto il radiotelefonista al comandante « dal campo ci chiedono la conta dei cadaveri nordvietnamiti. » « Rispondi che posso dargli quella dei nostri » ha risposto il comandante. « Sono centocinquantotto. »

O duecentocinquantotto? Non ricordo, dovrei chiederlo a Mazure che dorme, qui accanto a me, con la camicia lorda di sangue, e ogni tanto si scuote in un brivido. Vorrei dormire anch'io, ma non qui. Ho tanta voglia di dormire in un letto. Ho tanta voglia di fare un bagno. Ho tanta voglia di togliermi questa uniforme.

Capitolo secondo

Spesso, sai, mi prende un desiderio struggente di tornare a Saigon. Ma non la Saigon che conobbi durante l'offensiva del Tet e poi dopo, nel febbraio e nel maggio del 1968, la Saigon del mio primo viaggio, capisci? E sogno quelle palme verdi, quelle strade affollate di cappelli a cono, quei camion militari, quei risciò, quel caldo pesante che ti addormenta in un misterioso languore e in una ritrovata saggezza. Nella mia esistenza, Saigon è affondata come un coltello. Forse perché dinanzi alla morte ogni ora, ogni oggetto, ogni sentimento diviene prezioso ed il cibo è più buono, l'amicizia più forte, l'amore più fondo, l'allegria più allegra. Ma ecco: fra i rimpianti che in sogno mi trasportano là, c'è anzitutto il ricordo della notte in cui tornai da Dak To. Ho cercato spesso di capire perché. Quella notte non accadde nulla di eccezionale. Entrai in albergo, mi tolsi l'uniforme, feci il bagno, andai a letto e mi addormentai di colpo. Però una cosa accadde, a parte il sollievo di trovarmi in un luogo quasi sicuro, lavarmi in una comoda vasca, riposare fra due lenzuoli puliti: il gesto di togliermi l'uniforme e gettarla via. La vedo ancora per terra: umida, puzzolente, sporca. E avverto ancora il senso di gioia che provai a toglierla. Fu come, vedi, come se con quella camicia e quei pantaloni mi strappassi di dosso il disgusto, lo spavento, il dolore. In seguito li avrei indossati altre volte. Altre volte me ne sarei spogliata, con odio. Ma una tal sensazione non si sarebbe ripetuta mai più, una tale certezza che le uniformi siano da gettar via, che il male del mondo dipenda in gran parte da loro.

E poi i giorni che vennero dopo quella notte: anch'essi contribuiscono al mio rimpianto. I sabotaggi che mesi prima dilaniavano la città eran finiti, i combattimenti che mesi dopo l'avrebbero trasformata in un campo di battaglia non erano incominciati: per le strade a quel tempo camminavi senza l'angoscia d'esser colpito da una fucilata o di saltare in aria con una Clymore. La vita, se non eri povero, trascorreva quasi normale. La domenica mattina facevi lo sci d'acqua lungo il fiume o i canali e la domenica pomeriggio andavi all'ippodromo per le corse al trotto o al galoppo. Il giorno potevi mangiare alla piscina del Club Nautique e la sera potevi cenare nei ristoranti perché il coprifuoco incominciava tardissimo. I ristoranti offrivano cibo squisito e abbondante, ve n'erano alcuni con l'orchestrina. V'erano anche le sale da ballo, i night club: dalle finestre del mio albergo in Tu Do, l'ex rue Catinat, ne vedevi scintillare le insegne fin dal tramonto e col buio i marciapiedi si riempivan di folla quasi spensierata, innamorati a passeggio, prostitute in minigonna, stranieri, ruffiani. Verso mezzanotte, è vero, anche Tu Do si spengeva: i marciapiedi si svuotavano e subentrava un silenzio rotto soltanto dalle jeep della polizia militare o dai tonfi di un bombardamento lontano. Ma al mattino tutto ricominciava senza problemi e, incredulo, passavi dinanzi a gioiellerie colme d'oro d'avorio d'argento, sartorie che in ventiquattr'ore ti cucivano un abito su misura, parrucchieri forniti d'ogni cosmetico. E mai nulla di sinistro. Talvolta passava un funerale: in quei giorni, se morivi a Saigon, ti facevano ancora il funerale. Ma il funerale vietnamita è lo spettacolo più colorito del mondo, il defunto giace su un carro adorno di stelle filanti e draghi multicolori, i parenti lo accompagnano senza piangere, vestiti di bianco, e i musici lo scortano suonando i tamburi che cacciano gli spiriti maligni: lo guardavi come un carnevale e la tragedia non ti balzava agli occhi. Perché la tragedia era sotto: nascosta nei cuori del popolo offeso, chiusa a chiave nelle prigioni dove si ammazzava o si torturava i vietcong, e dovevi entrare in quelle prigioni, conoscer creature come Nguyen Van Sam il terrorista, per toccarla con mano.

E infine l'alba della mia bella amicizia con François: perfino quella appartiene alla Saigon del rimpianto. Dopo Dak To infatti ero riuscita a passare attraverso le maglie del suo carattere brusco e la sua libertà di pensiero m'aveva sedotto: s'era stabilita un'intesa che diventava sempre più importante e più utile. Il mio viaggio all'inferno egli lo aveva già compiuto, non solo in Vietnam ma in Corea dov'era stato durante l'intero conflitto, gli uomini alla guerra li aveva studiati prima di me, gli interrogativi che io mi ponevo se li era posti con violenza pari alla mia, e, quasi ciò non bastasse, a Saigon nessuna porta era chiusa per lui, nessun rifiuto gli veniva mai opposto, di ciò si serviva generosamente per chiunque ne avesse bisogno. Così andavo spesso a cercarlo nell'ufficio di rue Pasteur: ora per chiedergli un consiglio o un aiuto, ora per cercare un sollievo al mio smarrimento. E sebbene in quel periodo egli restasse ai margini della mia ricerca, senza dubbio egli la indirizzò: per diventarne a poco a poco la guida, la buona coscienza.

* * *

25 novembre. Eppure c'è qualcosa di orrendo quanto un massacro sulla collina, quanto la morte, ed è il disfacimento morale che cancella ogni fede, ogni speranza: il silenzio interiore che ascolti quando parli con certi vietnamiti a Saigon. La lunga attesa di ciò che non conobbero mai, la pace, li ha come stroncati in una abulia dove è impossibile seminare sogni, generosità, e se ti meravigli reagiscono nel medesimo modo in cui reagiscono i soldati a Dak To: « Se in questo momento arriva un razzo, io spero che prenda te anziché me ». « Lasciatemi in pace, non m'importa di nulla, non m'importa nemmen di morire. »

Oggi ho conosciuto il dottor Khan, un vietnamita di ventisei anni che fa il medico al Pronto Soccorso. L'ho conosciuto per via d'una bronchite che mi son presa al campo e, visitandomi, ha detto: « Lei è il primo paziente in sei giorni che non venga qui per ferite d'arma da fuoco o in stato di coma in seguito a suicidio. Non fanno che suicidarsi a Saigon: veleno, barbiturici, impiccagioni. In ventiquattr'ore mi hanno portato diciotto suicidi. Ne ho salvati soltanto due ». Poi mi ha invitato a cena, con Moroldo, ed ha scelto un ristorante al di là del ponte che i vietcong fecero saltare durante la visita di Mc Namara: ora ricostruito con chiatte di ferro. Il cibo era eccellente: nidi di usignolo, granchi appena nati, germogli di pisello. Ma il ristorante, che è una specie di palafitta sul fiume, oltre un bosco gonfio di vietcong, non era molto tranquillo. Gli aerei lo sorvolavano senza sosta, lasciando cadere i bengala, le pattuglie in perlustrazione sparavano senza riposo: mangiavi aspettando che una pallottola ti cadesse sul piatto.

« Dottor Khan, » ha esclamato infine Moroldo « non potevamo scegliere un posto più sicuro? »

Khan s'è stretto nelle spalle.

« Io ci sono abituato. Non ho visto altro dacché sono al mondo. Sono nato dalla morte. E cosa sia questa pace di cùi parlate tanto, non lo so davvero. »

« Ma può immaginarla, dottor Khan. »

« No. Vede, quando scoppiò la guerra in Israele, mi faceva uno strano effetto leggere i vostri giornali. Non capivo perché se la pigliassero tanto. Per me Israele era un paese che tornava alla normalità, cioè alla guerra. »

« E la libertà? Quella sa immaginarla, dottor Khan? »

« No. L'ho letta sui libri di Pascal e di Sartre. Ma non so cosa sia. Cos'è? »

Allora gli ho chiesto da che parte fosse lui, se con i vietcong o con gli americani, e la sua risposta è giunta secca.

« Né con gli uni né con gli altri: ha letto Camus? Io mi sento come *Lo straniero*. Tutto mi lascia indifferente, freddo. La guerra io la guardo senza condanna, la guardo come un temporale perpetuo e contro il quale non si può fare nulla. O, se preferisce, come un esquimese guarda la neve: l'elemento naturale in cui vivere. »

« Dottor Khan, ma allo Straniero taglian la testa. »

« Anche questa eventualità mi lascia del tutto freddo. La morte, sa, ha un valore relativo. Quando è poca, conta. Quando è molta, non conta più. Se muore un bambino sotto un'automobile a Roma o a Parigi, tutti piangono sulla grande disgrazia. Se muoiono cento bambini quaggiù, tutti insieme, per una bomba o una mina, senti solo un po' di pietà. Uno più, uno meno, che importa? Li guardi come guardavi i cadaveri degli ebrei in Germania. Io, quando all'ospedale mi arriva un tale molto malato, non tento nemmen di salvarlo. Gli do un po' di morfina e lo lascio crepare. »

« Non si può lasciarsi andare così, alla rassegnazione. »

« La mia non è neppure rassegnazione: è silenzio. Quando verrà il mio momento, resterò in silenzio. Tutt'al più penserò: m'è andata bene fino ad oggi. È l'atteggiamento di molta gente in Vietnam. Il dolore per noi è un fatto ovvio, non ci arrabbiamo di fronte al dolore: cerchiamo di sopravvivervi e basta. Andiamo a ballare, organizziamo le feste, e peggio per chi muore. Capisce? »

« No, non capisco. »

« Non può capire. Lei è venuta qui con la sua logica occidentale, con la sua scuola umanitaria: tutti gli uomini sono uguali, la vita è bella e non bisogna farsi ammazzare eccetera. Chiacchiere, imbecillità. Qui non attaccano, cara mia, perché qui si mangia il riso, non si mangia il pane. Qui il pensiero non significa logica. Qui la vita e morte sono la stessa cosa. Morire, vivere, dipende forse da me? Dalla mia scienza medica? E dipende forse da me, dalla mia scienza medica, che un tedesco chiamato Karl Marx abbia scritto un libro, che ora per via di quel libro vi sia una guerra ideologica fatta da analfabeti? »

« Sta dicendo che la colpa va attribuita a Karl Marx? »

« Non più di quanto vada attribuita alle vostre chiacchiere sulla democrazia e libertà. Non mi chieda di prender posizione: non posso, non voglio. Il mio paese io lo vedo come un ammalato che qualcuno contagiò. Ma, poiché non sta a me guarirlo, e forse non guarirà mai, non m'importa nemmen di sapere chi fu a dargli il contagio. »

Parlando mangiava avidamente, scompostamente. Mangiavamo anche noi: le fucilate non ci turbavano più e i bengala neanche. A un certo punto Moroldo ha detto: « In fondo sembra d'essere a Napoli per la festa di Piedigrotta ». E c'è stato solo un brivido, un piccolo brivido, quando una pallottola è piombata nel fiume a pochi metri da noi. Paf! Come un sassolino. Sporgendomi dalla palafitta, mi son chinata a guardare.

Sull'acqua fiorivano graziosi cerchi concentrici, verso cui un cane abbaiava. Ma se il dottor Khan avesse ragione? Disse un condannato a morte a un altro condannato a morte, nella guerra del '14: « Che piagni? La vita e er giornale costa un sordo ».

26 novembre. Alla France Presse c'è un vietnamita che si chiama Than Van Lang. Si occupa della contabilità, dell'archivio, e la sua scrivania è nella stanza di François Pelou. Qui siede, dalla mattina alla sera, così silenzioso ed immobile che non ti accorgi nemmeno di lui: quando sposti lo sguardo dalla sua parte, e lo vedi, ti coglie come uno stupore. Diresti che s'è materializzato, in quel momento, dal nulla. Non si alza mai, non parla mai, scrive e basta: con lunghe dita sottili e una penna all'antica che intinge nell'inchiostro. Ma il gesto con cui porta la penna alla boccetta dell'inchiostro avviene con tale lentezza che è come se non avvenisse del tutto. Niente lo scuote, lo turba: nel pomeriggio durante il quale si attendeva l'esecuzione dei tre vietcong, fu l'unico a non mostrare angoscia. V'era intorno al suo tavolo un invisibile muro che lo isolava da noi e, al di là di quel muro, muoveva gli occhi solo per guardar François. Di nascosto, però, e con impenetrabile volto. Ha un volto magro, giallo, senza età.

Il suo unico legame col mondo, lì dentro, è François. E infatti v'è tra loro una strana intesa che traspare, le rarissime volte in cui egli apre bocca, dal tono delle voci. Quella di François, sempre sferzante, diviene con lui un sussurro affettuoso. Quella di lui, inesistente, si crea e si condensa nel pigolio di un uccellino felice. « Monsieur Pelou... » « Monsieur Lang... » Fino a stamani non avevo capito perché e devo ammettere che m'ero chiesta il perché: Monsieur Lang mi incuriosisce da quando ho saputo che non è affatto una mummia, per cominciare ha tre mogli, quante gliene permette la religione buddista, e le ama di identico amore sebbene viva con l'ultima. Le feste ad esempio le trascorre con tutte e tre in casa della prima moglie, e se invita a cena un amico la cena si svolge in casa della seconda moglie: con la partecipazione della prima e della terza moglie le quali vivono in grande armonia. La gente insomma gli piace, e non è per abulia o disprezzo che se ne sta chiuso in quel silenzio immobile. Dovrei aver notato che non volge mai le spalle alla porta e che di sotto le ciglia controlla cosa accade e chi viene, dice François.

« No, François, non l'ho notato. »

« Allora gli chiederò di parlarti. »

Ed ecco che stamani il signor Lang mi parla, con quella vocina che sembra il pigolio di un uccello, e mentre parla mi accorgo che di sotto le ciglia controlla davvero cosa accade e chi viene: gli orecchi tesi al più lieve rumore.

« Ma che teme, che aspetta, signor Lang? »

« D'essere arrestato di nuovo, Madame. »

« È già stato arrestato, signor Lang? »

« Oh, sì, Madame! »

E mi racconta come. Un vietcong aveva gettato una bomba in un bar e i poliziotti del generale Loan avevano circondato il quartiere fermando un tale che non c'entrava per nulla. Poi s'eran messi a interrogare i vicini: « Lo conosci, eh? Lo conosci? ». Nella speranza di poterlo aiutare, il signor Lang aveva risposto sì. Gli erano saltati addosso e lo avevano portato via: per buttarlo dentro una cella della prigione centrale dove era rimasto dimenticato per circa un mese. Accade molto spesso quando c'è una retata: ti buttano in una cella e non se ne ricordano più. Di lui si ricordarono solo perché la sua terza moglie chiese aiuto a François il quale corse a parlare col suo carceriere: il capitano Pham Quant Tan.

« E fu molto bello, Madame, perché quel giorno volevano interrogarmi, e in attesa dell'interrogatorio mi avevano messo nella stanza accanto all'ufficio del capitano Tan, e mentre il signor Pelou discuteva col capitano Tan io udivo tutto. Lui non lo sa ma io udivo tutto. »

« E lo mandarono via, signor Lang? »

« Sì, quasi subito. »

« Quindi perché dovrebbero arrestarlo di nuovo, signor Lang? »

« Ma perché fanno così, Madame. Una volta che ti hanno preso sei condannato. Supponga che il capitano Tan si metta in testa di aver commesso un errore a far contento il signor Pelou e rilasciarmi. Io ho fatto la guerra ai francesi, Madame. E non voglio bene agli americani, Madame. »

« Li odia molto, signor Lang? »

« Oh, sì, Madame. È tutta colpa degli americani, Madame. Quando loro non c'erano, al tempo del presidente Diem, le cose non andavano mica così male, sa? Per esempio, potevi mangiare un pasto completo per cinque piastre: oggi non bastano duemila piastre. Al tempo di Diem non avevi problemi di alloggio: oggi non trovi che le catapecchie, se sei vietnamita. Le case migliori se le son prese tutte gli americani perché le pagano cifre iperboliche. La verdura se la mangiano tutta gli americani perché hanno fatto un contratto esclusivo col Sindacato Legumi. Lo sa che non si trovano più fragole a Saigon? Gli americani non possono vivere senza fragole e così le requisiscono tutte. Voglio dire: l'intera economia è sovvertita: un risciò a lambretta guadagna quarantamila piastre al mese, un medico quindicimila. Una prostituta guadagna anche centomila piastre al mese, un ingegnere solo diecimila. E il mercato nero è ormai un mercato normale, gli antibiotici non li compri più in farmacia: li compri al Mercato dei Ladri insieme alle uniformi americane, le coperte americane, le rivoltelle americane... »

« Di qui l'odio per gli americani, signor Lang? »

« Oh, no. Anche di qui, Madame. »

Ha abbassato la voce, ha lanciato un'occhiata verso la porta.

« Perché sono nemici che non sanno rispettare il nemico. Ci chiamano barbari, lenti, cretini. Ci umiliano ad ogni occasione, sono prepotenti. Il mondo continua a vedere gli americani com'erano al tempo della Seconda Guerra Mondiale: ragazzoni innocenti, bonari. In Vietnam non sono affatto così. Sono senza pietà: dovrebbe vederli quando vanno ad evacuare un villaggio. Si portano dietro una compagnia di coreani, che sono i più spietati, e poi annunciano con l'altoparlante: "Fra quarantacinque minuti, fra trenta minuti, daremo fuoco al villaggio. Allinearsi per i camion". In trenta minuti, quarantacinque minuti, che fai? Gli abitanti cercano di raccogliere le masserizie, i coreani non gliene danno il tempo. Li spingono coi calci dei fucili, con le pedate, e le donne piangono, i bambini strillano. Nei villaggi il culto dei morti è profondo: lasciare il tempietto consacrato ai morti senza accendere una candela è gran sacrilegio. Spesso, prima che il camion si muova, qualcuno corre ad accendere la candela. E, mentre l'accende, i coreani lo uccidono con una raffica. Al momento in cui le fiamme si alzano sopra il villaggio, c'è sempre qualche morto che giace crivellato dai colpi. »

« È la guerra, signor Lang. »

« No, non è la guerra. È l'ipocrisia degli americani che poi si presentano con le mani pulite. Gli americani sanno benissimo quel che fanno i coreani. Per interrogare i prigionieri ad esempio. Li portano sugli elicotteri, a coppie, e poi ne legano uno alla corda, lo calano giù. Lui incomincia a oscillare, a girare, a gridare, e quando è ormai mezzo morto gli taglian la corda. L'altro, per non fare la stessa fine, dice tutto. Quando ha detto tutto, lo buttano giù. »

« Neanche i vietcong sono teneri, signor Lang. »

« No certo. Si sentiva tenera, lei, sotto i tedeschi? Io non ero cattivo, lo sono diventato in prigione. Giorno e notte udivo i compagni urlare sotto le torture. Giorno e notte. Che urli. Lo sa che reazione avevo? Non soffrivo per loro, soffrivo per me. Pensavo: ora fa il mio nome. E poi pensavo: un giorno si invertiranno le parti. »

« Si invertiranno? »

« Non lo so. Siamo tutti così scoraggiati, paralizzati nell'impotenza. Vede, non accadono più sabotaggi a Saigon perché vediamo spie dappertutto. Chiunque può fare la spia: una moglie, un fratello, un figlio. Io ho un figlio di diciotto anni, l'ho nascosto in collegio perché sfugga alla mobilitazione. Quando m'ha detto di non esser d'accordo con me perché non ha le mie idee e se lo richiamano va, ho sentito come una paura. »

« Di suo figlio? »

Ha chinato la testa e s'è messo a piangere. Lunghe lacrime silenziose che gli cadevano sulle mani incrociate. Con quelle lacrime s'è chiuso a chiave nel silenzio di sempre e non mi ha detto più nulla.

29 novembre. Poter frugare nel cuore di tutti, poter conoscere le storie di tutti, poter capire tutti i perché, in questa città. Pelou mi ha promesso di intervenire presso il generale Loan affinché mi dia il permesso di interrogare un vietcong prigioniero che lui conobbe cinque mesi fa. Dice che è il modo migliore per penetrare l'anima di questa gente: « Ma quando dico gente non alludo ai tipi infetti come il tuo dottor Khan, alludo ai tipi sani come il mio signor Lang ». Forse domani Loan concederà il permesso, e a proposito di Pelou: Moroldo ha scoperto che è lui il François Perrin di cui parla Han Suyn nel suo libro *Love Is A Many Splendoured Things.* Nel 1950 egli faceva il giornalista a Hong Kong e conosceva bene sia Han Suyn che Mark Elliott. Così mi son messa a cercare il suo nome nel libro e ho trovato una frase... Quella che Mark Elliott riporta ad Han Suyn in una lettera dalla Corea: « I soldati sono scontenti. Chiedono: si può sapere perché stiamo combattendo? Vorrei che qualcuno ci spiegasse perché facciamo questa dannata guerra! Come disse François: "il faut dire aux hommes pourquoi ils doivent se faire tuer" ».

Bisogna dire agli uomini perché devono farsi ammazzare.

Notte. Era ormai tardi e in ufficio non c'era che François, ad aspettare un dispaccio di Claude da Pleiku. Ha squillato il telefono ed egli ci è balzato subito sopra, poi s'è messo il ricevitore a cuffia, s'è seduto dinanzi alla macchina da scrivere: « OK, Claude. Je suis prêt ». Claude ha detto qualcosa e il volto di François ha assunto un'espressione di sbalordimento: « Ma ne sei certo? ». Poi lo sbalordimento s'è trasformato in una smorfia di sdegno e le sue dita hanno preso a battere svelte sui tasti. Quando ha finito ed ha gettato il foglio all'operatore della telescrivente, io sono andata a leggerlo ed ecco cosa diceva. « Attenzione Parigi / Parigi via Manila / 11900 AFP / Urgente stop / La collina 875 è stata abbandonata dagli americani stop i paracadutisti americani che ne controllavan la cima a sette chilometri dalla Cambogia sono scesi a Dak To dopo aver fatto saltare l'esplosivo e le fortificazioni nordvietnamite stop nessuna spiegazione è stata fornita dai militari statunitensi sui motivi di questo abbandono stop il solo motivo plausibile sembra quello che gli americani non fossero in grado di tenere indefinitamente la collina 875 stop anche le altre colline sono state abbandonate eccetto la collina 1383 che domina direttamente il campo di Dak To stop a Dak To regna la calma stop. »

Ecco: bisogna dire agli uomini perché un mattino di novembre devon riunirsi a metà di una collina chiamata 875, e poi assistere alla Messa, e poi impugnare i fucili, e poi ascoltare un imbecille che bercia « ora voglio che arriviate lassù è becchiate quei figli di cani », e poi salire lassù, in una valanga di fuoco, e morire a diciotto a vent'anni su qualche metro di terra che giorni dopo verrà abbandonato. Bisogna dirglielo, ammesso che la ragione esista. Vero, François? Il faut dire aux hommes pourquoi ils doivent se faire tuer.

Lui rileggeva il dispaccio di Claude sulla telescrivente. Ha scosso piano la testa.

« Bisogna dirgli qualcosa di più. Bisogna dirgli perché devono farsi uccidere. Non c'è gran differenza fra le due cose. »

« C'è. La pietà per esempio. »

« Pietà è una parola privata di senso, alla guerra. Tu hai un fucile e lui ha un fucile. Tu tiri e lui tira. Chi è più svelto colpisce. E quando lui ti ammazza è come se tu avessi ammazzato lui. »

« Eppure c'è gente cui piace fare la guerra. »

« Sì, certo. Per quanto tu la rifiuti, per quanto tu la condanni, la guerra finisce sempre con l'appassionarti. È inevitabile. La guerra, vedi, è come la boxe. E la boxe è un gioco brutale, abominevole: la bestia umana che picchia se stessa. Ma quando sei dinanzi al ring un po' per volta ti ci appassioni. Ti sorprendi a partecipare, a incitare. C'è un fascino prodigioso nella boxe. »

« Quale? »

« L'uomo al suo massimo. Un quarto d'ora o un minuto perché egli produca il suo massimo. Nel coraggio e nella paura. Nell'intelligenza e nel dolore. Fino alla vergogna della sconfitta o alla gioia della vittoria. La guerra è lo stesso. C'è un fascino prodigioso nella guerra. Sicché odiandola finisci coll'esserne attratto, o addirittura sedotto. »

« Io no. »

« Anche tu. Quando i soldati avanzano per prendere la collina, sotto il fuoco per dodici ore, ventiquattr'ore, due settimane, con la loro paura... be', non esiste altro esame così definitivo nella vita di un uomo. L'esame del suo coraggio e della sua paura, delle sue facoltà intellettive e della sua capacità di soffrire. Diresti che nella violenza l'uomo ritrova anzi trova la sua intensità. »

S'era buttato sopra una sedia e aveva appoggiato i piedi sulla scrivania, ognitanto girava gli occhi verso la telescrivente: con un lampo strano. Per non perdere il "ponte" con Manila, l'operatore continuava a rimettere il nastro già trasmesso e così i tasti della telescrivente battevano sempre lo stesso messaggio: « La collina 875 è stata abbandonata dagli americani... La collina 875 è stata abbandonata dagli americani... La collina 875... ».

« Certo che è grottesco veder quegli idioti che si bombardano. Certo che fa piangere. Io ho pianto spesso alla guerra. Per gli americani, per i vietcong, per i sudcoreani, per i cinesi: la guerra è sofferenza anche morale. Però siamo onesti: quel colpo di mitraglia sparato contro l'elicottero su cui stai volando ti procura una sensazione assai interessante. »

« E se muori? »

« Se muori... non senti più nulla, non pensi più a nulla. Ma se non muori, quando scendi dall'elicottero e pensi d'esser vivo, ti senti molto felice. »

« Perciò accetti la guerra. »

« Non l'accetto. O l'accetto, diciamo, come un male inevitabile. Del resto, non c'è stata civiltà, una sola, capace di sopprimer la guerra. Prendi l'ultima: la famosa, la meravigliosa civiltà cristiana basata sull'amore. Ha prodotto più guerre di tutte le altre insieme. In nome di Cristo, i preti benedicono le bandiere e le truppe prima che la battaglia incominci. E quando si fucila un uomo son lì: a completare il cerimoniale. Non ho mai visto un prete che tentasse di impedire una fucilazione, una battaglia. »

« Verrà un giorno in cui le guerre non ci saranno più. »

« Storie. Neanche il marxismo ha soppresso la guerra. Se ne serve, anzi, come il cristianesimo. Non esiste un principio, una filosofia, per sopprimer la guerra. A respingerla, oggi, ci sono solo gli hippy che poi ritrovi vestiti in uniforme. Non farti illusioni: la guerra esisterà sempre. »

Ora l'operatore dormiva, cullato dal mitragliare dei tasti. E il lungo foglio della telescrivente giaceva, srotolato, sul pavimento a ricordarci ogni dieci centimetri quella ossessione: « La collina 875 è stata abbandonata dagli americani... La collina 875 è stata abbandonata dagli americani... La collina 875... ». La collina 875 ha fatto centocinquantotto morti per nulla, trecento morti per nulla, cinquecento morti per nulla, Dio sa quanti mutilati per nulla: e la guerra esisterà sempre. Poi è arrivato Felix che ha dato il cambio a François e François m'ha accompagnato in albergo. Salutandomi ha detto che l'intervista col vietcong prigioniero è ormai prossima. Il generale Loan ha concesso l'autorizzazione. Dovremo ritirarla domani.

1° dicembre. L'abbiamo ritirata. Sai chi è questo vietcong? Nguyen Van Sam, colui che fece saltare il ristorante My Canh due anni fa. Moroldo è tutto eccitato: si trovava a Saigon quando avvenne, scattò un mucchio di fotografie. « Quel figlio di cane » ripete. « Voglio proprio vederlo in faccia. » E invano François gli dice che quel figlio di cane è un caso umano da guardare con molto rispetto e la sua storia... Ecco la storia: così come ce la racconta, alla svelta, perché si sappia chi andiamo a incontrare.

È una mattina del giugno scorso. Al giardino zoologico arriva un tipo coi baffi e la motocicletta. Si incontra con un altro tipo, lo avverte: « Domani ti do l'esplosivo. È tutto pronto per dopodomani ». Un informatore della polizia, assolutamente per caso, lo ascolta. Corre a telefonare al Primo Arrondissement, e prima di mezzogiorno il tipo coi baffi viene rintracciato: non vi sono molti vietnamiti coi baffi. Si chiama Nguyen Van Tam, ha ventisei anni, porta in tasca cinque orologi a detonatore per le bombe ad orologeria. I vietcong li preparan da sé: fanno un buco nel vetro, inseriscono un filo nel buco, lo connettono ad una lancetta per provocare al momento giusto l'innesco. « E questi? » chiedono al Primo Arrondissement. Lui resta zitto. Lo interrogano per tutta la notte: scariche elettriche nei genitali, pugni negli occhi, asciugamani bagnati sul naso e la bocca onde soffocarlo. Lui resta zitto. Allora, sconfitti, chiamano il capitano Pham Quant Tan: capo della Polizia Speciale. Il capitano Tan ordina: « Conducetelo qui ».

Glielo conducono col primo sole.

« Accomodati su questa sedia » dice il capitano Tan.

Lui resta in piedi.

« Una sigaretta? » chiede il capitano Tan.

Lui scuote il capo. Del resto non potrebbe fumarla: le sue labbra sono una piaga come il suo volto, il suo corpo.

« Bravo. Sei caduto da cavallo ma ti rispetto. Perché capisco che sei un vero capo. »

Lui tace.

« Tu sei un capo, io sono un capo. Perciò ci intendiamo, e ti interrogo personalmente. »

Lui tace. Ma il capitano Tan non si scoraggia. Ha tutto il tempo che vuole, può continuare finché le labbra di Nguyen Van Tam si muovono. Alle dieci del mattino seguente le labbra di Nguyen Van Tam si muovono.

« Cosa farete di me? »

Il capitano Tan allarga le braccia, sospira.

« Morirai, ovvio. »

Il volto di Nguyen Van Tam si illumina, i suoi occhi tumefatti si accendono.

« Vuol dire che avrò un processo e sarò fucilato? »

E il capitano Tan:

« No, caro. Non ci sperare. Non finirai come un eroe della storia vietcong. Finirai sotto un camion americano, senza che nessuno lo sappia: te l'organizzo io l'incidente. Ci sistemo accanto anche la motocicletta. E l'indomani, sui giornali, ci sarà solo una breve notizia: "Uno sconosciuto è rimasto vittima di un mortale incidente. All'alba un camion l'ha travolto. La polizia indaga" ».

« Noooo! » grida Nguyen Van Tam.

« A meno che tu non parli » risponde il capitano Tan.

« Se parlo, mi farete il processo? Sarò fucilato? »

« Certo. »

« Sono pronto. »

Parlò fino alle tre del mattino, senza fermarsi. Indicò tutto il piano dell'attentato che doveva avvenire in piazza dell'Indipendenza, con tre mine Clymore dirette contro l'edificio del Juspao. Una mina sulla panchina vicino al monumento dei Caduti. Una su una terrazza di fronte. Una proprio contro il Juspao. Le prime due da esplodere verso mezzogiorno, quando i funzionari del Juspao escono per colazione, la terza da esplodere qualche minuto più tardi: quando la polizia e le ambulanze avrebbero raccolto morti e feriti. Spiegò dove rintracciare le Clymore, fornì i nomi dei capicellula, infine il nome del capo che si chiamava quasi come lui, Nguyen Van Sam, e disse che rintracciarlo non sarebbe stato difficile: viaggiava su una motoretta tutta ammaccata perché non sapeva guidare, e andava sempre a sbattere contro le automobili o i muri. Ora il capitano Tan poteva dedicarsi a Sam: solo arrestando Sam poteva paralizzare la rete dei sabotatori a Saigon. Ma come? Con la pazienza. Il capitano Tan ha molta pazienza. Tende la trappola e aspetta.

Che la trappola ci fosse lo sospettò anche Nguyen Van Sam quando invano attese Nguyen Van Tam all'appuntamento per definire gli ultimi particolari dell'attentato al Juspao. Rimase calmo, però. Riuscì perfino a mettere in salvo sua moglie che aveva appena abortito e stava in ospedale. Andò all'ospedale, la portò via e le ordinò di raggiungere la zona segreta. Prese contatto con un luogotenente fidato e gli lasciò molte disposizioni. Salì su un autobus e partì per la provincia di Long An, rifugiandosi presso sua sorella. Poi commise l'errore. Cominciò a dire che se non rientrava in città avrebbe perso anche il grosso delle munizioni, riunite in un deposito di rue Bay Coc. Rientrò a Saigon, si diresse a rue Bay Coc. Neanche mezz'ora dopo si trovava, con le mani legate, nell'ufficio del capitano Tan: messo a confronto con Nguyen Van Tam.

« Traditore! Vigliacco! » gli urlò sputandogli in faccia.

In silenzio, il capitano Tan fece allontanare il vigliacco. E restò solo con la nuova preda: gli slegò le mani, lo pregò di sedere, gli offrì una sigaretta.

« Bravo. Sei caduto da cavallo ma ti rispetto. »

Silenzio.

« Tu sei un capo, io sono un capo. Perciò ci intendiamo e ti interrogo personalmente. »

« Non ci intendiamo per niente! Io non parlerò! »

« Parlerai, parlerai. »

« Non ho paura di morire, io! Io voglio morire! »

« Morirai, morirai. »

« Mi farete un processo e mi fucilerete? »

« No, caro. Non ci sperare. Te lo spiego subito cosa accadrà... »

E giù il solito trucco del camion. Senza bisogno, stavolta, di aspettar quasi due giorni. In cambio della fucilazione, Nguyen Van Sam raccontò tutto. Ma tutto. I dieci anni ad Hanoi, la scuola di sabotaggio, i ventinove attentati fatti dal 1° marzo 1965 al 10 luglio 1967, compreso quello al ristorante My Canh. Venticinque morti in pochi secondi, cinquantotto morti e centonovantasei feriti in poco più di due anni.

« Capisce, capitano Tan, i miei superiori pretendono almeno dieci operazioni al mese, a volte anche venti, e i miei compagni non sono allenati, e mi tocca fare ognicosa da me. »

« Capisco, caro, capisco. Continua a raccontare. »

« Io continuo, capitano, però lei deve mantener la parola: davvero sarò fucilato? »

« Lo giuro, caro. Sarai fucilato. »

Più tardi François telefonerà al capitano Tan. E saprò a che ora me lo fanno vedere.

2 dicembre. Me lo hanno fatto vedere di notte. Mi hanno dato l'appuntamento alle dieci di sera, un'ora prima del coprifuoco. Quando il taxi si è fermato dinanzi alla caserma della Polizia Speciale, otto agenti vi son saltati sopra spalancando gli sportelli il cofano il portabagagli: in cerca di esplosivi. Il tassista era terrorizzato, gridava. Poi ci hanno messo in fila, me e Moroldo e l'interprete, e siamo entrati all'inferno: sotto una scorta di fucili mitragliatori. L'inferno era un cortile e poi un corridoio e poi una scala che conduceva all'ufficio del capitano Tan. Il capitano Tan ci attendeva dietro la scrivania: il vietnamita più alto che avessi mai visto, grasso come un maiale, e con due mani da strangolatore. I suoi capelli eran tagliati a spazzola, come i capelli degli americani, e la sua camicia era a quadri, come le camicie degli americani. Il suo aspetto mi ha molto sorpreso giacché lo immaginavo piccolo, sofisticato, agghiacciante. Invece di agghiacciante in lui non v'è che la sua risata: sembra un colpo di tosse. Ridendo quel colpo di tosse ci ha offerto birra e caffè, ci ha raccontato di avere trentasett'anni e otto figli, infine d'essere l'inventore dell'interrogatorio psicologico.

« Non so se mi spiego. Sotto le torture il vietcong non parla perché il dolore fisico non gli fa paura. Con la psicologia invece parla perché è quasi sempre un contadino ignorante. »

« Capitano, cosa intende per psicologia? »

« Quella che ho applicato a Nguyen Van Tam e Nguyen Van Sam quando ho compreso che non gli importava morire, però gli importava morire in modo non glorioso. »

« Capitano, cosa intende per torture? »

« Quelle di terzo grado. Scariche elettriche nei genitali, graduale soffocamento con un asciugamano bagnato che tappa il naso e la bocca e gli orecchi, eccetera. »

« Alle torture lei ricorre mai, capitano? »

« Solo se è indispensabile. Se non c'è tempo, ad esempio. Supponiamo ch'io sappia che sta per esserci un attentato, ma ignori dove. Ho bisogno dell'informazione alla svelta, sì o no? E per avere l'informazione alla svelta... »

« Capitano, lei assiste alle torture? »

« Perché no? »

« Capitano, ha mai provato pietà? »

« Cosa vuol dire pietà? »

« Ha mai provato ... imbarazzo? »

« Imbarazzo?! »

E m'ha detto di amare il suo lavoro fino all'entusiasmo: più che un lavoro, per lui, è un divertimento. Si svaga, ecco, a interrogare i suoi prigionieri. Soprattutto con la dolcezza che non richiede fatica come le torture. Le torture, insomma il sistema forte, sono faticose: si dibattono, scappano... La dolcezza è più pratica. « Stai bene, oggi, caro? Mi sembri un po' pallido. » Oppure: « Vuoi far colazione? Caffellatte, brioscina? ». Oppure: « Mi sembri deperito. Dovresti prendere un po' di vitamine. Eccole qua. Sono in pillole, vedi. Una al mattino ed una alla sera, mi raccomando ». Tiene la boccetta sulla scrivania e funziona sempre. Oh, se funziona! L'unica volta che non funzionò fu con quella testarda di Huyn Thi An, una ragazza di ventidue anni che arrestò il maggio scorso. Assolutamente per caso, sai. Le era scoppiata una bomba in casa, mentre la preparava. Perfida creatura. Avrebbe dovuto lasciarla morire: era ferita così gravemente. Invece l'affidò alle cure di bravi chirurghi e la salvò, l'ingrata. Intendiamoci, per parlare ha parlato. Però col sistema forte, e lui, capitano Tan, ne ha avuto gran rabbia. I colleghi del terzo grado lo prendevano in giro: « Vedi come si fa? ».

Ho chiesto al capitano Tan se prima di Nguyen Van Sam mi faceva conoscere Huyn Thi An. Ha risposto va bene e poco dopo la porta s'è aperta, sono entrati due poliziotti: in mezzo a loro c'era una bambina scalza, vestita di nero, con una benda nera sugli occhi. Camminava tendendo le mani in avanti.

« Togliete la benda » ha ordinato il capitano Tan.

Le hanno tolto la benda. Aveva un visetto ovale, squisito, e due occhi che sputavano odio. Con quell'odio ha fissato il capitano Tan, poi me, brevemente, poi Moroldo, ancor più brevemente, poi è tornata a fissare il capitano Tan.

« Siedi » ha ordinato il capitano Tan.

S'è seduta, con le mani in grembo e i piedi incrociati. Dignitosa, composta, bella come una Madonna che un pazzo ha sfregiato. Infatti le guance, il mento, la fronte erano una selva di cicatrici. Lasciate dall'esplosione e dai colpi del terzo grado.

« Questa signora desidera parlarti » ha detto il capitano Pham Quant Tan.

Non ha mosso un muscolo. Non ha schiuso le labbra. Ha continuato a fissarlo.

« Capito? » ha quasi gridato il capitano Tan.

Di nuovo non ha mosso un muscolo, non ha schiuso le labbra. Ed ha continuato a fissarlo. Allora io ho fatto un cenno all'interprete e mi sono avvicinata.

« Non ho nulla a che fare con lui, Huyn Thi An. Sono una giornalista. E sono qui per porti alcune domande. »

L'interprete ha tradotto. Lei ha continuato a fissare il capitano Tan senza degnarmi di un'occhiata.

« Lo so che mi credi una nemica. Ma non sono una tua nemica. Devi credermi, Huyn Thi An. »

Lentissimamente, Huyn Thi An ha spostato lo sguardo dal capitano Tan, e lo ha posato su me: con indifferenza. Poi ha parlato con una vocina appena udibile.

« Ti credo. Ma chiunque tu sia, non puoi capirmi. »

« Ti capisco invece, Huyn Thi An. Perché non sono americana, e vengo da un paese che non fa la guerra al tuo, e voglio scrivere bene di te. Credimi, Huyn Thi An. »

« Ti credo. Ma non voglio che tu scriva bene di me, che tu mi faccia passare da eroina. Ho parlato. »

« Perché hai parlato, Huyn Thi An? »

« Perché soffocavo sotto quell'asciugamano. Perché mi picchiavano e sentivo un gran male. Perché sono vigliacca. Non chiedermi altro. Io parlo solo con quelli che mi torturano. »

« Sei sciocca, Huyn Thi An. Perché non comprendi che il mondo deve sapere di te, che ciò è utile al tuo paese. »

Ma neanche questo ha servito. Anzi, la sua indifferenza è diventata disprezzo.

« Non c'è alcun bisogno che il mondo sappia di me. E del mio paese a te non importa nulla. A te importa solo avere un'intervista per il tuo giornale. Non mi serve il nome sul tuo giornale. Mi serve solo uscire di qui e tornare a combattere. »

« Peccato, Huyn Thi An. Volevo aiutarti. »

« C'è solo un modo per aiutarmi: farmi uscire di qui. Puoi farmi uscire di qui? »

« No, Huyn Thi An. Non posso. »

« Quindi non mi interessi. Addio. »

S'è alzata in piedi. Il capitano Tan le ha gridato di rimettersi a sedere. S'è rimessa a sedere. Il capitano Tan le ha gridato che non meritava nulla, che era villana e cattiva. Lei l'ha ascoltato in silenzio, buttandogli addosso quello sguardo d'odio e nient'altro. Così l'hanno bendata di nuovo e l'hanno portata via. Prima di passare la soglia però s'è girata.

Ha detto: « Scusami, sai ».

Non ho saputo risponderle, sentivo come una vergogna. In silenzio sono rimasta lì, ad attendere Nguyen Van Sam il terribile. E poi Nguyen Van Sam è arrivato, ed era quest'omino scalzo, vestito di nero anche lui, con la benda sugli occhi anche lui, e due spallucce fragili, due manucce magre, e gli hanno tolto la benda, e sotto la benda c'era questo viso emaciato, smarrito, c'erano queste pupille lucide, tristi. E sai cosa è successo. È successo che i miei occhi si sono incontrati coi suoi, e che lui m'ha sorriso. E ha continuato a sorridermi anche dopo essersi seduto fra l'interprete e me, ignorando chi fossi. E gli ho voluto subito bene malgrado avesse ammazzato cinquantotto persone in ventinove attentati, io che non ho mai compreso gli attentati: neppure al tempo in cui li facevamo ai nazisti. E gli ho restituito il sorriso, con la gola chiusa, e la gola m'è rimasta chiusa perfino quando ho notato che mi sorrideva perché lui sorride a tutti ormai, sorride al capitano Tan, ai poliziotti del capitano Tan, alla mosca che gli si posa su un piede, alla morte che lo aspetta.

Siamo rimasti insieme dalle undici di sera alle due del mattino. Ho registrato il colloquio. Lo trascrivo così come è avvenuto, parola per parola.

« È molto tardi, Nguyen Van Sam. Ti hanno svegliato? »

« No, non dormivo, fa troppo caldo nella mia cella. M'ero tolto la giacca e m'ero disteso sulla stuoia a pensare. Sai, a volte, per via del caldo, non riesco nemmeno a pensare, resto lì come un verme che affoga nel suo sudore e non m'importa di nulla, tutto ciò che desidero è un poco di fresco. A volte invece sto lì e sogno, guardando il soffitto, e sai cosa sogno? Sogno mio figlio, e i compagni della mia unità. Però ieri ho sognato d'essere morto, in un bosco. C'erano gli alberi di cocco e i cespugli di ananas e respiravo finalmente bene. Come qui. Si sta bene qui. Fa fresco qui. »

« Una sigaretta, Nguyen Van Sam? »

« Sì, grazie, mi piace fumare e quando respiri bene ti vengono un mucchio di voglie. Per esempio fumare. In cella non è permesso. Non è permesso nemmeno leggere un libro, un giornale, o parlare a qualcuno, sapere se lui ha confessato e perché. Del resto nella mia cella non c'è nessuno, e dalla mia cella esco solo quando mi chiama il capitano Tan. È brutto. Questo silenzio, voglio dire. È come stare in un cimitero, già fucilato, ti senti inutile come un morto. Perché vedi, io sarò fucilato, ma morire non è un dispiacere. Diventare inutile, quello sì è un dispiacere. Ti dà come una disperazione. »

« Devo spiegarti chi sono, Nguyen Van Sam. Sono una giornalista e sono qui per raccontar la tua vita. Ti spiace? »

« Perché dovrebbe dispiacermi? Ho detto tante cose che non avrei dovuto dire, posso dire a te la mia vita. Sì, lo so che sei una giornalista: va bene. E poi fa fresco qui, e le tue sigarette son buone. Ma è una povera vita, la mia, non so se ti piacerà. Capisci, sono un contadino: non so raccontare le cose. Posso dirti che sono nato nella provincia di Binh Duong, a trenta chilometri da Saigon, trentasei anni fa. E che ho lavorato la terra dei miei padri fino al giorno che sono andato a combattere. Erano tre acri di terra. Si coltivava il riso e si allevavano le bestie. Io facevo il guardiano di bufali. »

« E ti piaceva, Nguyen Van Sam? »

« Oh, sì, era bello! Era bello perché è bello essere liberi per i campi ed i boschi. E se mi chiedi cosa vorrei dalla vita ti dico che vorrei tornare a fare il contadino, e allevare i bufali e le galline e avere un frutteto perché la soddisfazione più grossa te la dà il frutteto, e la cosa più bella di tutte è la campagna. È bello anche il mare, sai. Io vidi il mare quando mi mandarono al Nord e ci andai con la nave e vidi la spiaggia che è bianca e liscia. Però il mare mi fa come una paura in quanto non ha alberi, e un mondo senza gli alberi non mi sembra un mondo. Io prima di morire vorrei rivedere un tramonto fra gli alberi. Sai quando il sole diventa rosso e cade inghiottito dagli alberi, e i campi di riso son verdi, e c'è un vento leggero che fa piegare la testa al riso. »

« Sam, come fu che smettesti di fare il contadino per fare il vietcong? »

« Fu che a me non piaceva andare a scuola, mi divertivo troppo a rotolare nella mota coi bufali, e quando ebbi sedici anni mio zio disse: "devi andare a scuola!". E mi mandò in una scuola di vietminh, che erano i vietcong dell'epoca, e facevano la guerra ai francesi. E disse: "loro ti faranno studiare, vedrai". Mio zio era il capo della sezione finanze in una unità di vietminh. La scuola era nella Piana dei Giunchi. Eravamo trenta ragazzi e dieci ragazze, e da principio la scuola mi parve noiosa perché si studiava la grammatica e la matematica e la dettatura, però dopo mi accorsi che saper scrivere è bello. Capisci, mia madre non ha mai imparato a leggere e scrivere, e neanche mio fratello maggiore, e neanche le mie due sorelle sposate, e nessuno della mia famiglia dove soltanto mio padre sapeva leggere un poco i caratteri cinovietnamiti. E poi il sabato sera c'era il corso militare per allenar noi ragazzi a fare la guerra ai francesi. E si facevano le marce, front a destra e front a sinistra, e i falsi combattimenti con le armi di legno, ed era come giocare alla guerra quando siamo bambini. »

« Sam, odiavi molto i francesi? »

« Oh, no! Non ci insegnavano mica a odiare i francesi! Ci insegnavano il patriottismo, cioè a seguire l'esempio del grande re Quang Trung e di re Le Loi che sconfissero l'invasore cinese tanti secoli fa, ed era bello perché era la prima volta che mi parlavano della patria. Prima non sapevo di avere una patria perché non sapevo cosa vuol dire patria, mi spiego? »

« Cosa vuol dire, Sam? »

« Ecco, la patria è come la tua mamma che va rispettata e

difesa a costo di morire. La patria è come la tua capanna che se qualcuno vuole pigliartela devi cacciarlo a costo di morire. Chiunque sia questo qualcuno: russo, cinese, francese, americano. E comunque, per tornare alla scuola, rimasi in quella scuola tre anni ma ogni anno avevo un mese di vacanza che passavo coi miei genitori. Poi nel 1952 feci gli esami della Resistenza, ed entrai a far parte dell'Unità 309, e andai a casa per l'ultima volta, e ci restai un giorno solo mentre la mamma piangeva dicendo che non mi avrebbe visto mai più. Infatti non mi rivide più. Però quel giorno la mamma ammazzò un'anatra e tre galline e si fece una grande festa e si mangiò molto. »

« Sam, ricordi la prima volta che fosti in combattimento? »

« Oh, sì! Fu subito dopo aver visto la mamma, nell'aprile del 1952, e nella mia compagnia ci furono tre morti e sei feriti: li vidi io con questi occhi e gli levai gli orologi con queste mani. Perché capisci io non presi parte alla sparatoria, il mio compito era recuperare gli orologi e i fucili dei morti. Anche tanti francesi morirono, fu una cosa brutta. Voglio dire che durante la battaglia non avevo paura perché suonavano le trombe ed eravamo molto eccitati. Ma dopo le trombe tacquero, e mi trovai con quei morti, e non avevo mai visto un morto. E ricordai una cosa che diceva la mia mamma, che i morti tornan di notte per tirarci i piedi, e tremai. E piansi sui miei compagni, e la notte mentre giacevo sulla branda a pensare le cose che non avevo pensato in battaglia io mi feci una domanda: perché gli uomini devono farsi ammazzare? »

« Trovasti una risposta, Sam? »

« No, non trovai nessuna risposta. »

« E allora? »

« Allora non ci pensai più: con gli anni mi abituai a veder morire. Mi abituai a tante cose. Per esempio ad avere fame e a non avere scarpe e a dormire sotto la pioggia e a soffrire. Si soffriva molto, sai, anche se qualche momento bello si aveva. Per esempio era bello dopo la battaglia, quando il comandante ci diceva di ballare e cantare per dimenticare i morti. Ed era bello quando i contadini ci regalavano le anatre grasse per congratularsi. Ed era bello quando andavo in giro per i collegamenti e mi fermavo sui fiumi a pescare, a sognare la pace. Anche se non sapevo immaginarla, la pace, perché non l'avevo mai vista. Io ho visto sempre e soltanto la guerra. Però la pace me la immaginavo senza più morti, col mio paese prospero e felice, e con me sposato a una bella ragazza. »

« Ce l'avevi questa ragazza, Sam? »

« No. »

« Sam, quando avesti la prima ragazza? »

A questo punto, ricordo, è arrossito e s'è coperto il viso con le mani. Poi ha abbassato le mani e s'è rivolto al capitano Tan come a chiedergli aiuto, ma il capitano Tan gli ha detto: « E rispondi! Avanti! Dille quando avesti la prima ragazza! ».

« Ecco... io... la prima ragazza io l'ebbi a ventitré anni. Cioè quando facevo la guerra da ormai tanti anni. Ma detto così non sta bene. Io l'ebbi perché l'amavo, perché volevo sposarla, mica per divertirmi. Le donne noi le rispettiamo, capitano Tan, perché combattono con noi e perché per secoli le abbiamo trattate male: senza renderci conto che sono uguali agli uomini. Be', ora ti racconto di questa ragazza. La conobbi quando la mia unità si fermò nel distretto di Cho Gey, nella provincia di Nhi To. Era il 2 febbraio 1954 ed io l'amai subito perché era buona e bella, la più bella ragazza che avessi mai visto. Dovevamo sposarci in dicembre. Ma in luglio vennero gli accordi di Ginevra e mi mandarono al Nord. Le dissi: aspettami, vedrai che è per poco, invece fu per dieci anni. Dieci anni, capisci? Che dolore. Per dieci anni, sai, le rimasi fedele, non guardai nessun'altra. E quando tornai, l'amavo come il giorno che l'avevo lasciata. »

« Era proprio necessario che tu la lasciassi, Sam? »

« Forse necessario no, obbligatorio sì: Noi vietcong siamo soldati, e bisogna obbedire. L'ordine era: recarsi ad Hanoi. E lo sai perché, giunto ad Hanoi, scelsi i corsi di sabotaggio? Perché quello era l'unico modo per tornare al Sud e sposare la mia ragazza. Erano corsi difficili, sai. Veri corsi scolastici: se bocciavi, dovevi ripetere l'anno. Si studiava le mine e la nitroglicerina e gli attentati nei porti, negli aeroporti, nelle città, ed ero così triste. Non perché al Nord si stesse male, intendiamoci.

I campi di riso erano stati ricostruiti, la terra dei ricchi era stata distribuita fra i poveri, e mi pagavano bene. Pensa: centoventiquattro piastre al mese e un chilo di carne la settimana: potevo mettere anche i soldi da parte, per sposare la mia ragazza. Ma ero sempre solo, ecco, noi del Sud s'era in pochi, e quelli del Nord non stavano molto con noi. Figurati, non ci permettevan nemmeno di sposare una del Nord: sicché anche se avessi voluto tradire la mia ragazza, non sarebbe stato possibile. Oh, fu un gran sollievo quando nel 1964 mi rimandarono al Sud per fare il sabotaggio. »

« E rivedesti la tua ragazza, Sam? »

« No. Successe una cosa molto brutta. Le scrissi che ero tornato, che potevamo finalmente sposarci, e lei mi rispose che ormai era sposata ad un altro e aveva due bambini. »

« E soffristi molto, Sam? »

« Molto. Magari non l'aveva fatto per cattiveria, capisci. Magari s'era messa in testa che fossi morto. Magari l'avevan convinta a cambiare idea perché ero un contadino: lei faceva la sarta, capisci. Ma non volli rivederla mai più. »

« E sposasti subito un'altra, Sam? »

« No, subito no. C'erano tante cose da fare. C'era da imparare bene la topografia di Saigon, studiare le strade una ad una, insegnare agli altri come si fabbrica una bomba ad orologeria, come si sistema, c'era da prepararsi ai primi attentati insomma. E poi avevo giurato a me stesso di non sposarmi mai. Ed ero deciso a mantenere quel giuramento quando raggiunsi la mia unità nella zona segreta di Cu Chi. »

« Parlami della donna che sposasti, Sam. »

« Era una ragazza della mia unità, una guerrigliera come me. Ma prima devo spiegarti una cosa. Nelle nostre unità, di solito, c'è una donna ogni cinque uomini. Queste donne non puoi toccarle se non le sposi, non puoi neppure andarci a spasso nei boschi: ammeno che tu non sia in pattuglia per cercare il nemico. Questa ragazza era sempre in pattuglia con me, ed io non ci pensavo neanche a toccarla. Ma un giorno, mentre andavamo in pattuglia mi parve di vederla per la prima volta e provai come una felicità. Nello stesso momento mi accorsi che non m'importava più nulla di quella che m'aveva tradito perché questa ragazza era cento volte migliore. Così esclamai: "Per favore, mi sposi?". E lei rispose: "Sì, grazie". Poi si tornò al campo e dissi al mio comandante che volevamo sposarci, e lui ci dette il permesso. Mia moglie non so descriverla bene. Ha un anno meno di me ed è più alta e più grossa di me. Ha la faccia tonda e la pelle scura e non è affatto bella: di bello non ha che due graziosi occhi allegri. Però è dolce, ed è piena di dignità, ed è virtuosa, ed è coraggiosa in battaglia, ed io le voglio bene perché mi vuol bene. E perché mi ha dato un figlio. E perché ama il suo paese. E perché ha avuto così poco dalla vita, come me. »

« Parlami del tuo matrimonio, Sam. »

« Ci sposammo nella zona segreta. In una casa di contadini, dentro una foresta di caucciù. Era il primo maggio 1965, e ci sposò il comandante che ha l'autorità per farlo. Fu una cerimonia molto semplice, molto veloce. Disse: "Vi dichiaro marito e moglie". Poi si firmò le carte e si fece una piccola festa. Lei s'era tolta l'uniforme e s'era messa il vestito tradizionale: pantaloni neri, di seta, e camicia bianca, di seta. Io avevo l'uniforme pulita e stirata. Si ricevette anche qualche regalo: sigarette, dolci, asciugamani, fazzolettini ricamati e biglietti augurali. Ma la sera stessa ci fu un combattimento, e dovemmo andare insieme in combattimento, e questa fu la nostra notte di nozze. E non fu allegro, sai, ma era la vita che avevamo scelto. Ma lo sai che non abbiamo mai avuto una casa fino al giorno in cui è nato il bambino? »

« Parlami del tuo bambino, Sam. »

« Oh, quando lei rimase incinta, qualche compagno diceva: "Mettere al mondo un figlio in questo sporco mondo, perché?". Ma io rispondevo: "Perché abbia una vita migliore della mia. Perché si goda il Vietnam indipendente quando la guerra sarà finita. A uno a uno noi moriamo tutti, pochi di noi vedranno finire la guerra: bisogna fare bambini perché raccolgano il frutto del nostro dolore". E fui così felice quando nacque mio figlio che piansi. Io non piango, sai. Anche quando ero al Nord e mi dissero che mia madre era morta, non piansi.

Anche quando tornai al Sud e mi dissero che mio padre era morto, non piansi. Ma quando nacque mio figlio, piansi. »

« Sam, dov'è tuo figlio? »

« Non lo so. È con mia moglie nella zona segreta, e la zona segreta cambia continuamente. Del resto che importa? Non potrò mai più rivederlo. E ho tanta voglia di vederlo, toccarlo. Vorrei che lo sapesse. Vorrei che un giorno leggesse quello che scriverai e sapesse quello che spero da lui. Spero che sia intelligente, che studi le cose che io non ho studiato. Spero che diventi un pilota. Ma non un pilota degli aeroplani da guerra, un pilota degli aeroplani che portano la gente normale. Spero che a lui non capiti mai ciò che è capitato a me: che non sia costretto ad uccidere ed essere ucciso senza riabbracciare suo figlio. Mi manca tanto, sai. Mi manca più di tutto. Mi manca più della libertà. »

Allora è intervenuto il capitano Tan che fino a quel momento se n'era stato tranquillo a scribacchiare dei fogli. Ha posato la penna, ha riso la sua risata agghiacciante, e ha detto a Nguyen Van Sam di sapere benissimo dove sono sua moglie e suo figlio: può catturarli quando vuole e forse lo farà. Nguyen Van Sam stava fumando, per darsi un contegno. O per frenare le lacrime. Ha lasciato cadere la sigaretta, s'è coperto il viso, e ha balbettato: « Nooo! ». Poi una mano è salita ai capelli, li ha arruffati con angoscia, l'altra mano è scesa ai ginocchi, li ha stretti perché non tremassero. Il suo volto era diventato bianco, ma bianco, le sue labbra tentavano invano un sorriso.

Ho perso la testa e ho gridato al capitano Tan di smetterla. Credo anche di aver battuto un pugno sulla scrivania. Il capitano Tan ha risposto che sono troppo sensibile, e che non si offendeva perché sono raccomandata dal generale Loan. Poi ha licenziato Sam avvertendolo che forse vorrò rivederlo, una di queste notti, per continuar l'intervista. Sam se n'è andato senza rispondere, inciampando a causa della sua benda nera.

3 dicembre. Ma non gli hai chiesto dell'attentato al My Canh, continua a dire Moroldo. No, ancora no. Qualcosa, non so cosa, me l'ha impedito. E l'idea di doverne parlare la prossima volta mi turba. Forse perché François mi ha raccontato che quattro vittime le conosceva bene. Due erano filippini che lavoravano alla radio stampa, e due erano francesi, marito e moglie, impiegati all'ospedale Grall. I filippini dovevano partir quella sera ma non eran partiti perché l'aereo aveva avuto un ritardo. I francesi erano arrivati a Saigon soltanto un mese prima, insieme ai figli. C'erano arrivati con una paura tremenda: lei soprattutto. In quel mese lei aveva passato il cancello dell'ospedale Grall solo una volta: era ossessionata dall'idea degli attentati. Furono i due filippini a convincerla e condurla al My Canh. « Macché attentati, non succede nulla, andiamo tutti e quattro a cena così festeggiamo il vostro arrivo e la nostra partenza. » La prima Clymore di Nguyen Van Sam investì l'altro lato del ristorante, senza colpirli. Così saltarono in piedi, tutti e quattro, e fuggirono verso la passerella che unisce il My Canh al marciapiede. Non so se ho detto che il My Canh è una specie di grande barca che galleggia sul fiume. Avevano appena raggiunto la passerella quando la seconda Clymore scoppiò, proprio in direzione della passerella, e la prima a morire fu lei: straziata da innumerevoli fili di ferro. Perché le due Clymore Nguyen Van Sam se l'era costruite da sé e le aveva riempite con fili di ferro: sai, quelli che adoprano nelle costruzioni in cemento armato. Li aveva tagliati pazientemente in pezzetti lunghi tre o quattro centimetri.

« Ma non gli hai ancora chiesto dell'attentato al My Canh » continua a dire Moroldo. Aggiunge François: « Chiedigli come si sentì dopo aver ammazzato tutte quelle creature al My Canh ». Sì, dovrò farlo.

4 dicembre. L'ho rivisto ierisera. L'appuntamento, stavolta, era per mezzanotte. Il capitano Tan m'ha offerto una birra e Nguyen Van Sam è giunto dopo qualche minuto. Quando gli hanno tolto la benda e m'ha scorto, m'è sembrato molto contento. Poi ha allungato una mano golosa per chiedermi una sigaretta. Gli ho dato l'intero pacchetto e, poiché non poteva portarselo in cella, l'ha fumato in due ore. Siamo rimasti insieme due ore. Ecco il nuovo colloquio. Ho registrato anche questo.

« Sam, vorrei che tu mi parlassi dell'attentato al My Canh. Vorrei sapere come ti sentisti dopo aver ammazzato tutte quelle creature al My Canh. »

È arrossito. Ma si è ripreso subito.

« Mi sentii, ecco, mi sentii come penso si debba sentire un pilota americano dopo avere sganciato le bombe su un villaggio inerme. La differenza è che lui vola via e non vede quello che ha fatto. Io lo vidi. Giacevano a pezzi. Uomini, donne e bambini. Era come un campo di battaglia dopo la battaglia. E mi coprii gli occhi. E mi parve impossibile che a fare quello fossi stato io, solo innescando le mine. Quello del My Canh, capisci, fu il mio primo attentato. »

« E poi? »

« Poi passò. Poi pensai ai miei compagni uccisi, ai miei amici torturati, ai vietcong che quando i sudvietnamiti li pigliano gli taglian la testa e gli mettono in bocca le cose... le cose... E questo mi dette forza perché è a questo che devi pensare quando ti assale il dubbio. Il mio dovere è combattere gli americani e chi collabora con loro. Per far questo, a volte, devi uccidere creature innocenti. È la guerra. I morti innocenti alla guerra sono un dolore inevitabile. Devi capire che non c'è gran differenza fra sparare una cannonata, sganciare una bomba da un aeroplano, e innescare una mina sotto un ristorante dove la gente mangia. È la stessa porcheria. »

« Sam, sei mai stato religioso? »

« Sì. Quand'ero bambino e i miei genitori mi insegnavano il buddismo perché loro erano buddisti. Ho sentito anche parlare del confucianesimo, e del cattolicesimo, e sono stato a una celebrazione del Natale. E poi ho sentito parlare di quel dio con la barba bionda che si chiama Gesù Cristo. Quello che ha le ali e vola sopra le nuvole. Morì in modo crudele, mi sembra: come un partigiano vietcong. Però lui, quando la gente è cattiva, la fa morire a sua volta e la manda all'Inferno perché bolla in pentole d'olio. Lo diceva il prete. E se la gente è buona, diceva, lui la manda in Paradiso dove si balla e si canta.

Non ci credo. Io lo so che non c'è nulla quando muori, che tutte le lacrime si esauriscono qui sulla terra. È da bambini sperare nel dopo o averne paura. »

« Sam, anche la pietà è da bambini? »

« Oh, no! La pietà è una virtù da uomini. Io, vedi, quando uno fa cose brutte come tagliare la testa ai vietcong e mettergli le cose in bocca, io mi arrabbio subito. E lì per lì mi sembra di odiarlo. Ma poi l'odio mi passa, passa alla svelta com'era venuto, e sento una grande pietà. Con gli americani è lo stesso. Durante la battaglia li odiavo ma dopo la battaglia non li odiavo più e pensavo: sono innocenti anche loro, perché sono uomini. E pensavo che alcuni di loro erano volontari ma gli altri erano stati costretti senza sapere perché. Che dev'essere molto brutto. Voglio dire combattere, morire, senza sapere perché. Il fatto, vedi, è che io vorrei bene a chiunque se non ci fosse la guerra, se il mio paese non fosse oppresso. Questo mio povero paese che è sempre sotto i piedi di qualcuno, e prima c'erano i cinesi e poi c'erano i francesi e ora ci sono gli americani, e noi si deve ammazzare, ammazzare, ammazzare. »

« Sam, cosa sai degli americani? »

« So quello che si diceva al Nord. Al Nord si diceva che il Primo Maggio è una festa nata in America dove si chiama Labour Day. Ma allora perché gli americani si arrabbiano con quelli che festeggiano il Primo Maggio? Al Nord si diceva anche che l'America divenne un paese quando non volle più essere una colonia dell'Inghilterra. Ma allora perché gli americani non capiscono noi vietnamiti che il Vietnam lo vogliamo per noi e basta? Io, vedi, non credo che gli americani siano cattivi: gli uomini sono uguali dappertutto, sai. Io credo che siano cattivi i loro governanti perché sono ricchi e non hanno mai visto le loro case bruciate dalle bombe al napalm e alla guerra ci mandano gli altri e la sera dormono nel loro letto. »

« Sam, sei comunista? »

« Oh, sì! Sono entrato nel Partito nel 1964, come mia moglie. Che bel giorno fu quello! Perché non è mica facile, sai, entrare nel Partito. Ed anche perché voglio bene al signor Ho Ci Min. Scusi, capitano Tan, lo so che non le piace sentirmelo dire, ma è il signor Ho Ci Min che ci incoraggia e ci guida. E poi il signor Ho Ci Min è un uomo assai virtuoso, non si occupa mai di se stesso, non s'è nemmeno sposato per dedicarsi alla patria. »

« Sam, devo chiederti una cosa brutta. Devo chiederti perché dopo l'arresto hai parlato. Sam, la conosco la storia del camion però hai fatto una cosa brutta lo stesso. »

« Lo so. Ho peccato di rabbia, di vanità: è molto brutto. Il fatto è che a morire io c'ero preparato, morire è il destino di ogni vietcong, ma a morire male no: non c'ero preparato. E quando ho saputo che Tam aveva parlato m'è preso una grande stanchezza. E ho confermato, ed aggiunto. Dovresti capirlo. Se capisci chi parla perché non riesce a sopportare il dolore del corpo, devi capire anche chi parla perché non riesce a sopportare il dolore dell'anima. C'è un momento, vedi, in cui l'anima piange proprio come il corpo, e al corpo resta solo l'orgoglio di morire bene. Mi rubavan l'orgoglio di morire bene: ho parlato. Me ne vergogno, sai. Ma nello stesso momento in cui me ne vergogno, penso: povero Sam. Nella tua vita hai avuto così pochi giorni felici. Sei stato felice quando hai rivisto i tuoi genitori e la mamma ha ammazzato l'anatra, sei stato felice quando è nato tuo figlio, e poi? Poi basta. Fin da ragazzo non hai fatto che aspettare l'attimo in cui ti avrebbero catturato o ammazzato, fin da ragazzo non hai sofferto che sacrifici e dolori: te la meriti una morte orgogliosa, la soddisfazione d'esser fucilato. »

« Sam, pensi che questo ti renderà un eroe? »

« No. Non basta esser fucilati per essere eroi, e l'eroe è un'altra cosa. L'eroe è un uomo virtuoso, coraggioso, saggio, un uomo che non rinuncia mai alla sua verità. L'eroe è un uomo che sa morire sotto un camion senza che nessuno lo sappia. Vero, capitano Tan? »

Il capitano Tan ha risposto con uno sbadiglio e ha guardato l'orologio come a dire che aveva sonno: facessimo presto. L'ho tranquillizzato con un gesto della mano e ho acceso l'ultima sigaretta di Sam.

« Abbiamo poco tempo, Sam. Presto ti rimanderanno nella tua cella e non ci rivedremo mai più. Così vorrei chiederti ancora una cosa, e scusa se ti sembrerà sciocca. Sam, ti sei mai divertito? »

« Fammi pensare. Da bambino mi divertivo con il mio cane che amavo perché era saggio. Quando un estraneo si avvicinava alla capanna, il mio cane non lo mordeva: abbaiava per avvertirci e basta. Poi, una volta, nel 1948, andai al cinema e mi divertii molto sebbene fosse un film di guerra dove gli americani sparavano ai giapponesi e vincevano sempre. Dopo quel film ho visto solo un altro film. Ma non era un film per divertirmi, era un film per imparare il sabotaggio. Poi, una volta, a Saigon, andai al circo. Fu poco prima dell'attentato al My Canh. Ci andai tutto solo perché ero triste ma vidi cose bellissime che mi divertirono molto. Vidi un uomo in motocicletta che girava intorno ad un pozzo senza cascarci dentro, e vidi tre uomini su una bicicletta che aveva una ruota sola ma andava lo stesso e anche loro non cadevano mai. E poi, poi basta. Non sono mai stato a ballare e non ho mai imparato una canzone allegra. La sola canzone che conosco è una canzone di guerra. Dice: "Devi combattere, fratello, devi liberare il Sud. Devi superare tutti gli ostacoli, tutti i dolori, anche se ti sembra difficile"... »

« Ma la musica ti piace, Sam? »

« Oh, sì. Soprattutto quando suona le ninnananne dei bambini. Io chiudo gli occhi, le ascolto, e sento come una carezza. »

« E le poesie ti piacciono, Sam? »

« Tanto. Al Nord leggevo molte poesie e un giorno, su un libro, ne trovai una così bella che strappai la pagina e la tenni sempre con me. Ora non ce l'ho più. Devo averla persa quando mi catturarono. O forse me l'hanno presa. Però la ricordo a memoria. Vuoi che te la reciti? »

« Sì, Sam. »

L'ha recitata. Diceva così:

> *Vivere senza l'amore*
> *è come vivere in un deserto,*
> *è come morire di fame e di sete,*

come soffrire mille volte di più.
È come piangere soli nel buio,
come ignorare perché siamo nati,
amare in fondo vuol dir ragionare.
Amico, lo sai, ci sono tanti amori.
C'è l'amore per la democrazia
l'amore per i tuoi governanti
l'amore per la giovane moglie, pei figli
l'amore per i compagni in arme
e tutti questi amori son belli
perché nascono dall'idea dell'amore.
Perché si ama per affrontar la battaglia,
per far fiorire i fiori, per continuare la vita
coi nostri bambini.
Però amico non dimenticar di combattere
perché pensi troppo all'amore.
O non ci sarà più amore su questa terra.

« Grazie, Sam. Cosa posso augurarti, Sam? »

« Augurami di morire bene. Di guardare in faccia gli uomini che mi fucileranno e poi dire: sono convinto di aver fatto bene a fare quello che ho fatto per la mia patria e per Ho Ci Min. Al tuo paese auguro invece pace e prosperità: che la guerra non lo turbi mai più. A te auguro d'essere sana, felice, e di morir molto tardi. »

Ha congiunto le mani sul cuore e mi ha fatto un inchino. Gli hanno messo la benda nera sugli occhi e l'hanno portato via. Il capitano Tan ha fatto un altro sbadiglio ed ha chiamato una scorta per riportarmi in albergo. Nelle strade deserte faceva un gran caldo e il silenzio era lacerato dai tonfi di un bombardamento notturno. Ma in cielo brillava la Luna, questa Luna dove gli uomini vogliono andare onde espandere la loro grandezza. E ho pensato a una frase che mi disse ieri François: « La Luna è un sogno per chi non ha sogni ».

Capitolo terzo

Sai, è difficile dire quando nasce un sospetto o un amore o un voltafaccia. Te lo trovi addosso come una malattia, e t'accorgi d'esser malato solo al momento in cui i sintomi si fanno evidenti: ad esempio, con un capogiro. Perciò non saprei spiegarti quando mi invaghii della guerra e compresi quel che c'era di vero nell'affermazione di François per cui v'era un fascino prodigioso nella guerra. Non certo la sera in cui ne discutemmo: ricordo bene la sorpresa che le sue parole suscitarono in me. Non certo prima, a Dak To. Non certo dopo, con Nguyen Van Sam. O forse fu proprio con Nguyen Van Sam? O forse fu proprio laggiù a Dak To? O forse fu proprio François che alla mia coscienza chiarì certe intuizioni represse a Dak To preparandomi ad accettarle con Nguyen Van Sam? « Non esiste altro esame tanto definitivo nella vita di un uomo. Diresti che nella violenza l'uomo ritrova, anzi trova, la sua intensità. » Non lo so. Posso dire soltanto che il primo sintomo del voltafaccia lo avvertii dopo il congedo da Nguyen Van Sam, mentre la jeep correva per le strade deserte, nel silenzio lacerato dai tonfi di un bombardamento notturno. Osservavo i soldati della mia scorta armata, ricordo, così attenti ad ogni fruscio, tesi verso ogni ombra, sovrapponevo i loro volti al volto di Nguyen Van Sam che sistema le mine, Nguyen Van Sam che spara nel bosco, Nguyen Van Sam che affronta il plotone di esecuzione, e d'un tratto avvertii un sospetto terribile, poi un capogiro esaltante, e mi piacque trovarmi in Vietnam. Era il capogiro che viene di fronte alla cosa chiamata eroismo.

Nessuno resta insensibile all'eroismo, e l'ambiente naturale dell'eroismo è la guerra. Può anche essere un rapporto d'amore, può anche essere un'avventura rischiosa, un lavoro impossibile. Certo, non lo nego. Ma in nessun caso l'eroismo esplode come alla guerra dove esso ha un unico insostituibile prezzo: la morte. Paragonando la guerra a un incontro di boxe dove l'uomo rende il suo massimo, François aveva dimenticato di dirmi che il momento estremo in cui l'uomo tocca il suo massimo è appunto la morte. Improvvisamente, quindi, essa, mi eccitava. Non la giudicavo più un delitto da condannare ma un eroismo da raccontare. La studiavo in tutte le sue forme, compreso il suicidio di un bonzo. La cercavo per me stessa nella sfida di un combattimento aereo. E fu proprio in quel periodo che conobbi l'uomo la cui storia avrebbe dato un senso a tutto ciò: il generale Nguyen Ngoc Loan.

* * *

6 dicembre. Sulla terrazza della pagoda Tu Nghien c'è una macchia nera di bruciato e ha la forma di un corpo umano che siede con le gambe in croce. È rivolta verso l'altare dove troneggia il gran Budda e invano hanno tentato di lavarla, raschiarla: anche la pietra è stata arsa dal fuoco. Passando dinanzi, le bonzesse vi sostano con le mani giunte: è qui che si immolò l'anno scorso Huyn Thi Mai, giovane maestra di Saigon. Una domenica d'estate, alle cinque del mattino. Arrivò alla pagoda con la sua latta di benzina, la sua scatola di fiammiferi, un cesto di frutta. E nessuno si accorse di lei. La vecchia bonzessa che di notte resta nel tempio a dir le preghiere s'era addormentata, con la testa sulla campana. Le altre erano nelle celle. Del resto nessuna si sarebbe sorpresa a incontrar Huyn Thi Mai. Andava spessissimo lì, anche alle prime luci dell'alba. La conoscevano bene.

Silenziosamente Huyn Thi Mai depose il cesto di frutta ai piedi del Budda: mango, banane, ananas. Poi vi appoggiò sopra una lettera. Poi, in punta di piedi, passò accanto alla bonzessa addormentata, aprì la porta a vetri che immette nella terrazza, si bagnò di benzina e si dette fuoco. Le fiamme divamparono subito, con un bagliore che svegliò la bonzessa di soprassalto. Nell'urto, la campana suonò. Si udì un grido e in pochi secondi le monache furono lì con la Venerabile Madre che senza scomporsi ordinava: « Asciugamani bagnati ». Il rogo si alzava alto e trasparente, attraverso di esso potevi vedere Huyn Thi Mai che soffriva: gli occhi sbarrati, la bocca torta in una smorfia angosciosa, quasi non potesse resistere. Ma resisteva, e fissando la Venerabile Madre alzò una mano: per pregarla di non intervenire. Poi unì la mano con l'altra mano, come facciamo noi in chiesa, e non si mosse più fino a quando cadde in avanti: la testa rivolta verso la statua del Budda.

« Asciugamani bagnati! » ripeté la Venerabile Madre. Stavolta con impazienza. E gli asciugamani arrivarono. E caddero sul corpo friggendo, ormai inutili. Huyn Thi Mai aveva perso le dita, una parte del braccio destro, alcuni pezzi del volto: non respirava più. Allora la Venerabile Madre mormorò: « Così sia ». E si diresse all'altare per prender la lettera posata lì tra le frutta. Diceva: « Non sono pazza e non sono infelice. La vita è bella e avrei voluto amarla fino in fondo. Però è giusto che la offra per la nostra patria e per la nostra fede. Che la responsabilità di quest'atto cada sugli uomini perfidi che comandano ancora il Vietnam ».

Thich Nhu Hué, la Venerabile Madre, mi racconta la storia con voce ferma e occhi dolorosi. Ha il cranio rasato a zero, la veste azzurra che in molte pagode ha sostituito il peplo arancione, e gocce di sudore le scivolano giù per le guance: come lacrime lunghe. È un pomeriggio afoso. Dal tempio giunge la nenia della vecchia che prega presso la campana e dopo ogni versetto batte un martellino sulla campana. La campana emette un tonfo sordo, solenne. La Venerabile Madre Thich Nhu Hué, immobile su quella sedia, sembra una regina sul trono. Ha cinquantaquattr'anni, è bonzessa da trentacinque, comanda tutte le bonzesse del Vietnam: all'incirca seimila. Per via di ciò tocca a lei dare il permesso di immolarsi: ha in serbo centocinquanta domande di sorelle che vogliono uccidersi. Dieci, in questa pagoda. Una delle dieci è questa appena entrata per farle fresco con un ventaglio. Ormai, spiega la Venerabile Madre, sono le donne a bruciarsi. Sono andate crescendo di anno in anno. Sotto Diem ci furono sette immolati: sei bonzi e una bonzessa. Sotto Ky, tredici immolati: nove bonzi e quattro bonzesse. Sotto Van Thieu, otto immolati: un bonzo e sette bonzesse. Le ultime quattro però l'hanno fatto senza l'autorizzazione della Venerabile Madre. La prima, il 3 ottobre scorso a Can Tho, la seconda l'8 ottobre a Sa Dek, la terza il 4 novembre a Saigon, la quarta il 22 novembre a Na Trang. La Venerabile Madre lo seppe quando la chiamarono a prendere i corpi per seppellirli: anche questo è un compito che spetta a lei. Ma riuscì solo a ritirare due corpi, gli altri due li aveva presi il governo cui non piace che il rito funebre provochi folla, che la tomba diventi luogo di pellegrinaggio. Del resto i giornali si guardano bene dal pubblicizzarle e la gente che viene a saperlo reagisce con indifferenza o con noia. « Un'altra? A quanto pare le donne bruciano meglio. » Quando Huyn Thi Mai si uccise, chiunque poté vederla: la terrazza si affaccia su una strada piena di case. Ma alle finestre ci saranno state sì e no trenta persone, sui marciapiedi i ragazzini si rincorrevan cantando: « Brucia! Brucia! Bruciaaaa! ».

« Venerabile Madre, ma allora a che serve? »

« Serve a protestare contro un governo che non è voluto dal popolo, che è voluto solo dagli americani i quali sono la causa principale della nostra infelicità. Abbiamo già fatto la dolorosa esperienza del colonialismo sotto i francesi, ora la ripetiamo sotto gli americani che si comportano come i francesi. Ci trattano da creature inferiori, ci invadono, alimentano per i loro interessi la guerra: e il rogo è un'arma preziosa contro di loro perché provoca pietà ed orrore, induce i colpevoli a meditare. »

« Venerabile Madre, ma quanto dureranno questi suicidi? Quante di quelle centocinquanta domande in attesa verranno accettate? »

« Quante sarà necessario, tutte se sarà necessario. Il solo motivo per cui a volte esito a dare l'autorizzazione è che bisogna controllare il martirio, e a volere il martirio sono soprattutto i giovani. Non è giusto che siano sempre loro a morire. E poi il martirio non deve essere un gesto passionale, dettato dal coraggio e dall'entusiasmo dei vent'anni. Dev'essere un gesto consapevole, meditato da adulti che hanno compreso la vita. Io soffro molto quando i giovani si bruciano senza permesso. Così dico alle dieci sorelle che in questa pagoda attendono con tanta ansia di dare la loro vita: siate pazienti, aspettate, il momento verrà. Ma vivo sempre nella preoccupazione che non mi avvertano, come fece Huyn Thi Mai. »

« Venerabile Madre, certo lei ha assistito a più di una immolazione. Che effetto suscita in lei? »

Sorride con grande dolcezza.

« Oh, deve capire che le mie reazioni non sono quelle di una donna normale: non sono più una donna, sono una bonzessa. La morte, per noi, non è una tragedia. Un corpo morto noi lo bruciamo, o lo gettiamo nella foresta alle fiere, o nel mare ai pesci. Affinché se ne nutrano. Solo quando non c'è fuoco per bruciarlo, né fiere né pesci per mangiarlo, noi lo sotterriamo. Noi non abbiamo paura della sofferenza fisica, possiamo dominarla anche se è grande. Perché la realtà fisica non conta. »

« Venerabile Madre, lei crede che si soffra molto a bruciare vivi? »

« Oh, sì! Non è vero che la vittima resta asfissiata e non sente dolore. Al contrario, resta lucida fino alla fine, e solo una immensa determinazione può tenerla lì ferma, inchiodata senza chiedere aiuto. Ricordo Huyn Thi Mai: soffriva tanto. Gli asciugamani bagnati non arrivavano e lei soffriva tanto. »

« Venerabile Madre, » le chiedo finalmente « lei è pronta ad immolarsi? »

« Oh, sì! Sì, certo. Fa parte dei miei doveri. E poi, vede, io venero molto quel gesto: quando un fratello o una sorella si bruciano, non provo pietà od orrore. Provo un'immensa ammirazione, un immenso rispetto, e un poco di invidia. Perché vede: morire bene è meglio che vivere male. Vivere male è il sacrificio più duro di tutti. »

Vorrei assistere al rogo di un bonzo o di una bonzessa. Deve essere assai interessante.

7 dicembre. François dice di no. Dice che fa schifo e basta. Lui ne ha visto uno, nel luglio del 1966, e ne fu così sconvolto che cercò di impedirlo. « Sto recandomi a una conferenza stampa del Venerabile Tam Chau » racconta « e mi trovo in rue Con Li, quando scorgo una fiammata vicino al marciapiede. Ci risiamo, mi dico, ne brucia un altro. Scendo dall'automobile e mi avvicino al rogo. Dentro c'è un bonzo, un gruppetto di giovinastri che si divertono, alcune donne che gemono, qualche bonzessa. I passanti continuano a camminare voltandosi appena o non voltandosi affatto. Le automobili e i risciò a pedale si limitano a scostarsi dalle fiamme: il traffico non ne risente nemmeno, mi spiego? Il bonzo ha appena incominciato ad annerirsi, arde soprattutto la veste che è imbottita di cotone per succhiar più benzina. Un largo pezzo di stoffa cade per terra, mi ci precipito sopra e l'allontano coi piedi. Il volto del bonzo assume un'espressione di sollievo, per un attimo penso che voglia strapparsi di dosso anche il resto. Ma una bonzessa si china sulla stoffa che brucia, la raccoglie con dita che non sembran scottarsi, e gliela posa sopra la testa. Il bonzo ha una smorfia. Mi ributto su lui e gli ritolgo il cencio sopra la testa: ma la bonzessa lo raccatta di nuovo e di nuovo lo posa dov'era prima. La faccenda è di un macabro addirittura grottesco: con questo cencio che va su e giù. Il poveraccio gesticola, è ormai chiaro che di morire ha ben poca voglia, forse non ne ha mai avuta: ma intorno al rogo s'è formato un cerchio di bonzi che impediscono a me di intervenire e a lui di scappare. Corro a un telefono, chiamo la polizia: quando giungono le camionette, egli è ancora vivo. Morirà all'ospedale, trentasei ore dopo, e i medici accerteranno che era drogato. »

« Lo sono spesso, François? »

« A mio parere sì. Guarda, non c'è volontà al mondo che possa tenerti fermo mentre bruci. Senza contare un'altra specie di droga: quella che noi chiamiamo lavaggio cerebrale. Metti in testa a un bonzo di settant'anni o a una bonzessa di diciassett'anni che il destino del Vietnam dipende dal suo sacrificio: accetterà subito di farsi arrostire. Ben sapendo che del suo rogo non importa nulla a nessuno. »

È la sua tesi. Perché i buddisti, dice, son passati di moda. In meno di quattr'anni son saliti a una gloria che non avrebbero mai osato sperare e sono precipitati in una decadenza che non avrebbero mai osato temere. Non hanno peso politico, hanno perso per sempre la grande occasione offerta loro dal caso o la storia: assumere un ruolo di terza forza nel Vietnam, insediarsi al potere come i cattolici hanno fatto in molte nazioni europee. E la ragione è semplice: il Vietnam non fu mai un paese buddista. Su sedici milioni di abitanti, solo un milione sono buddisti. Due milioni e mezzo appartengono alla setta Cao Dai, due milioni alla chiesa cattolica, mezzo milione agli animisti che pregano gli dèi del suolo, dei torrenti, delle montagne. E il resto sono indifferenti che osservano il culto degli antenati accendendo candele sugli altari dei morti. In Vietnam si incominciò a parlar dei buddisti solo nel 1963 quando un monaco sveglio e ambizioso, Tri Quang, tenne un discorso antigovernativo nella città sacra di Hué. A Hué ci sono molti buddisti: ne seguì una sommossa. La polizia caricò, otto bonzi rimasero uccisi, e Tri Quang se ne servì per dichiarar guerra a Diem. Il primo rogo è di quel periodo. A bruciarsi fu un monaco della pagoda Xa Loi, a Saigon, e Tri Quang non ne era certo all'oscuro: la sera avanti un fotografo era stato informato con un colpo di telefono che partì, si racconta, da lui. La fotografia fece il giro del mondo. Il mondo ci pianse. E gli americani, scontenti di Diem, decisero di attribuire ai buddisti un ruolo che mai avevano avuto, li innalzarono insomma a portabandiera dell'idea nazionale. La farsa ebbe inizio.

Una farsa macabra, a base di corpi carbonizzati. Un altro, e un altro, e un altro, e un altro, e un altro, e un altro ancora. La sesta era una monachina di diciotto anni. Ogni volta fotografati, drammatizzati, pubblicizzati dai corrispondenti del *New York Times*, dall'Associated Press, dall'UPI, sostiene François. Tutti e tre americani, tutti e tre giovani e svelti, ma professionalmente un po' verdi. Non capirono infatti che la loro ambasciata stava lanciando i bonzi come un produttore lancia un'attricetta. Non capiron nemmeno che nelle dimostrazioni la maggioranza non era composta da buddisti ma da autentici vietcong. Perfida ma non sciocca, Madame Nu non aveva poi torto a gridare: «i buddisti sono rossi vestiti di giallo». Sicché in questo equivoco i buddisti poterono mischiarsi al malcontento popolare, in certo senso simbolizzarlo, finalmente assumersi il merito della caduta di Diem: effettuata dai militari con l'aiuto degli americani. Ma non durò molto. La realtà li ridimensionò presto insieme ai loro difetti: mancanza di motivazioni precise, di appoggio popolare, di leader intelligenti: e gli americani, compreso lo sbaglio, li lasciaron cadere come un paio di scarpe ormai inutili. Sicché litigando fra loro, Tri Quang da una parte e Tam Chau dall'altra, essi si lanciaron di nuovo dentro una lotta di cui non importava più nulla a nessuno, e qui poveri corpi vestiti di giallo e d'azzurro ripresero a bruciare senza che i corrispondenti gli scattassero una fotografia.

«Niente di nuovo, oggi?»

«No, un altro arrosto.»

«Maschio o femmina?»

«Boh!»

François è molto duro verso i buddisti, e forse li minimizza un po' troppo. Tuttavia resta il fatto che oggi le immolazioni si chiamano arrosti. Se il generale Loan viene a sapere di un arrosto, manda i suoi uomini con gli estintori: pensa che spettacolo. Prima il rogo del martire, poi le sirene della polizia, poi le camionette che piombano in uno strider di freni, e nel giro di pochi secondi il bonzo è coperto di schiuma bianca come un comico centrato da una torta alla panna. Guardalo con la sua panna: c'è qualcosa che uccide perfino la morte: il ridicolo. Eppure anche il ridicolo può indurti al rispetto perché un uomo che si bagna di benzina e poi accende un fiammifero e poi si dà fuoco, un uomo che si lascia bruciare senza un grido e senza un pentimento, un uomo che fa questo per motivi ideali non per scontenti personali, ecco: a mio parere quell'uomo è un eroe. E lo è quanto un vietcong, un soldato in trincea.

Io chiamavo eroi gli astronauti. Ma che eroismo ci vuole a sbarcar sulla Luna con un margine di sicurezza del novantanove virgola novantanove per cento, con una astronave collaudata fino all'ultimo bullone, seguita senza sosta da migliaia di tecnici, scienziati, strumenti infallibili pronti a venire in tuo aiuto? E se va male lo stesso, se sulla Luna ci muori, che eroismo ci vuole a morire dinanzi agli occhi del mondo, mentre tutto il mondo ti ammira e ti esalta e piange per te? No: l'eroismo, lo capisco qui, non è il vostro, amici astronauti. È quello del vietcong che va ad ammazzare e a farsi ammazzare, scalzo, in nome di un sogno. È quello del soldato che crepa solo come un cane in un bosco, mentre va all'assalto di una collina di cui non gli importa nulla. È quello di una ragazza o di un bonzo che si danno alle fiamme rischiando di essere ridicolizzati con un estintore.

8 dicembre. Tanto più che nulla, in queste pagode, ti incoraggia all'eroismo. Non sembrano nemmeno pagode, non v'è in esse né solennità né tragedia. Le immaginavi suggestive, belle come i templi che hai visto a Bangkok e nel resto dell'Asia: sono invece casacce di periferia, nascoste in viuzze sporche, vicoli maleodoranti. Lì per lì non le trovi nemmeno, perché non le distingui dalle altre. Solo a forza di girare ti accorgi che sulla facciata dondola un cartello dov'è scritto « Pagoda Tun Nghien », « Pagoda Xa Loi ». La vita pullula intorno ad esse rumorosa, aggressiva: scampanellare di biciclette e risciò, gridare di bottegai, abbaiare di cani, ridere di bambini che si rincorrono o fanno pipì contro il muro. Sai, la vecchia Saigon che esisteva ai tempi dei francesi, il folclore povero che piace tanto ai ricchi turisti europei. Niente carri armati, qui, niente jeep con le mitraglie, niente fortificazioni di sabbia: ma una folla densa e apparentemente felice che se ne va sotto i cappelli a cono, e quando sei più alto vedi un fiume di cappelli a cono che scivolan via sussultando. Ogni vicolo è un mercatino dove le venditrici sedute per terra ti offron la merce posata per terra, pesce fresco e guizzante, polli arrosto, riso bollito, uova sode, ananas, se non le ascolti si aggrappano ai tuoi vestiti con gaia insistenza: in quell'orgia di cibo e allegria tu non pensi alla morte. La morte sembra averti dimenticato, qui, insieme alla guerra.

Stamani sono andata a cercare Tri Quang, alla pagoda Xa

Loi. Ci arrivi scavalcando accattoni, cani randagi, mucchi di spazzatura, e un buco lasciato da una bomba. Dove ora sta il buco, il Venerabile Tienh Minh, luogotenente di Tri Quang, parcheggiò due anni fa l'automobile. Quando vi risalì e mise in moto, la bomba scoppiò portandogli via l'intestino. Infatti vive, miracolosamente, con un intestino artificiale. Non si trattava, ovvio, di una bomba vietcong. Nemico acerrimo degli americani e del governo che essi hanno voluto, Tienh Minh combatté contro i francesi a fianco dei comunisti e oggi è accusato di usar le pagode per proteggere i vietcong. Anche la pagoda Xa Loi? Perché no. Adatta lo è: così piena di scale, corridoi, passaggi che s'aprono su cortili segreti, e poi balconi, celle dietro le quali invisibili occhi ti scrutano, ti seguono, forse ti tengono sotto la mira. La cella di Tri Quang ha due porte, ogni porta è protetta da tre o quattro monaci svelti e decisi: difficile mettersi in testa che proprio questo sia il quartier generale di un'opposizione basata sopra i suicidi.

Non sembra un suicida nemmeno Tri Quang che nel 1966 saltò come un capriolo oltre il muro dell'ambasciata americana per sfuggire all'arresto e alla morte. Il suo volto rotondo ed astuto, il suo sguardo furbo ed infido, poi quel sorriso da fiera che nasconde non sai bene cosa, denunciano anzi una gran voglia di vivere. Guardalo mentre s'accerta che nessuno ci abbia pedinato. Guardalo mentre chiude a chiave la cella che è arredata solo con un letto, un tavolo, una fotografia di Gandhi sul tavolo, una sedia e un vaso da notte: però anche con una radio ultimo modello, un apparecchio per l'aria condizionata, e una scatola di cioccolatini che son la sua debolezza. Ascoltalo mentre spiega il suo programma di assumere un ruolo di terza forza in Vietnam, mentre cerca di convincermi che lui non sta né coi comunisti né coi colonialisti: ti par forse un uomo che pensi a morire? Chi vuole morire non salta dentro i recinti delle ambasciate, non si chiude a chiave, non fa programmi a lunga scadenza, non perde tempo a mangiare cioccolatini. Chi vuol morire galleggia dentro una splendida serenità fatta di rinuncia e silenzio: al di là di ogni piacere, di ogni polemica, ogni prudenza. Ma poi pongo una domanda: « Venerabile Tri Quang, continueranno i roghi dei buddisti? Lei crede che serva sacrificare tante vite? » e mi dà questa risposta.

« I roghi dei buddisti continueranno finché continuerà la carneficina del popolo. Personalmente io sono più che pronto a darmi fuoco. Subito, se è necessario o almeno utile. Ogni vero buddista è pronto a immolarsi: venti litri di benzina e dieci minuti di strazio sono facili a sopportare se servono a difendere una fede ed un popolo. I cattolici dovrebbero capirlo. Io non so cosa pensino i cattolici quando onorano i loro martiri sugli altari, però credo di sapere cosa pensavano i loro martiri quando si lasciavano crocifiggere o mangiare dai leoni. Il gesto più alto che una creatura possa compiere è quello di rinunciare alla vita con una fine che dà dolore. »

Proprio questa risposta.

A mezzogiorno sono andata a mangiare sulla terrazza del Continental: con Mazure, Catherine, altri corrispondenti. C'era un'afa languida e immota, c'era un sole umido e dolce, e tutti vi si abbandonavano in una sonnolenza fatta di frasi oziose, scherzose, che non sapevo raccogliere. « Che t'è successo? A che pensi? » ha esclamato infine Mazure. « A nulla » ho detto. Invece pensavo eccome, pensavo a quella risposta e a ciò che era successo dopo. Dopo, Tri Quang m'aveva chiesto un favore: potevo portare una lettera al mio ritorno a Roma? Gli avevo detto sì certo, e lui s'era messo a scriverla. Lentamente, facendo cancellature e meditandoci su. Poi l'aveva copiata e me l'aveva porta con dita tristi, sottili.

« A chi devo consegnarla, Venerabile Tri Quang? »

« Al Papa, se è possibile. »

« Al Papa?! »

« Sì. Il Papa è un capo potente: può farsi ascoltare sia dai comunisti che dai colonialisti. Può intavolare trattative segrete per negoziare la fine di questa guerra, può chiedere di prolungare la tregua del Capodanno e del Tet. Alla nostra disperazione serve solo pensare che qualcuno ci capisca e ci aiuti. »

Avevo promesso a Tri Quang di far pervenire la lettera al Papa e c'eravamo scambiati una lunga stretta di mano. In albergo avevo nascosto la lettera tra un mucchio di fogli e avevo chiuso tutto a chiave dentro un cassetto.

« Io dico che t'è successo qualcosa » ha insistito Mazure.

« No, no » ho detto. « Nulla. »

« Allora a che pensi? »

« A nulla, Mazure. »

Mi piacerebbe conoscere questo generale Loan che li ridicolizza con gli estintori. È dal giorno in cui venne sospesa l'esecuzione dei tre vietcong che il suo nome mi insegue. Ovunque tu vada, qualsiasi cosa succeda, v'è sempre un momento in cui senti dire: generale Loan. Lo chiamano il Terrore di Saigon, l'uomo più crudele del Vietnam.

10 dicembre. Oggi io e Moroldo abbiamo rimesso l'uniforme e siamo andati con Barry Zorthian nel Delta del Mekong. È stata una giornata molto istruttiva. Soprattutto sul signor Zorthian che fa parte dell'ambasciata americana, dirige il Juspao, e viene considerato uno degli uomini più importanti a Saigon. Il signor Zorthian è un cinquantaquattrenne di origine armena, con un grande naso, una grande pancia, una grande fede in questa guerra, e l'incrollabile convinzione che « gli Stati Uniti debbano insegnare la civiltà a questi poveracci che non hanno mai sentito parlare di democrazia e di progresso tecnologico ». In altre parole il signor Zorthian ritiene che l'America stia facendo un immenso favore al Vietnam e non solo da un punto di vista militare ma anche economico. « Quando la guerra sarà vinta, » dice « il Vietnam diventerà ricco come il Giappone, moderno come il Giappone, stimato come il Giappone, perché gli insegneremo a sfruttare le sue risorse su base industriale. Ovunque sorgeranno fabbriche, grattacieli, autostrade, e il Delta del Mekong gareggerà con la Florida. » Il sospetto che i contadini del Delta non vogliano gareggiare con la Florida, che vogliano solo vivere in pace, col loro riso piantato a mano, raccolto a mano, mangiato coi bastoncini, è un sospetto che non lo sfiora nemmeno. O lo sfiora e non ne tiene conto giacché li considera troppo ignoranti per sapere dove sta il bene e dove sta il male. Il particolare che l'ipotetico paradiso essi lo stiano pagando con la distruzione del loro paese, il massacro dei loro figli, la fame, è un particolare cui non pensa neanche. O ci pensa e non gliene importa. Tanto non paga mica lui. Lui vive in una bellissima villa, piena di stanze arredate e di servitori. A tavola ha tutto ciò che desidera, deve anzi porsi problemi di dieta. E di pericoli ne corre pochi giacché il massimo rischio cui può andare incontro gli è dato da un viaggio come quello di oggi, sul suo aeroplanino a sei posti.

Siamo partiti con l'aeroplanino verso le dieci. Abbiamo volato un'oretta sui campi di riso lucidi e verdi, poi siamo atterrati a Quang Nqai. Qui il signor Zorthian doveva visitare gli hamlets dove vivono con le famiglie i disertori vietcong. Una jeep ci aspettava. Lungo una pianura brulla, cotta dal sole, ci ha condotto subito verso gli hamlets. Che vuol dire villaggi. Ma quando siamo giunti non ho visto villaggi. Ho visto recinti circondati da filo spinato al di qua e al di là dei quali non potevi né uscire né entrare, torrette da cui spuntavano mitraglie. Dentro i recinti sorgevan baracche con le cuccette a doppio piano o i materassi per terra, intorno alle baracche sostavano uomini dal volto chiuso, donne coi neonati in braccio. Guardavi e pensavi ai campi di concentramento. Ho detto al signor Zorthian che sembravano campi di concentramento e il signor Zorthian, in buona fede, s'è offeso. Poi, in buona fede, m'ha spiegato che non lo sono: le mitraglie sulle torrette servono a proteggere i disertori vietcong, il filo spinato serve a frenare i terroristi vietcong che organizzano contro gli ex compagni spedizioni punitive. Sembrava un papà affettuoso che si rivolge a una figlia un po' sciocca, e con quell'aria di papà affettuoso girava per gli hamlets, accarezzava la testa dei pargoli, sorrideva alle donne più brutte. Ai disertori vietcong diceva, attraverso l'interprete: « Mi congratulo con lei perché so che era un bravo soldato quando ci combatteva, un audace soldato ». I disertori lo guardavano incerti, sorpresi, o storcevan la bocca in una improvvisa vergogna. Erano tutti fra i trentacinque anni e i quaranta, uomini che avevan fatto la guerra per circa vent'anni, e infine avevan ceduto.

Sì, una giornata molto istruttiva. Specialmente quando un

americano ci ha detto che le cose non sono facili qui: la provincia di Quang Nqai pullula di vietcong e le strade sono sempre minate. Le pattuglie tolgono le mine di giorno, brontolava, i vietcong le rimetton di notte e... Nello stesso momento la jeep su cui viaggiavamo ha frenato e l'autista s'è messo a gridare che un cumulo di terra fresca, cinque metri più in là, nascondeva una mina. Non si sbagliava e siamo tornati indietro, attenti a rimetter le ruote nei solchi di prima: nel caso fossimo passati rasente un altro ordigno. L'autista sudava. Sudavamo anche noi. E poi abbiamo lasciato Quang Nqai, per recarci ad An Xuyen nell'estremo Sud, e ci siamo messi a volar sulla Luna. Per miglia e miglia sotto di noi si stendeva un deserto di crateri e di buche simili a quelle della superficie lunare, e questo era ciò che restava dei bombardamenti compiuti dai Phantom perché il Vietnam diventi ricco quanto il Giappone, moderno quanto il Giappone, stimato quanto il Giappone. Poi abbiamo lasciato la Luna e abbiamo volato su Marte, su una distesa di tronchi e di rami nudi come d'inverno: l'avanzo di una foresta bruciata dai defoglianti perché il Vietnam abbia fabbriche, grattacieli, autostrade, e gareggi con la Florida e diventi ricco come il Giappone, moderno come il Giappone, stimato come il Giappone. Puntando il dito grasso contro il finestrino, il signor Zorthian spiegava che i defoglianti vengono impiegati per impedire ai vietcong di nascondersi fra il verde, ma dimenticava di dirci che gli alberi arsi così non rinascono per almeno vent'anni, che l'anidride arseniosa, l'arseniuro di sodio, gli arseniati di piombo e di manganese, la calciocianamide eccetera, uccidono anche le vacche ed i bufali, e all'uomo producono ustioni, diarrea emorragica, cecità, magari la morte. Poi abbiamo lasciato anche Marte, e abbiamo preso a volare su un bosco che era ancora un bosco, e d'un tratto sono apparsi in cielo, neri come pipistrelli, due caccia americani. Hanno virato, si son gettati in picchiata, hanno sganciato il napalm. Dal bosco è emerso un fumo nero, carnoso.

« Signor Zorthian, chi stanno bombardando? »

« Oh, suppongo una carovana vietcong che trasporta il riso. Conosce la storia? »

« La conosco. Sì, signor Zorthian. »

La raccolta del riso in Vietnam comincia a dicembre e continua fino a gennaio, perciò è in questo periodo che i vietcong del Nord invadono il Delta per prendere il riso. Per loro il riso è più importante delle munizioni, perché senza riso non mangiano, e le munizioni gliele manda Hanoi: il riso no. Il riso è tutto qui, nel Delta. I vietcong addetti al riso sono ventimila. Viaggiano senza scorte e senza fucili, si portano dietro soltanto le sacche da riempire col riso, e vanno a piedi, pei sentieri nascosti ed i boschi. Partono a settembre, tornano a marzo, e la loro marcia si chiama Battaglia del Riso. È una battaglia poetica ma condotta con criteri scientifici. Infatti i vietcong non chiedono il riso come un'elemosina, lo esigono come una tassa. Ogni contadino del Delta deve consegnare ai vietcong una quantità di riso che oscilla fra il trenta e il sessanta per cento dell'intero raccolto. In cambio i vietcong danno un foglio stampato dal Fronte Nazionale di Liberazione e col quale, finita la guerra, i contadini potranno domandare il rimborso. Capita a volte che non tutto il riso entri nei sacchi. Allora i vietcong esigono in denaro l'equivalente del riso che non entra nei sacchi: diciottomila piastre al quintale. Il contadino ubbidisce. Per patriottismo o per paura: « Ho una testa sola e voglio tenermela ». Però il fatto più atroce è che non solo i vietcong, anche il governo sudvietnamita requisisce il riso: dal venti al trenta per cento. Sicché in certe regioni il contadino si vede spogliare dagli uni e dagli altri: non gli resta nemmeno il riso per sé e per la sua famiglia. Per ovviare tale contrattempo, gli americani proibiscono ai contadini di coltivare il riso e gli danno il riso della California. Chiuso in casse sulle quali è scritto: *Rice From Los Angeles*. Ma i contadini non vogliono il riso di Los Angeles, vogliono il riso delle loro risaie. Perché è più buono, più soffice, perché le risaie esistono per coltivare il riso e quando c'è riso nelle risaie c'è anche pesce, anguille ad esempio, ed essi si nutron d'anguille quasi quanto di riso. E si ribellano. E coltivano il riso, raccolgono il riso. E sono puniti. Le punizioni variano da provincia a provincia. In certe province i contadini che coltivano il riso, raccolgono il riso, vengon mitragliati dai caccia o dagli elicotteri. E quando il caccia o l'elicottero si abbassa sulla risaia, sai cosa fanno? Si tuffano giù dentro l'acqua e ci restano, trattenendo il respiro. A volte la scampano. A volte no. Sicché, passato il mitragliamento, vedi sempre un morto o due morti o tre morti che galleggian sull'acqua fra le pianticelle di riso. Ma i contadini li portano via, senza piangere, e tornano a raccogliere il riso.

« La conosco la storia, sì, signor Zorthian. »

Ad An Xuyen c'era una minuscola pista per l'atterraggio, e una minuscola base. Nella base vivevano sei americani terrorizzati: la percentuale dei vietcong in questa regione è del novantotto per cento e i sei americani non comprendevano il mistero di non essere stati ancora ammazzati. « Andate via » ripetevano. « Presto sarà buio, attaccano spesso col buio. » Il signor Zorthian li ascoltava benigno, incedendo col suo grande naso, la sua grande pancia, la sua incrollabile convinzione che gli Stati Uniti debbano insegnare la civiltà eccetera: « Tranquilli, spiegate ». Il signor Zorthian è un duro, è un vero soldato, nella Seconda Guerra Mondiale combatté nel Pacifico. Anche per questo quando è venuto il buio non ha perso il sorriso. E s'è messo a illustrarmi i motivi per cui gli Stati Uniti non possono lasciare il Vietnam. « Se cede il Vietnam, cede il Laos, cede la Cambogia, cede la Tailandia, cede l'Indonesia... »

Conoscevo quella canzone. L'avevo udita altre volte. E la prima volta l'avevo udita molti anni fa. Cantata in francese, prima di Dien Bien Phu.

11 dicembre. Ogni giorno alle cinque del pomeriggio c'è la conferenza stampa. Si svolge al Juspao. I giornalisti si riuniscono in una specie di teatrino e gli ufficiali salgono su una specie di palcoscenico, per dare le notizie. La notizia più importante di oggi riguardava il Delta del Mekong. Diceva che una compagnia del 25° Fanteria s'è imbattuta in una compagnia di vietcong aggregata ai portatori di riso. Nel combattimento sono morti diciassette americani e quarantotto vietcong, i portatori di riso son riusciti a fuggire. Più tardi però hanno trovato anche loro. Uccisi da una pioggia di napalm. Giacevano carbonizzati, sotto cumuli di riso carbonizzato.

Vorrei tanto sapere cosa prova un uomo che da un aeroplano potente sgancia bombe su un portatore di riso. E perciò ho chiesto di partecipare a una missione aerea. Il tenente Peters, ufficiale di collegamento con l'aeronautica, ha promesso di avvertirmi appena possibile.

12 dicembre. Mi ha avvertito. È per domani mattina. L'aereo è un nuovissimo jet che da pochi mesi usano in Vietnam, si chiama A37. La missione è nel Delta. Ma niente caccia ai portatori di riso: si tratterà di eliminare un accentramento vietcong per stabilire una testa di ponte.

« Va bene lo stesso? »

« Sì, Peters. »

« Naturalmente l'aeronautica si disimpegna dalle responsabilità di ogni disgrazia. »

« Naturalmente. »

M'ha detto che dovrò trovarmi alle sette alla base di Bien Hoa e poi, colto da preoccupazione improvvisa, ha domandato se volevo andarci davvero. M'è parso perplesso quando ho risposto: sì certo. Moroldo invece continuava a ripetere che sono pazza, che creperò, che tutti se la piglieranno con lui perché non mi ha trattenuto. E ha smesso di brontolare solo quando François ha dichiarato che di pericolo ce n'è ben poco, lui è stato in tante missioni simili, s'è anche buttato col paracadute: basta sapere come funziona il paracadute. L'A37 ha il sedile a getto. Ai lati del sedile vi sono due manovelle. A un cenno del pilota, si aziona la manovella di destra. Prima giù e poi su. Dopo, le due manovelle insieme. S'apre la calotta e si schizza via. Il paracadute s'apre da sé.

« E se non s'apre? » ha chiesto, poco convinto, Moroldo.

« Se non s'apre, si tira una corda che pende davanti. »

« E se non s'apre lo stesso? »

« Quando sei a terra vai a reclamare e te ne fai dare uno che funziona meglio. »

È una vecchia battuta che mi fa sempre ridere, però stasera no. Non che abbia molta paura, o non quanta ne avevo andando a Dak To, ma se penso alla preoccupazione di Peters mi prende come un formicolio nei ginocchi.

« François, che missione sarà? »

« Un bombardamento qualsiasi. Sarai seduta dietro un cretino che pigia un bottone e vedrai cadere le bombe. Le chiamano missioni orizzontali. Ci sono anche le missioni verticali, cioè quelle in picchiata. Ma dubito che vi facciano partecipare una donna. »

« François, ho come un formicolio nei ginocchi. »

« Allora perché ci vai? »

« Voglio capire cosa prova un uomo a sganciare bombe su un altro uomo. »

« Cosa vuoi che provi? Nulla. »

« Non è possibile. »

« Vedrai. Comunque domani farò una levataccia e ti accompagnerò a Bien Hoa. »

Era il suo modo per esprimermi affetto. Improvvisamente sono diventati tutti affettuosi con me. Mazure m'ha portato a cena per darmi consigli e m'ha intrattenuto narrandomi le sue imprese aeree, l'avventura su un certo elicottero che mitragliava i vietcong. Il ristorante era un ristorante cinese e lui indossava una camicia bellissima, nuova. Felix m'ha invitato a colazione per dopodomani e Vincenzo Tornetta m'ha chiesto di andare all'ambasciata appena torno. « Ma intera, eh? Mi raccomando! » Com'è assurdo l'animo umano. Ciascuno di loro pensava che avrei potuto farmi ammazzare e non pensava che, in certo senso, andavo io ad ammazzare.

13 dicembre pomeriggio. Voglio ricostruire ogni cosa. Dal principio. Dunque, da stamani alle sei. Alle sei è arrivato François, mezzo addormentato. Sbadigliando ha spalancato la portiera dell'automobile e m'ha fatto entrare. Per strada ha parlato di tutto fuorché di vietcong e aeroplani, occupandosi principalmente di vincere il sonno. A Bien Hoa s'è accorto che non avevo gli scarponi militari, portavo i mocassini, e s'è svegliato di colpo. Gridava che se avessi dovuto buttarmi col paracadute mi sarei spaccata in cento pezzi le gambe, che alla guerra non dovrebbero accettare le donne e gli idioti, che ormai era tardi per tornare indietro e cambiare quei mocassini eccetera. Così gridando se n'è andato via senza nemmen salutarmi. Sono entrata nel Building 54, dove avevo l'appuntamento, e qui c'erano due ufficiali che m'hanno accolto con ingiustificato entusiasmo e m'hanno offerto il caffè. Poi m'hanno pregato di attendere e hanno continuato i loro discorsi.

« Così gli dico: caro, non ti sei accorto che il Vietnam non esiste? Ora te lo dimostro. Quando tua moglie scrive da San Francisco, cosa scrive sulla busta? Saigon, Vietnam? No. Scrive: *Apo Mail* seguito da un numero. Perché? Perché è la sigla della posta militare, dice lui. No, dico io. Perché Saigon non esiste, il Vietnam non esiste. Infatti se scrive Saigon, Vietnam, non ti arriva nulla. »

« Questa è buona » ha detto l'altro.

« La seconda è meglio. Ora, gli dico, ti do una prova ancora più convincente. Tu sei a San Francisco e a mezzogiorno di oggi, 12 dicembre, prendi un aereo e vieni a Saigon. Viaggi per ventiquattr'ore, arrivi a Saigon, e che ora è? Mezzogiorno. Di quale giorno? Del 12 dicembre. Perché? Per via dei fusi orari, dice lui. No, dico io. Perché non sei mai partito e non sei mai arrivato, in quanto Saigon non esiste. Il Vietnam non esiste, mio caro. »

« Questa sì che è buona » ha detto l'altro. « E poi? »

« Poi l'ho accompagnato al suo PQB, l'ho lasciato, è arrivato quel razzo ed è morto. Morto secco. A Saigon, Vietnam, un posto che non esiste. »

« Ne sono morti altri due al PQB ierisera. »

« Già. »

S'è rivolto a me e lo sguardo gli è scivolato sui mocassini.

« Lei va in missione con quelle scarpe?! »

« Be', io... »

« Ma è pazza? E se deve buttarsi? »

« Ecco, io... »

« Sergente! Cerchi a questa pazza un paio di scarponi! »

Credo che l'abbiano cercati anche in camera del generale. Della mia misura non ce l'aveva nessuno. Mi scappavano tutti dai piedi sicché tanto valeva che tenessi i miei mocassini. Coi miei mocassini ho seguito il sergente in una baracca, per le istruzioni. Era gioviale e sbrigativo.

« Prego, s'accomodi. Questo sedile è una copia esatta del sedile sull'A37. Il paracadute lo troverà sull'aereo. Manovella, manovella, è al corrente? Bene, si risparmia tempo, il comandante vuole decollare. Infili questa casacca. Pesa? Eh, sì, pesa. Frughi nelle tasche, così. C'è tutto nel caso si debba buttare. Questa è la radio trasmittente. Da usare appena atterra. Pulsante, pulsante. Questa è la torcia. Qui è il rosso, qui è il giallo, qui è il blu. Queste sono le bende per i primi soccorsi. E questo è il retino da pesca. »

« Il retino da pesca?! »

« Sicuro. Nel caso atterrasse vicino ad un fiume e noi tardassimo a localizzarla e avesse fame. Può pescare il pesce. Noi pensiamo a tutto. E quelle scarpe? »

« Non ne ho altre... Ci sarà bisogno di gettarsi col paracadute, sergente? »

« Forse no. Andy è in gamba. Duecentottantacinque missioni, un professionista. Andy, voglio dire il capitano con cui volerà. Pilota istruttore. Certo la missione è dura. Verticale, capisce. Ecco Andy. »

Un giovanotto lungo, benfatto, coi capelli e i baffi biondo carota, stava avvicinandosi con passo strascicato. Indossava una tuta grigio azzurra, e nella mano destra teneva un sigaro fumato a metà.

« Ha detto verticale, sergente? »

« La più verticale delle verticali. Si divertirà. Davvero eccitante. Prenda questi, le serviranno. »

E mi ha dato cinque o sei sacchetti di plastica, per vomitarci. Il giovanotto intanto ci aveva raggiunto e, spostando il sigaro da una mano all'altra, attendeva con mite pazienza d'esser presentato. Il sergente l'ha presentato.

« Il capitano Andy del 604 Squadron Fighters. Capitano, ecco il suo passeggero. »

« Buongiorno. »

Anche la sua voce era mite. Con una sfumatura di timidezza. E anche i suoi occhi eran miti. D'un bel verde acqua chiara. E tutto il suo volto era mite. Dalla forma delle guance scavate al color della pelle: quel rosa lentigginoso che hanno spesso i biondi carota. D'età dimostrava poco più di trent'anni.

« Allora... se vogliamo andare... »

« Sì, capitano. »

Prima che andassimo però ha presentato un pilota che gli s'era messo al fianco. Bruno di capelli e di occhi, silenzioso.

« Il maggiore Martell che guiderà il secondo aereo. È una missione a due. Lui però vola solo. »

Martell ha sorriso.

I due A37 eran pronti, con le bombe agganciate. Sembravano fatti di bombe e nient'altro. Le bombe erano sotto le ali: da ciascuna parte, due napalm da settecentocinquanta chili e una bomba normale da cinquecento chili. Le napalm erano lunghe all'incirca tre metri, con un diametro di mezzo metro, e sfioravano quasi la pista. Nel punto più basso ci sarà stato, fra loro e la pista, uno spazio di dieci centimetri. Sicché veniva spontaneo pensare che al primo oscillar dell'aereo avrebbero urtato esplodendo.

« Oh, non c'è pericolo » ha detto Andy, gentile.

Ci siamo arrampicati sulla carlinga, ci siamo sistemati nei sedili. I posti erano fianco a fianco. Il mio a destra e il suo a sinistra. Ci siamo allacciati le cinghie, fissando bene quelle del paracadute, abbiamo infilato il casco e aggiustato sulla bocca il respiratore. Io mi sentivo vagamente ridicola e ho pensato: menomale che non c'è nessuno a guardarmi. Poi ho pensato: che bella giornata, la più bella giornata che abbia visto in Vietnam, non è giusto ammazzare la gente in una giornata così.

Dentro il casco qualcosa ha gracchiato.

« Mi sente? Do you read me? »

« Yessir, sissignore. »

« L'obiettivo è a sud di My Tho. Si tratta di eliminare un residuo vietcong e preparare una zona di atterraggio. »

« Sissignore. »

« Se ci colpiscono in picchiata, tento di portare l'aereo in posizione orizzontale, poi alzo un dito e lei salta per prima. Io cerco di seguirla subito, OK? »

« OK. »

« Se ci perdiamo, non si spaventi. Il pilota di ieri è stato recuperato in meno di dieci minuti. »

« Ieri? »

« Sì, abbiamo perso due aerei in questa missione. Uno ieri e uno ieri l'altro. Ma un pilota è riuscito a salvarsi. »

« E uno? »

« Uno no. »

Ha dato un'occhiata alle mie scarpe ed ha avviato i motori. I motori hanno rombato, le napalm hanno preso ad oscillare, la pista è schizzata via e ci siamo trovati su in un cielo color fiordaliso.

« Bello, eh? »

« Sì, capitano. »

« Gli voglio bene, io, a quest'aereo. Un pilota, qui dentro, si sente come un automobilista in una Ferrari. Ha sentito parlare del YAT37? »

« No. »

« Be', è ancora più perfetto. Pensi, può compiere una missione con un motore solo. Supponga che un motore si rompa al decollo: lui sale tranquillo come se niente fosse successo. »

« Ah, sì? »

« L'A37, però, vale quasi lo YAT37. »

S'era fatto quasi ciarliero, gli era cambiata la voce che non aveva più nulla di mite. E da qualche parte, a sud di My Tho, un gruppo di vietcong stanchi scrutava l'azzurro. In attesa.

« Capitano, quanto tempo impiegheremo per giungere su... sull'obiettivo? »

« Trenta minuti circa. »

Ancora trenta minuti e sarebbero morti. O saremmo morti noi. O noi e loro insieme. Trenta minuti e basta, e il cielo era di fiordaliso, e Martell ci volava accanto, agitando la mano. Potevamo vederlo benissimo mentre agitava la mano. Quanto durano trenta minuti?

Non durano nulla.

D'un tratto siamo stati sull'obiettivo, e Andy ha detto: « ci siamo », ed è successo tutto così in fretta. L'aereo s'è buttato giù a picco, s'è tuffato dritto e sicuro nel vuoto, anzi in direzione degli alberi che diventavano sempre più grandi, sempre più vicini, ora ne potevo distinguere i rami, ora le foglie, ci succhiavano verso di loro, ci venivano incontro fischiando, o forse fischiava la bomba, alla mia destra scendeva la bomba, lui l'aveva sganciata e lei scendeva con noi, parallela a noi, lunghissima e nera: napalm. L'ho vista e l'ho persa. È scomparsa mentre gli alberi stavano per afferrarci, e ho sentito uno strappo, una leggerezza piacevole, quel precipitare è finito, sono finiti anche gli alberi, ma al loro posto è caduto un macigno invisibile, un macigno impalpabile, è caduto il cielo di fiordaliso, così peso, sempre più peso, sembrava che ci schiacciasse, ci immobilizzasse legandoci gli occhi, le braccia, il cervello che non pensava più nulla fuorché questo pensiero: oddio, non avrei mai creduto che il cielo pesasse, oddio, fa' che torni leggero. È tornato leggero mentre Andy gridava con voce esultante.

« Fantastico! Lo sopporta benissimo, brava! In nove secondi siamo scesi da tremila metri a duecento metri, abbiamo fatto 6g, e li ha sopportati! »

« Grazie, capitano. »

« La vista va bene? Ha perso la vista? »

« No, capitano. »

« La prossima volta contragga i muscoli dello stomaco, ed anche le braccia, con forza. E pigi quel bottone, lì a destra. È ossigeno puro. Respiri ossigeno puro. »

« Sì, capitano. »

Del napalm sganciato, neanche una parola.

« È andata bene, capitano? »

« Sicuro, ha centrato come una bambina ubbidiente. Vede quel fumo nero laggiù? Ora tocca a Martell. »

Anche Martell s'è buttato in picchiata, un punto d'azzurro dentro l'azzurro, ha sganciato la bomba.

Anche la bomba di Martell è caduta dove doveva cadere, il fumo nero s'è alzato. E Martell è tornato a volare lassù, un punto azzurro dentro l'azzurro, una farfalla incosciente. Dimmi, Nguyen Van Sam, cosa sentisti a vedere tutti quei morti? Sentii, ecco, mi sentii come penso si debba sentire un pilota americano dopo aver sganciato una bomba. La differenza è che lui vola via e non vede quello che ha fatto. Chi mi aveva detto, anni fa, la medesima cosa? Ah, sì: un astronauta, Wally Schirra. Quel giorno a Cape Kennedy mentre raccontava della Corea. « Noi piloti si ammazza senza sporcarci le mani, senza sporcarci gli occhi, senza sporcarci nulla. »

Nulla?

« Attenta, ci ributtiamo » ha detto Andy. « Ora sgancio dalla mia parte. »

E c'è stata una seconda volta. E poi una terza volta. E poi una quarta e una quinta e una sesta. Ogni volta da tremila metri a duecento metri in nove secondi, con la sensazione di non rialzarci più e arrivare in fondo e fare un gran buco e restarci, con la sofferenza di metterci in salvo per esser schiacciati dal cielo, accecati dal cielo. La seconda volta ho avuto paura. Mi sono accorta che i vietcong sparavano e avrei voluto fuggire: ma dove. Per terra scappi, ti nascondi, dentro un aereo invece sei in trappola come in nessun altro luogo. La terza volta ero rassegnata e mi preoccupavo soltanto di non perdere l'attimo in cui Andy sganciava la bomba: di nuovo dalla mia parte. Non l'ho perso, ho seguito tutto. Lui ha pigiato il bottone e la bomba s'è come scossa in un brivido, poi s'è staccata lieve ed è rimasta lì, sospesa, poi s'è piegata in avanti e ci ha accompagnato finché non ci siamo impennati all'insù. La quarta, la quinta, la sesta volta c'ero ormai abituata. Potevo osservar lo spettacolo con una certa freddezza, e lo spettacolo era composto da figurine che fuggivan dai bunker, dai recinti coi sacchi di sabbia, agitando le braccia per liberarsi delle fiamme, e uno affogava dentro le fiamme. Mentirei se dicessi che provavo senso di colpa, o pietà. Ero troppo occupata ad augurarmi che Andy facesse quel che sapeva fare, uccidere per non essere ucciso: non avevo tempo di pianger su loro. Né voglia. Solo a tremila metri d'altezza, quando sapevo d'essere salva, e guardavo Martell che si tuffava, avvertivo una specie di bucatura. Però impercettibile, neanche una bucatura di spillo. E lo spillo non era la mia buona coscienza, era una intellettualistica volontà di coscienza.

« Capitano, abbiamo finito? »

« Oh, no! Ora scendiamo ad occuparci della loro mitraglia. La vede? »

Sera. Ho dovuto smetter di scrivere, oggi, perché ho avuto una crisi cardiaca. Niente di grave, un po' di soffocamento, qualche palpitazione: il dottore ha detto che passerà presto, succede per la forza di gravità che mi ha schiacciato stamani. Secondo lui, prima di buttarsi in picchiata, si dovrebbe fare un elettrocardiogramma. « Les américains! Ah, les américains! » ripeteva. « Ils se préoccupent des chaussures, ils ne se préoccupent pas du coeur! » Era un dottore francese.

Comunque è passata, per ora, riprendo dal punto in cui avevo lasciato. Vediamo, devo capire cosa ho provato quando Andy ha annunciato che ci saremmo abbassati una settima volta. Ecco, anzitutto credo di aver provato uno scoraggiamento profondo. Poi come un'eccitazione, un gusto morboso di andare incontro alla morte. Infatti sapevo bene cosa vuol dire gettarsi in picchiata contro una mitraglia: vuol dire trasformarsi in un obiettivo immobile, farci colpire con grande facilità, affrontare un'estrema scommessa. Poi, ecco, non so. Forse ho sentito quella bucatura di spillo. Forse.

« Ehi! Sarà brutta stavolta. Preghi Iddio » ha riso Andy.

« Per i prossimi venti secondi sarà lei il mio Dio » gli ho risposto.

E siamo andati giù.

E mentre andavamo giù li ho visti benissimo. Non erano molti, erano cinque o sei. Erano vestiti color kaki, come i cadaveri di Dak To, ed erano piccoli, come i cadaveri di Dak To, e non avevano elmetto, come i cadaveri di Dak To. Stavano in un solo gruppo, due alla mitraglia e gli altri coi fucili, m'è parso, e ci aspettavano. Fermi. Ricordo di avere pensato quale coraggio ci vuole ad attendere, fermi, un aereo che ti piomba addosso. E di averli tanto ammirati. Essi non sparavano, ancora. Dopo hanno sparato. Tutte queste lucciole che salivano svelte verso di noi, prima unite e poi separate. E allora ho smesso di ammirarli e li ho odiati. E in quest'odio ho silenziosamente pregato il Dio che avevo sostituito con Andy e gli ho detto: Dio, fai che Andy li ammazzi. E nello stesso momento in cui pregavo la vergognosa preghiera, mi sono accorta che Andy sparava digià. Appoggiava il pollice su un bottoncino rosso e dalla bocca del suo 7,62 schizzavano lucciole simili a quelle che salivano verso di noi. Un vietcong col fucile s'è rovesciato. E poi il vietcong alla mitraglia. E poi gli altri insieme. E a ogni morto io sentivo un sollievo, anzi una gioia, e non m'importava nulla che egli fosse un uomo. Un uomo per cui un'ora prima o un'ora dopo avrei parteggiato. Non m'importava nemmeno di soffrire tanto a tornare in cielo, esser stritolata dal buio perché la forza di gravità era aumentata e mi stava stritolando accecando. Non m'importava nemmeno di scendere un'ottava volta per controllare che fossero morti davvero, infine subir le congratulazioni di un Andy glorioso, trionfante.

« Assolutamente fantastico! Quasi 8g stavolta! Brava, bravissima! »

Sulla pista ci aspettavano in molti. Quando siamo scesi ci hanno fatto un mucchio di feste e hanno sventolato i miei sacchetti di plastica vuoti: onde sottolineare che non avevo mai vomitato. Andy era tornato timido, con la sua voce mite e i suoi occhi buoni: niente in lui ricordava il giustiziere che aveva così freddamente ammazzato i vietcong. Siamo andati a bere un caffè e gli ho chiesto quanto spesso vada a far queste missioni, ha risposto: « In media due volte al giorno ». Poi mi ha detto che entrò nell'Air Force nel 1962 e venne volontario in Vietnam all'inizio del 1967. Poi mi ha detto che suo fratello Wally, di ventitré anni, si trova a Pleiku col 4° Fanteria, povero Wally. « Come farà. A me il fango delle trincee non piace. A me piace dormire in un letto pulito. »

« Capitano, perché è venuto in Vietnam? »

« Sapevo che avrei volato sull'A37, e che la paga era buona. Duecentosessantacinque dollari al mese senza gli straordinari. Ogni missione ti pagano gli straordinari. »

« E alla morte non pensa? »

« La morte non mi disturba. Fa parte del mio lavoro quotidiano, fa parte della mia vita. »

« La morte sua o la morte degli altri? »

« Sono la stessa cosa. In guerra, la morte è impersonale. »

Ci ha raggiunto Martell e abbiamo preso un secondo caffè. Martell è di origine canadese, è stato in Corea ed è in Vietnam da un anno e mezzo: volontario.

« Maggiore, perché? »

« Perché tanto mi avrebbero mandato lo stesso. Volontario, guadagno di più. »

« E lei non pensa alla morte? »

« Chi ci pensa, lassù? Si lavora, sa? »

« Maggiore, che lavoro faceva dopo la Corea e prima del Vietnam? »

« Ero impiegato in una fabbrica di reggipetti. Stavo a una macchina e tagliavo reggipetti. »

Io invece sto qui, nella mia camera dell'hotel Astor in Tu Do, con la mia crisetta cardiaca, e scrivo il diario del giorno in cui partecipai all'uccisione di una mezza dozzina di uomini. Oltre ad uccidere abbiamo anche distrutto tre bunker e quattro fortificazioni. C'è scritto qui, sul certificato che Andy m'ha consegnato: « This is a true certified copy to confirm... ». C'è anche scritto che abbiamo raggiunto quasi 8g, affinché possa mostrarlo ai miei amici astronauti e vantarmi. Me ne sono già vantata alla France Presse e Mazure s'è complimentato con un bel sorriso cordiale, Moroldo invece m'è parso geloso: « Voglio provare anch'io ». Solo François non ha detto nulla. Al suo modo di misurare la vita e la gente, da una parte i coraggiosi e da una parte i vigliacchi, la mia bravata non faceva né caldo né freddo.

« Uhm. Mi spiace per stamani. Ma quei mocassini mi preoccupavano un poco. »

« Lo so, François. »

« Sicché il tuo Andy taglia reggipetti, eh? »

« Non Andy. L'altro. »

« E ogni missione gli pagano gli straordinari, eh? »

« Sì. »

« E ti sei convinta che la sua coscienza di buon ragazzo non sarà mai turbata dal mestiere che fa, che ad ammazzare in quel modo non prova nulla, ma nùlla. »

« Sì, in fondo era un po' ingenuo da parte mia aspettarmi il contrario. »

« Uhm. Un tempo ero ingenuo anch'io. Quando facevo il corrispondente di guerra in Corea, perché ero talmente giovane. Proprio in Corea mi capitò una cosa del genere. L'obiettivo era un gruppo di nordcoreani. Il mio Andy li ammazzò tutti fuorché uno. Allora si gettò di nuovo in picchiata, per lui. Lui correva all'indietro, guardandoci, e si copriva il volto con una mano, l'altra la teneva alzata come a respingerci. Cadde trafitto da Dio sa quante pallottole e quando tornammo dissi al mio Andy: "Hai visto come si proteggeva?". Rispose: "Chi?". Non se n'era nemmeno accorto. »

« Già. »

« La sua era stata una missione. Egli aveva compiuto la missione e non si poneva problemi. Tanto in Paradiso ci sarebbe andato lo stesso perché amava sua moglie e i suoi figli e la domenica si recava alla Messa. »

« Certo. »

« A volte non vorrei fare il giornalista, vorrei far l'avvocato. Io, sai, ho sempre desiderato far l'avvocato. Per trovare una scusa a tutti e scoprire i perché. »

15 dicembre. Sono i miei ultimi giorni in Vietnam, ormai è più d'un mese che mi trovo qui, eppure tutto continua a sorprendermi come una pazza commedia. Ieri il generale Loan, ancora il generale Loan, ha fatto arrestare due inviati del Fronte che si recavano a prender contatti con l'ambasciata americana. Un professore universitario e un suo assistente. A quanto pare, nemmen comunisti. Li hanno presi prima che oltrepassassero il cancello dell'ambasciata, ed era stata la CIA ad organizzare l'incontro. La sede dell'ambasciata è un enorme fortino, circondato da un muro di cinta. Per un incontro simile era la sede perfetta, peccato che il generale Loan abbia sciupato ognicosa. Avessi visto un certo funzionario del Juspao: sembrava impazzito. Batteva i pugni sul tavolo, gridava: « Figlio di cane, son of a bitch », e a ogni pugno il telefono tintinnava. Per evitare uno scandalo, la sua segretaria ha chiuso la porta ma anche così si udiva quel tintinnar di telefono, quel ripeter rabbioso: « Figlio di cane, son of a bitch! » Ovvio: ora il Fronte di Liberazione Nazionale attribuirà agli americani la responsabilità dell'arresto, parlerà magari di tradimento, e ulteriori prese di contatto diverranno impossibili. Tanto più che Barry Zorthian ripete: « Posso assicurarvi che l'ambasciatore Bunker non ne sapeva nulla. Il governo americano collabora strettamente col governo vietnamita e non si sognerebbe mai di parlare con un vietcong senza il suo consenso ». Che tipo quel Barry Zorthian.

Quasi quanto il funzionario vietnamita che ora mi trovo davanti: Nguyen Ngoc Ling. Ministro delle Informazioni, padrone della Vietnam Presse, amico del generale Loan, ricco fino alla nausea. Sai, lui i vestiti li compra solo in via Condotti o in Bond Street e la domenica, quando fa lo sci d'acqua sui canali controllati dai vietcong, indossa solo mutande da bagno Cardin. Piacciono alle signore, e le signore piacciono a lui. Molto, troppo, in tutte le lingue giacché parla il francese come un francese, l'inglese come un inglese, il tedesco come un tedesco, ed anche un po' d'italiano, di spagnolo, di cinese, di russo. Non mi ha invitato a pranzo per questo? Il pranzo dura da mezz'ora, e da mezz'ora non ci diciamo granché: io studio lui e lui studia me, con prudenza asiatica. Ma quando porto il discorso sull'arresto dei due FLN, il suo volto si scuce in una felicità che non ha più segreti e i suoi occhi accendono un divertimento che sfiora l'estasi.

« L'arresto dei due vietcong che si recavano all'ambasciata americana è il risultato dell'ultimo errore commesso dagli Stati Uniti. Servirà ad insegnare loro un po' di educazione. Anzi a ricordargli che non siamo la repubblica dominicana. »

« Signor Ling, non le pare d'essere ingrato? »

Scaccia una mosca, sorride con squisitezza: « Non si può parlare di ingratitudine fra marito e moglie ».

« Signor Ling, sta dicendo che gli Stati Uniti e il Vietnam del Sud sono uniti in matrimonio? »

Scaccia ancora la mosca, col mignolo.

« Oh, certo. Un matrimonio di convenienza ma un matrimonio. Vede, noi vietnamiti non siamo abituati ai matrimoni d'amore, siamo abituati ai matrimoni d'interesse. Durano a lungo e la felicità arriva sempre, anche se arriva tardi. Ciò non esclude, ovvio, i litigi. »

« Signor Ling, in questo matrimonio, chi è la moglie e chi è il marito? »

Sorride un sorriso diabolico.

« Chiaro, la moglie è il Vietnam. Però vede, in Vietnam le donne portano sempre i calzoni e una moglie ha diritto di saper cosa avviene in casa sua. In Vietnam non si invita un ospite a cena senza consultare la moglie. Soprattutto se l'ospite è un nemico. »

« Per questo il generale Loan ha arrestato, sulla porta dell'ambasciata, i due inviati del Fronte? Per un fatto di educazione? »

« Il generale Loan è molto, molto educato, Madame. »

Sembra che gli americani abbiano chiesto al governo vietnamita la testa del generale Loan e che Loan abbia dato le dimissioni. E sembra che il vicepresidente Ky le abbia respinte dicendo: « C'è troppo bisogno di te, generale Loan ».

Devo assolutamente conoscere questo generale Loan. Anche se la cosa è alquanto difficile. Giornalisti giunti da ogni parte del mondo ci hanno già provato. Ed egli li ha liquidati con una battuta: « Le silence est d'or, Monsieur ».

16 dicembre. Cercavo la via per arrivare a Loan e non immaginavo di averla sotto gli occhi. C'è solo uno straniero a Saigon che può vedere Loan quando vuole e chiedergli quello che vuole: Pelou. Da cosa nasca tale amicizia, se di amicizia si tratta, io non lo so. Però so che appena ho fatto il nome di Loan, François ha risposto « vedremo ». Neanche fosse la cosa più semplice del mondo. Poi gli ha telefonato, gli ha parlato a lungo in argot, e mi ha procurato l'appuntamento per domani mattina. Sono ancora sbalordita.

Anche se non dovrei esserlo, in fondo: il permesso di farmi

intervistare Nguyen Van Sam non lo ottenne forse dal generale Loan? E la conferma che l'esecuzione dei tre vietcong era fissata per l'alba non l'ebbe forse dal generale Loan? V'è una strana intesa fra loro. Tanto più strana se pensi che François non nasconde le sue simpatie pei vietcong. Naturalmente ho cercato di capire, parlarne. Ma François è diventato evasivo: « Lo trovo un bel personaggio, ecco tutto. Ed un uomo molto gentile ».

« Gentile Loan? »

« Sì, gentile. »

Io più che tocco la guerra più mi rendo conto di non avere mai saputo nulla degli uomini e di incominciare a scoprirli quaggiù.

17 novembre. L'appuntamento era per le dieci del mattino. È giunto alle due del pomeriggio. D'un tratto la caserma ha vibrato, i poliziotti si son messi a correre, a lanciarsi ordini secchi, nervosi, e nel trambusto è apparso un omino in uniforme: seguito da un codazzo di ufficiali ossequiosi. Camminava a passi rapidi, elastici. Ha attraversato il cortile, ha salito le scale, s'è chiuso dentro un ufficio, e mezz'ora dopo la porta dell'ufficio s'è spalancata, mi hanno fatto entrare e l'omino sedeva dietro una scrivania: intento ad accarezzare tre rose in un vaso. L'omino più brutto che avessi mai visto. Sulle spallucce magre si avvitava una testa minuscola, torta, e del viso notavi solo la bocca: tanto era larga, sproporzionata. Dalla bocca passavi direttamente al collo perché il mento sfuggiva con tale rapidità da indurti al dubbio che non esistesse nemmeno. E gli occhi, ecco, gli occhi non erano davvero occhi: erano palpebre e basta, appena dischiuse da una fessura. Il naso invece era un naso, ma così piatto che si perdeva subito dentro le guance: piatte anche quelle. Lo guardavi e sentivi una specie di malessere.

Con gesti lentissimi, molli, l'omino ha abbandonato le rose. E s'è alzato a metà e m'ha porto due dita che son scivolate sopra le mie come nastri di seta. Non ha pronunciato una parola di scusa, di giustificazione, per il ritardo eccessivo. Ha detto soltanto, in un soffio: « Bonjour ». Poi è tornato ad accarezzare le rose. Petalo per petalo, dolcissimamente. Infine ha rotto il silenzio e, a udir la sua voce, quella specie di malessere è diventato angoscia. Perché la sua voce non era una voce. Era un doloroso sussurro, una cantilena portata dal vento che la rubò a un moribondo, un suono strappato a una tomba. Sembrava impossibile che da una simile bocca uscisse un simile suono. E poi le parole non le pronunciava mica come si fa noi, cioè una dopo l'altra. Le staccava l'una dall'altra con tale pigrizia che la parola dopo sembrava non giungere mai.

« Ah, Madame! Non sono belle le rose? Io adoro le rose. In questo vaso ne voglio sempre di fresche, con una perla di rugiada ciascuna. Una sola... Je suis un romantique, voyez-vous? Le rose, la musica... Di notte ascolto la musica. Brahms, Chopin... La suono sul mio pianoforte, mi diverto a comporla... »

La bocca s'è torta in qualcosa che voleva assomigliare a un sorriso.

« Rien d'extraordinaire, bien sûr. Piccole cose gentili. Je suis un romantique... Non posso vivere senza la bellezza, la grazia. E quando penso che devo occuparmi di guerra, che sono un militare... Moi, un militaire! Madame, moi je déteste les militaires... Sono bestie disciplinate, nient'altro. Madame voulez-vous boire quelque chose? Oui? Très bien... Un whisky o una birra? Io bevo un whisky. »

« Una birra, grazie. »

Il whisky è venuto. La birra, no. Perché non l'ha chiesta. S'è dimenticato di chiederla, ho pensato fra me.

« Vous êtes Florentine, d'après ce qu'on me dit... Ah, Firenze! Venezia! Le conosco meglio di Saigon, le amo come le rose. Le accarezzo nel mio ricordo, strada per strada, palazzo per palazzo... Quando studiavo in Francia e viaggiavo per la mia bella Europa, andavo spesso a Firenze... a Venezia... In Francia studiavo presso una università cattolica, sa? Ho preso laggiù le mie lauree. Una in Scienze Naturali, una in Farmacia, una in Ingegneria... E poi per cosa? »

Ha preso a bere il suo whisky, schioccando la lingua.

« Ecco per cosa, Madame. Per essere capo della polizia. Madame... sono il più vecchio di undici figli, e il più cretino degli undici... Le mie tre sorelle son medici, due dei miei fratelli anche, gli altri tre sono farmacisti, gli altri due ingegneri. Et moi? Moi, quelle horreur... A trentasett'anni non sono che un generale, capo della polizia. Insultato, calunniato, gran bevitore, le avranno detto. Gran donnaiolo. Cosa le hanno detto, Madame, racconti. »

« Molte cose, generale. Ma soprattutto che lei è un uomo crudele. »

« Madame! Io crudele?!? Che dice? Può un uomo che ama le rose essere un uomo crudele? Madame! Se dicesse questo ai miei agenti, la arresterebbero subito. La crederebbero pazza. Mi ripetono sempre: lei è troppo buono per il mestiere che fa, dovrebbe essere più spietato, più duro. Ma io rispondo: educazione, ragazzi, educazione. In questo mestiere non serve la crudeltà, serve la buona educazione. »

« Generale, anche la tortura è buona educazione? »

« Oh, Madame! Diciamo che a volte bisogna esser severi. Il faut, oh, il faut... Ma la tortura esiste quando il prigioniero resta sfigurato, Madame. I nostri prigionieri non restano mai sfigurati. Qualche pugno in più... qualche schiaffo in più... non sono poi una tortura. Cosette, cosette. »

« Generale, e le scariche elettriche nei genitali? Cosette? E gli asciugamani bagnati? Cosette? »

« Oh, Madame! Diciamo che v'è qualcosa di necessariamente malvagio in noi uomini. Infatti perché si picchiano i bambini cattivi? A pensarci bene, è malvagio picchiare i bambini. Anche se sono cattivi. Però è necessario, per insegnargli ad essere buoni. E questi vietcong, Madame, sono come bambini cattivi. Li conosco bene, Madame. E non da ora. Dal tempo dei vietminh, dal tempo dei francesi. Anch'io ero nella Resistenza, Madame. »

« Da che parte, generale? »

« Mi permetta, Madame, di tenere questo segreto per me. Permettez-moi, Madame, de garder ce secret pour moi. »

Poi è rimasto un poco zitto. E poi m'ha offerto di nuovo da bere.

« Voulez-vous boire quelque chose, Madame? Oui? Très bien. Una birra o un whisky? Io bevo un whisky. »

« Una birra, grazie. »

Anche stavolta il whisky è venuto. La birra no. Perché non l'ha chiesta.

« Generale, e i buddisti? Sono anche loro bambini cattivi? »

« Ragazzacci, Madame. Ragazzacci drogati. Vuòl fare un esperimento, Madame? Io l'ho fatto. Prenda un cane ben vivo, lo cosparga di benzina, lo bruci. Sta forse fermo, Madame? No, certo: si agita, urla, scappa. Ora prenda un altro cane, e lo droghi. Poi lo cosparga di benzina, e lo bruci. Diventa eroico come un buddista. Provi, Madame. È divertente. L'ho detto anche a Tri Quang. Conosco bene Tri Quang, voyez-vous... Veniamo entrambi da Hué, appartenevamo alla stessa pagoda. E quando si mise in testa di fare lo sciopero della fame... Pioveva, ricordo, e basta così poco per vincere un ragazzaccio. Basta un ombrello. Gli portai l'ombrello e dopo un'ora mangiava ascoltando la storia del cane. »

« È buddista anche lei, generale? »

« Madame... È come chiedermi se credo in Dio, Madame. »

« Ci crede, generale? »

« No, Madame. »

« In cosa crede, generale? »

« Nel destino, Madame. Ah, che male! Quelle douleur! »

E all'improvviso quel volto senza volto ha assunto qualcosa di umano e una smorfia di dolore gli ha torto la bocca che s'è spalancata in tutta la sua oscena larghezza: a mostrarmi una fila di denti radi, verdastri.

« Je m'excuse... la mia ulcera. »

È rimasto così, a mostrarmi quei denti radi, verdastri, per qualche secondo. Poi ha controllato il dolore pressando sul ventre una mano fragile, delicata come una tela di ragno. Poi, con quella cantilena da moribondo, m'ha detto che ha un'ulcera al duodeno, gli è venuta pei troppi problemi, i troppi dispiaceri: non credevo mica che si divertisse a fare il poliziotto? O che ci guadagnasse? Viene da una famiglia di milionari, lui, è un enfant gâté, un figlio di papà, non ha certo bisogno del miserabile stipendio con cui il governo crede di compensarlo, venticinque-mila piastre mensili! Una cifra così a lui non basta per pagare l'autista. E allora, perché fa il poliziotto? Ma per disciplina, mon Dieu! Come andò? Andò che tre anni fa, era appena sceso dal suo aeroplano dopo una missione di bombardamento al Nord, trovò l'ordine di presentarsi a Ky. E Ky gli disse che doveva, assolutamente doveva, mettersi a capo della Polizia Nazionale. Era possibile non accettare? Però che sacrificio, mon Dieu, che sacrificio! Con questi americani che non lo aiutano mai perché lui non piace agli americani e gli americani non piacciono a lui, lo considerano come lui considera loro, un male necessario, non fanno che cercare contatti con l'FLN, si oppongono alle esecuzioni... Il fatto straordinario è che mi sembrava del tutto sincero e allo stesso tempo incurante d'esser creduto. Quasi che l'esser creduto apparisse volgare ai suoi occhi, e che la verità non avesse bisogno di altri testimoni all'infuori di lui stesso, e che in tale certezza avesse deciso di non cercare mai simpatia, guarire da solo il dolore. V'era in lui la solitudine atroce di un lupo che ulula solo nel buio sapendo che nessuno lo ascolta.

« Generale, a proposito: che ne sarà dei tre vietcong la cui esecuzione venne sospesa oltre un mese fa? »

« Verranno fucilati, Madame. Che agli americani piaccia o non piaccia, Madame. Quando accadono certe cose, si sospende la fucilazione e si fucila dopo: la legge va applicata, sì o no? Non ricorda la Resistenza in Europa? Anche lì non c'era bisogno di troppe sentenze. O di sentenze rumorose, ufficiali. »

« Generale, non sarà lei ad ammettere che accade in Vietnam quel che accadeva durante la Resistenza in Europa. »

« Pourquoi pas, Madame? Perché no? Quella dei vietcong è lo stesso genere di Resistenza che avevate in Europa. La sola differenza è che voi avete vinto, che i vietcong invece perderanno. Excusez-moi, ho detto perderanno? È una parola che non uso mai. Questa guerra è una ben strana guerra, Madame: non può finire né con la vittoria degli uni né con la sconfitta degli altri. Può finire soltanto con la cessazione del fuoco da entrambe le parti. »

Ora v'era in lui una profonda tristezza e la sua voce mi giungeva come il fruscio delle foglie di un albero: morbida, dolce. Avresti detto che aveva voglia di piangere. Anzi, che era capace di piangere. Aveva mai pianto quest'uomo? Avrebbe mai potuto piangere? Forse sì, se qualcuno avesse udito il suo ululare nel buio e avesse osato accarezzargli la testa senza timore d'essere sbranato.

« Generale, non ha paura d'essere ucciso? »

« Oh, chi non teme d'essere ucciso a Saigon? Ogni giorno cammino su una corda tesa, Madame. Ogni giorno gioco con la mia vita. Certo che vogliono uccidermi, e forse ci riusciranno. Le ripeto che conosco i vietcong: sono bestie. Bestie molto umane ma bestie. »

« Sono suoi fratelli, generale. »

« Fratelli nemici, Madame. E non c'è nemico peggiore di un fratello nemico. Voulez-vous boire, Madame? Io prendo ancora un whisky. È la mia medicina: mi allarga l'ulcera, la rende più penosa. E lei? Birra o whisky? »

« Birra, grazie. »

E neanche stavolta è arrivata la birra.

Così mi sono alzata e ho preso congedo. Ma quando i miei occhi hanno penetrato la fessura delle sue palpebre, m'è sembrato di cogliervi un lampo di simpatia. Naturalmente s'era accorto benissimo che non sottolineavo il mancato arrivo della birra per stare al suo gioco e vedere fino a che punto poteva arrivare la sua intelligente spietata malignità. S'era anche accorto che morivo di sete, che lo odiavo ogni volta in cui portava il suo whisky alle labbra, ma se avesse ceduto non mi avrebbe dato il ritratto che voleva darmi di Nguyen Ngoc Loan. Oppure voleva semplicemente essere odiato? Per Dio sa quale disperazione, lo voleva quanto gli altri vogliono essere amati. Perché non lo so. Forse perché era così brutto. E a lui piacevano le cose belle.

« I miei rispetti, Madame. È stato molto interessante, Madame. »

« Lo è stato anche per me, generale. »

Si è piegato in un garbatissimo inchino, s'è mosso per accompagnarmi alla porta, e nello stesso momento lo sguardo m'è caduto su un quadro appeso sulla parete a destra della scrivania. Era una poesia incorniciata. Diceva così:

Cresci placidamente nel rumore degli altri,
ricorda che la pace può esistere solo nel tuo silenzio.
Non ti arrendere mai, ma vai d'accordo con tutti,
esponi la tua verità in modo quieto e tranquillo.
Ascolta il parere altrui con cuore aperto e libera mente,
anche se gli altri sono più stupidi e più ignoranti di te.

Sicché ora mi chiedo se per caso ho sbagliato a stare al suo gioco, e se il destino non mi riserva di incontrarlo ancora e di avere una buona sorpresa da lui. Un giorno, dopo qualche paradossale perfidia, chissà.

18 dicembre. Domani io e Moroldo lasciamo il Vietnam. Ho addosso una gran malinconia, quasi un senso di colpa. Mi sembra, non so, di fuggire anzi disertare: neanche fosse colpevole rientrare in un mondo dove si piange per un morto solo e non si sentono sparare i cannoni. Siamo i soli ad andarcene, e improvvisamente capisco coloro che sono qui da mesi, da anni, si giocano ogni giorno la vita, e non voglion partire. Tutt'al più vanno a Bangkok, a Hong Kong, riposano un fine settimana e poi tornano: risucchiati da una calamita che non sempre è il contratto col proprio giornale, o un interesse letterario, o un amore. V'è un'attrazione magica nella tragedia, nel rischio, nella sfida alla morte. E neppure i suoi aspetti più macabri riescono ad annullare il fascino che essa esercita su te.

Ci pensavo stamani, mentre prendevamo il caffè sulla terrazza dell'hotel Continental, proprio di fronte all'Assemblea Nazionale, e al primo piano dell'Assemblea Nazionale c'era una camera ardente: dalle finestre aperte ne scorgevi il catafalco, col drappo nero e le candele accese. Era il catafalco di Bui Quang San, leader quarantacinquenne del partito Kuomingtang, ammazzato ieri, in casa sua. Sono entrati due uomini e gli hanno sparato nel collo e nel petto, poi hanno ingiunto alla moglie di non muoversi dalla cucina e sono usciti lasciando sulla scrivania una sentenza di morte. La sentenza era scritta a macchina, firmata dal Fronte di Liberazione Nazionale. Diceva che Bui Quang San era stato riconosciuto colpevole di crimini contro il popolo per aver permesso a suo figlio di lavorar nella CIA. Nessuno ci crede. Perfino gli americani sostengono che la sentenza è falsa e la menzogna provata: i vietcong non lasciano sentenze di morte, Bui Quang San è stato ucciso da sicari governativi perché sosteneva la necessità di prender contatto con l'FLN e intavolare trattative di pace. Forse è vero e forse no, cosa importa ormai. Importa solo che c'è un cadavere in più in questa città dove la vita di un uomo costa meno d'un pugno di riso. Sicché fissavo quei ceri, li rincorrevo nel bagliore che riflettevan sui vetri, e mi sentivo più viva.

« Un bell'addio, eh? » ha detto Moroldo indicando il catafalco di Bui Quang San.

« Già. »

« Non vedo l'ora di salir sull'aereo: Bangkok, Karachi, Teheran, Roma. Non ci pensi che dopodomani saremo in Italia, a casa? »

« Sì. »

« E non ti fa sentir meglio? »

« No. »

Innocente Moroldo. Lui è così ansioso di sviluppare le fotografie, arringare i colleghi su quel che ha fatto o non ha fatto: alla sua semplicità questi quaranta giorni in Vietnam rappresentano solo un momento di lavoro, un rischio superato. Per me invece rappresentano tanto di più.

« Perché sai: non sono più la stessa dopo quello che ho imparato. »

« Ma cosa hai imparato? »

« Una cosa semplice. Te la dirò. »

Nel pomeriggio siamo andati alla France Presse: i nostri amici si sono comportati da amici fino all'ultimo giorno. Mazure m'ha regalato il suo zaino, Felix la sua torcetta a taschino, e François una borraccia, una coperta mimetizzata, un impermeabile a poncho. Poi ha aperto anche una bottiglia di champagne: a condizione che gli faccia arrivare del Chianti. Erano tutti commossi, sebbene fingessero indifferenza. E lo eravamo anche noi. L'Europa, gli Stati Uniti, ci sembravano lontani più della Luna. Il resto del mondo era un altro mondo.

« Insomma, si può sapere cosa hai imparato? » ha chiesto Moroldo dopo un secondo champagne.

Non gli ho risposto, non avrebbe capito.

Ma ecco cosa ho imparato in questa guerra, in questo paese, in questa città: ad amare il miracolo d'essere nata.

Capitolo quarto

Sai quando dormi e sogni d'essere in una casa che brucia, oppure inseguito da un assassino che sta per agguantarti. La tua angoscia è reale, il tuo terrore è reale: soffri, mugoli, scalci. Ma poi ti svegli e t'accorgi di giacere nel tuo letto, fra le tue cose, al sicuro: la casa non brucia, l'assassino non t'insegue, esisteva tutto nella tua fantasia e di essa non ti rimane che un po' di sudore sciolto sopra il viso. Il passaggio da un paese in guerra a un paese senza guerra è così. Lasci Saigon e finché voli sopra le nubi continui a vedere cadaveri, carri armati, fiamme, tragedie: ma quando l'aereo s'abbassa su Roma o Parigi o New York, rientri nel tuo paesaggio, ti sembra d'avere sognato. Dove sono i cadaveri, i carri armati, le fiamme? In nessun luogo: esistevano solo nella tua fantasia. E questo zaino allora? Questo elmetto che il doganiere sta esaminando con le valige? Niente, è il sudore rimasto sul tuo viso: presto asciugherà insieme alle buone intenzioni, alla buona coscienza. Dev'esser per questo, sai, che la gente accetta la guerra. Da lontano, la gente non ci crede: non si rende conto che esista. E comunque ciò accadde con me, quando me ne allontanai. Per qualche tempo non ci credetti più, non mi resi più conto che esistesse.

Eppure se ne parlava. In un modo o nell'altro era sempre nei miei orecchi e nei miei occhi. Per corridoi complicati avevo fatto pervenire la lettera di Tri Quang a Paolo VI: una sera egli apparve in televisione. Ammantato di bianco, alzando l'indice mezzo accusatore e mezzo benedicente, declamò: « Voci ci giungono dal Sudest asiatico... ». E dopo quella sera non passò sera senza che l'immagine candida, tagliata in due dal dito mezzo accusatore e mezzo benedicente, magari avvolta in velluti ed ermellini, o sormontata da una altissima mitria, mi ricordasse dagli schermi il Vietnam. Me lo ricordavan del resto anche le sequenze di Saigon, dei soldati, dei bombardamenti, della folla in fuga sotto i cappelli a cono. Me lo ricordavano infine i miei stessi articoli pubblicati settimana per settimana, i bossoli vuoti raccolti a Dak To, quell'elmetto e quello zaino appesi per gioco al muro di camera mia. Ma nel mio cuore, nel mio cervello, la guerra s'era dissolta alla maniera di un sogno.

La lettera di Pip, per esempio. « Ti scrivo dalla collina 1383 dove festeggiamo il Natale a suon di cannonate: la tregua esiste nelle chiacchiere dei giornali e basta. Un colpo di mortaio è caduto nel perimetro dell'artiglieria e ha ucciso Larry. Rammenti Larry, il ragazzo delle caramelle. Il capitano Scher ha finito la ferma e sta per tornare in America. Mi dispiace che se ne vada e neanche l'essere stato promosso sergente allevia la mia tristezza. Gli uomini della collina 1383 parlano spesso di te: non immagini cosa volle dire per loro vederti scendere da quell'elicottero. Non assomigliavi molto a una donna, malgrado le treccine, ma parlavi come una donna: era la prima volta in tanti mesi che qualcuno mostrava preoccupazione per noi e guardava alla guerra come ad una disgrazia. Mi chiedono tutti di inviarti gli auguri e Tinnery si raccomanda per il ritratto autografato di Julie Christie. Ora ti saluto, devo andare in pattuglia. Ti rivedremo mai? Lo vorremmo. Tuo affezionatissimo Pipon detto Pip. » Una bella lettera. Ma cadde su me come una vecchia fotografia dei giorni di scuola. Malinconicamente pensai che proprio Larry m'aveva narrato di andare all'assalto pregando « Dio, non farmi morire ». Freddamente notai che di Tinnery m'ero scordata. E risposi a Pip nello stesso spirito con cui si risponde a una ex compagna di classe che ci è stata cara e non ci dice più nulla. Dak To sembrava così remoto. Tanto quanto il caldo afoso di Saigon. Il giardino della mia casa di campagna era coperto di neve, dalla fontana pendevan ghiaccioli. In sala da pranzo si alzava, lucido d'oro e d'argento, l'albero di Natale e, senza porre domande sulla vita o la morte, la mia sorellina ci appendeva giocattoli. Poi, in gennaio, rientrai a New

York. E qui avvenne qualcosa. Cominciò a maturare il rimpianto. Cominciò, credo, per l'indifferenza degli altri. Per il modo in cui reagivano alla parola Vietnam. Neanche il Vietnam fosse una vacanza, una stazione climatica.

Come la sera che scesi al drugstore della Seconda Avenue.

« Guarda chi c'è. Credevo d'aver perso un cliente. »

« No, sono stata in Vietnam. »

« Did you have a good time? S'è divertita? »

O il giorno che andai alla mia banca, in Madison Avenue.

« Non l'abbiamo vista per molto tempo. »

« Ero in Vietnam. »

« Really? How exciting. Davvero? Eccitante. »

O il pomeriggio che litigai col tassista.

« Gli buttassero la bomba atomica a quei musi gialli. »

« Così ricadrebbe su voi. Non c'è mica un fronte laggiù. »

« Chi lo dice? »

« Lo dico io. Ho passato un mese e mezzo in Vietnam. »

« Fa davvero caldo in Vietnam? »

Poi, la noia. Graham Greene ha scritto che gran parte della guerra consiste nello star fermi senza far nulla, in attesa di qualcos'altro. Ed è vero. Ma non ha scritto che anche quando stai fermo non ti ci annoi. Perché alla guerra, vedi, non sei mai seduto in platea ad osservare: sei sempre sul palcoscenico. fai sempre parte dello spettacolo. Perfino se bevi un caffè sulla terrazza dell'hotel Continental. Potrebbe scoppiare una mina su quella terrazza, piombare una granata: ciò ti rende partecipe di una atmosfera eroica, ti impegna in una continua attenzione che esclude ogni forma di noia. E questo, ecco, mi mancava a New York dove le giornate schizzavano via in una corsa affannosa, gonfie di problemi, di appuntamenti, di tedio. Non succedeva nulla di straordinario a New York, nulla di imprevisto. Mi sentivo una formica persa fra milioni di altre formiche: attive, organizzate, e senza alcun merito della loro sopravvivenza. Le finestre che vedevo dalla mia finestra erano tutte uguali. Il fornello del gas si accendeva da sé, non avevo bisogno di alcun fiammifero. I miei amici erano buoni, educati, e protetti da una assicurazione sulla vita. E in tale stato d'animo giunse la lettera di François. Non col timbro *Apo Mail* che macchiava appena la busta di Pip ma coi francobolli vietnamiti che bastavan da soli a nutrire il mio scontento. Era una lettera breve, chiara come lui. Ironizzava sul mio rientro nella Pax Americana e forniva un ritratto di Saigon sotto le feste. « V'è una tranquillità a cui nessuno crede. A mio parere i vietcong stanno preparando qualcosa di grosso. Ho organizzato un turno per dormire alle Poste e spedire più in fretta un eventuale dispaccio. Barry Zorthian sembra preoccupato. In compenso Loan è più intrattabile che mai. Credo d'essere l'unico giornalista a parlarci. Suppongo che ciò ti inorridisca ma quell'imbecille ha recitato con te, del resto hai capito la cosa più importante: vuole essere odiato quanto gli altri vogliono essere amati, perché è così brutto. Lo è, ma ciò non lo rende peggio degli altri e su un piano umano mi interessa molto. In quanto è coraggioso. Del resto mi interessa anche Zorthian, mi interessa anche Westmoreland, mi interessano tutti. Come dice Voltaire, tout ce qui intéresse l'homme m'intéresse. O lo dice Montaigne? Sai che il mio scrittore preferito è Montaigne. Se il grosso accade e torni a Saigon, portaci una bottiglia di Chianti. Saluts, Pelou. »

La lessi in preda all'invidia. Stava per accadere qualcosa a Saigon e io non ero a Saigon. Se avessi potuto trovare una scusa per avvicinarmici. Un reportage ad Hong Kong, in un posto da cui fosse svelto rientrare laggiù se il grosso fosse scoppiato. Poi aprii il *New York Times* e vidi la notizia. Diceva che due ore dopo l'inizio del Tet, il capodanno vietnamita, diciannove vietcong avevano attaccato l'ambasciata americana. Armati di razzi anticarro B40 e bazooka da 35 pollici, avevano fatto un buco nel muro di cinta e attraverso quello erano entrati nel giardino restando padroni del campo fino al mattino. La battaglia s'era conclusa alle nove, i diciannove vietcong erano stati uccisi, ma combattimenti avvenivano in ogni punto della città. L'indomani le cronache erano ancor più drammatiche. Non si trattava del solo attacco a Saigon bensì di un'offensiva coordinata e in grande stile: ci si ammazzava a Danang, a Dalat, a My Tho, a Hué, in trentacinque capoluoghi del Vietnam. Quanto a Saigon, l'intero quartiere di Cholon era in mano vietcong, e buona parte di Gia Dinh, di Phu Tho. All'aeroporto di Than Son Nhut nessun aereo poteva atterrare. Le riprese televisive mostravano strade ridotte a cumuli di macerie, edifici in fiamme, mucchi di cadaveri intrisi di sangue, pagode completamente distrutte. E la fotografia più atroce mi riportava qualcuno che conoscevo assai bene: il generale Loan ritratto nel gesto di ammazzare un vietcong con le mani legate.

Anzi non era una sola fotografia, era una sequenza di tre fotografie. Nella prima si vedeva il vietcong, un giovane coi pantaloni corti e la camicia a quadri, spinto da un Marine americano che gli sussurrava chissà cosa come ad incoraggiarlo. Nella seconda si vedeva Loan che puntava la rivoltella e sparava a bruciapelo nella tempia destra del vietcong. Era stata scattata proprio nell'attimo in cui il proiettile penetrava il cervello e il vietcong chiudeva gli occhi, piegava le labbra in una smorfia dolorosa. Nella terza si vedeva Loan che riponeva la rivoltella e si allontanava lasciando il vietcong riverso sull'asfalto: un piede nudo alzato nell'ultimo sussulto. Loan e le sue rose, una perla di rugiada sul petalo di ciascuna rosa. Loan e il suo pianoforte, i suoi notturni di Chopin. Loan e la sua poesia incorniciata: *Cresci placidamente nel rumore degli altri, esponi la tua verità in modo quieto e tranquillo...* Ma come avevo fatto a sperare che un giorno egli riuscisse a piangere? E come faceva François ad accettarlo su un piano umano? E quali altre infamie, quali altri eroismi, bruciavano nella nuova tragedia il Vietnam? La noia divenne impazienza. Non appena ebbi ottenuto il visto, le carte necessarie, saltai sul primo aereo diretto a Bangkok via Hong Kong. Non portavo con me che una borsa, una macchina fotografica, un magnetofono, e una bottiglia di Chianti.

In un messaggio per telescrivente, François m'aveva informato che l'unico modo per entrare in Saigon era partire da Bangkok con un aereo militare: perciò aveva dato il mio nome alle autorità americane in Tailandia. Qui riuscii ad imbarcarmi, all'alba del 7 febbraio, ma avevo perso quattro giorni in viaggio ed era trascorsa più d'una settimana dall'inizio dell'offensiva. Sull'aereo c'erano altri giornalisti: un americano, un tedesco, tre francesi. L'aereo era un piccolo aereo senza i posti a sedere né il cesso: si stava accucciati per terra e si faceva pipì dentro ūn bussolotto. Il francese più vecchio, un ometto pallido di nome Marcel, sembrava al corrente di ogni catastrofe. Non ultima, la cattura di Catherine e Mazure sulla strada di Hué. Un po' con gli elicotteri, un po' con gli autocarri, essi erano riusciti ad arrivare fin là e poi, sotto un tiro incrociato, a trovar rifugio in una chiesa. Uscendo però s'eran fatti sorprendere dai nordvietnamiti che li avevan legati e portati via. Un miracolo se la faccenda non s'era conclusa con la fucilazione. Inoltre a Saigon si moriva di fame: non a caso lui viaggiava con biscotti e cioccolate. Inoltre si annunciava il pericolo di una epidemia: non a caso lui si portava dietro medicine ed antiveleni. La sua vocetta acuta mi riempiva gli orecchi e il tempo non passava mai. Con un velivolo commerciale ci vuole appena un'ora per andare da Bangkok a Saigon, perché si passa sopra la Cambogia. Con uno militare, la rotta va deviata e si impiegano quattro ore e mezzo. Sicché stroncata dalla stanchezza, oppressa dagli interrogativi su ciò cui andavo incontro, sola, non osavo chetarlo e mi appoggiavo a lui come ad una spalliera. O a un amico. Ci si va male senza un amico alla guerra. Non si ha nessuno cui dire: ho paura.

Raggiungemmo Saigon verso le due del pomeriggio. Dalla città si alzavano fiamme e fumate nere, in alcuni punti sventolava la bandiera vietcong: gialla rossa e blu. Si affacciò il comandante e disse che avremmo fatto un giretto prima di atterrare: l'aeroporto era sotto il fuoco dei mortai. Il giretto durò quaranta minuti lunghi come quaranta ore. Poi, con un tuffo deciso, ci abbassammo sulla pista e la vocetta di Marcel mi ferì i timpani e il cuore: « Che Dio ce la mandi buona! ». Riprendeva il mio diario all'inferno.

* * *

7 febbraio sera. Non è stato facile atterrare a Than Son Nhut. I combattimenti vi infuriavano intorno, una sparatoria era in corso al cancello sudovest. Una volta scesi, abbiamo dovuto attraversare la pista correndo e rifugiarci in una baracca protetta dai sacchi di rena, piena di soldati dall'aria avvilita, spaurita, e l'ufficiale m'è parso sorpreso quando gli ho detto che volevo raggiungere immediatamente Saigon. Forse, ripeteva, non mi rendevo conto che la città è in stato d'assedio, che la strada per arrivarci passa da Gia Dinh cioè da un quartiere in mano dei vietcong, che oggi una jeep americana era saltata in aria per una granata. Malgrado ciò l'ho convinto a darmi una camionetta con la scorta armata e mezz'ora dopo eccoci correre lungo i viali deserti, le case sventrate, il nostro stesso terrore. In neanche venti minuti siamo arrivati in città. L'autista ha fermato vicino al Continental e, senza aprir bocca, ha scaricato la mia roba per terra. Quando l'ho ringraziato, ha risposto fra i denti: « Grazie un corno. Ora noi dobbiamo tornare indietro ». Poi ha lanciato una bestemmia terribile e finché vivo non scorderò mai lo smarrimento di trovarmi lì, in mezzo alla piazza vuota, con la mia roba per terra. Non si vedeva nessuno, capisci, nessuno, neanche un cane randagio. I negozi eran chiusi, le finestre sbarrate, tutto taceva immobile, pietrificato in un silenzio assurdo: l'unico rumore era dato da un foglio sbattuto dal vento contro un palo. Scomparsi i risciò, le automobili, le biciclette, la folla chiassosa che rendeva Saigon un'oasi di compromesso e di vita, giravi gli occhi su un niente fatto di niente, ti sentivi l'ultimo abitante rimasto dopo una fuga in massa. Ho raccolto la mia roba e, insinuandomi dentro un'apertura del filo spinato, sono entrata al Continental. Non c'era che il portiere. Gli ho chiesto una camera, ha scosso la testa: « Neanche a pagarla oro ». Così gli ho lasciato i bagagli, ho preso la mia bottiglia di Chianti e mi sono avviata verso rue Pasteur: alla France Presse. A labbra chiuse invocavo un suono, un suono qualsiasi. L'avanzar di un convoglio coi carri armati, il raschiare dei cingoli che spaccavan l'asfalto, m'è sembrato una musica.

Anche intorno alla palazzina della France Presse c'erano i rotoli di filo spinato, e due sentinelle ne stavano a guardia. Non m'hanno chiesto neanche i documenti, hanno sparato subito tre colpi: uno è caduto ai miei piedi. M'ha salvato quel grido: « Bao chi! Stampa! Bao chi! ». Poi mi son precipitata su per le scale: cercavo i miei amici come un bambino cerca la mamma. In ufficio non c'erano che l'operatore della telescrivente e il signor Lang. Il signor Lang mi ha detto che si trovavano tutti al Juspao e poi s'è chiuso nel suo silenzio impenetrabile. Be', era meglio che star sola per la strada. Così ho messo la bottiglia sul tavolo di François e son rimasta lì ad aspettarlo. Non so quanto sono rimasta, ero così stanca. Ma a un certo punto la porta s'è spalancata e François è apparso. Sporco, con la barba lunga, dimagrito. Quei pantaloni avana e quella maglietta celeste gli pendevano addosso come se fossero appartenuti ad un altro, le guance erano come svuotate, e il naso più lungo, più secco. Ha visto la bottiglia di Chianti ed ha piegato le labbra in uno strano sorriso. Poi ha visto me e ricordo solo una mano che mi scompigliava i capelli, una voce sonora che esclamava: « Bravò! Bravò! ». Non ricordo di più perché mi son messa a piangere, proprio come un bambino.

Credo che sia durato parecchio: quando sono arrivati Felix e Mazure stavo soffiandomi il naso. Anche Mazure era malridotto, sciupato, lui che è sempre così bello, elegante. Però è tornato immediatamente Mazure grazie al suo sorriso, ed abbracciandomi canterellava: « Elle est ici, elle est ici avec les nerfs à plat! ». Siamo rimasti a complimentarci un bel po', inoltre bisognava risolvere il problema dell'alloggio. L'ha risolto Felix spiegando che al piano terreno della palazzina c'è una specie d'albergo, un ex BOQ degli ufficiali americani, e lui ci teneva una camera che m'avrebbe volentieri ceduto. Se non altro m'offriva il vantaggio di recarmi in ufficio a qualsiasi ora senza rischiar fucilate. Ora sono a posto ma ho il ghiaccio dentro le ossa. Col buio sono incominciate le bombe, in questo momento stanno cannoneggiando Gia Dinh e un elicottero ha lanciato alcuni bengala che scendono lenti sul nostro quartiere, illuminandolo a giorno. Cercano i vietcong. Di giorno gli americani respingono verso la campagna i vietcong e di notte i vietcong riacquistano le posizioni perdute. A Saigon si è ormai in prima linea, in ogni senso. Per esempio, Marcel aveva ragione: c'è gran penuria di cibo in città. Le scorte dei viveri si stanno esaurendo, un uovo costa anche seicento lire, per un pugno di riso bisogna fare la coda e poi magari non c'è acqua per cuocerlo. Non solo: si teme un'epidemia, le medicine sono quasi introvabili. E a proposito: quel distributore di gaie notizie, Marcel, abita qui. Camminavo lungo il corridoio, ho udito una vocetta acuta, e sì: era lui.

8 febbraio. Non è ancora l'alba ma con queste cannonate, chi dorme. Ho finito con l'alzarmi, sicché ecco il racconto che François mi fece ierisera: lo registrai col magnetofono. E mi fa uno strano effetto riudire la sua voce stanca, remota. S'era buttato sopra una sedia, era esausto.

« Dunque te lo scrissi che ci aspettavamo qualcosa: erano stati proprio gli americani ad avvertirci. Feci quei turni per dormire alle Poste e andò avanti così per due settimane. Ma non succedeva nulla e li abolii pensando a un falso allarme. Si arriva alla notte del Tet. Il Tet, lo sai, è la festa delle feste pei vietnamiti. Sicché il coprifuoco era stato abolito e gran parte dei soldati di stanza a Saigon li avevano mandati in licenza, le caserme eran quasi sguarnite. Le strade brulicavano folla, ovunque scoppiavano fuochi d'artificio, petardi, che secondo loro servono a cacciare gli spiriti maligni ed anche a implorare gli spiriti buoni. A un'offensiva che includesse Saigon non ci pensava nessuno sebbene il giorno avanti i vietcong avessero attaccato le basi americane di Danang, Natrang, Pleiku, Kontum. Quando avvenne la prima esplosione, verso le tre del mattino, mi dissi: non è possibile, non è assolutamente possibile. Era un'esplosione del tutto estranea ai petardi: squassò le case del centro come un terremoto. E dopo quella ce ne fu un'altra, poi un'altra. Balzai dal letto. Mi precipitai per strada. Qui le pallottole fischiavano peggio che in battaglia. Una mi passò di striscio alla tempia sinistra, la sentii quasi sulla pelle. Una mi sfiorò il collo. E allora mi dissi: ci siamo. Presi l'automobile, qualcuno ci sparò sopra ma a piedi era peggio, raggiunsi la piazza della cattedrale. Sotto la statua della Madonna, una jeep bruciava. Per terra giacevano i cadaveri di due MP americani. Altri cadaveri eran dinanzi alle Poste: soldati sudvietnamiti mi parve. Ma i colpi più forti venivano dall'ambasciata. Ci arrivai e li vidi: stavano sfondando il muro di cinta con le granate e i mortai. I tre MP a guardia dell'ingresso eran già morti, e non c'era neppure un americano a respinger l'attacco. Tornai indietro per entrare alle Poste e trasmettere il dispaccio a Parigi. Qui c'erano gli americani ma avevano perso la testa. Mi tiravano addosso, si tiravano addosso, non sembravano rendersi conto di quel che accadeva. E fino al mattino non se ne resero conto: ci vollero altre due ore perché capissero che l'attacco all'ambasciata non era un episodio singolo ma un momento dell'offensiva.

« Un'offensiva coordinata e organizzata coi criteri più rigorosi della strategia militare. Loan diceva che nessun vietcong poteva entrare in Saigon. C'erano entrati invece in poco più di due giorni, fra il 29 e il 30 gennaio. Diecimila si dice, e certo non meno di seimila. C'erano entrati a gruppi di tre, cioè cellula per cellula. A piedi, in bicicletta, in autobus, a bordo di camionette americane rubate, ma soprattutto a piedi. Eran venuti dalle campagne, coi vestiti migliori, le camicie pulite, i sandali nuovi. Di regola i vietcong calzano i sandali Ho Ci Min, che sono comodi e permetton di correre. Però sono anche riconoscibili perché chiunque sa che i vietcong calzano i sandali Ho Ci Min, e così al posto di quelli avevano comprato i sandali giapponesi che vanno di moda a Saigon. Sai quelli che imprigionano l'alluce e il collo del piede, però il tallone resta libero, e se non sei abituato a portarli li perdi. Per non perderli avevano legato un filo di spago intorno al tallone, ma neanche a quel modo camminavano bene, sicché molti camminavano scalzi, coi sandali nuovi in mano o sulle spalle. In mano avevano anche un pacchettino di cibo: appena sufficiente per resister due giorni. Se i poliziotti di Loan fossero stati più furbi non avrebbero impiegato molto a capire che c'era qualcosa di strano in quei gruppi vestiti a festa, con le scarpe in mano e il pacchettino di cibo.

« Erano tutti contadini. Il Fronte di Liberazione Nazionale aveva accuratamente scartato i vietcong di Saigon, e molti vedevano per la prima volta una città. Non sapevano nulla di come funziona la vita a Saigon, il traffico a Saigon, non avevan mai visto edifici così alti, automobili così numerose, strade così larghe. Conoscevano solo le campagne, i viottoli, i campi di riso, e sapevano solo una cosa: che venivano a liberare Saigon. I comandanti gli avevano detto "andiamo a liberare Saigon" e loro non s'erano posti il problema di riuscirci o no. Combattevano da anni per questo, erano pronti a morire. Nei gruppi c'erano non poche donne. In media, una donna ogni cinque uomini. Le donne indossavano il costume nazionale: pantaloni neri e tunica svolazzante. Per riconoscersi, e non spararsi fra loro, portavano un nastro rosso: da attaccare alla manica sinistra. Alcuni lo avrebbero attaccato con gli spilli da balia, altri con lo spago. Pochissimi con l'ago e il cotone. Qualche minuto prima dell'ora stabilita. L'ora stabilita erano le 2.50 del mattino del 31 gennaio.

« Le armi erano entrate in città molto prima. Intere o smontate, per lo più nascoste nei carri di fiori che all'alba giungono dalla campagna al mercato. Le avevano messe dentro le case e nei cimiteri. Le ritirarono mentre scoppiavano i fuochi di artificio e i petardi. Se qualcuno si preoccuperà mai di girare un film su quella notte, riuscirà a farci piangere. Li vedi mentre si spostano, silenziosi e piccoli come formiche, con quei sandali che gli scappan dai piedi, quel nastro rosso legato alla manica, quel fagottino di cibo legato alla cintura? Mentre gli altri si divertono e fanno gli scemi. Li vedi mentre si dirigono verso gli obiettivi, il palazzo del governo, la sede centrale della polizia, le caserme, le prigioni, l'ambasciata americana, la radio? Fallirono quasi dovunque. Fallirono perché erano contadini, non conoscevan le trappole della grande città. Persero tutto quel tempo con l'ambasciata americana, ad esempio. Non gli riusciva aprire la porta. Era una porta blindata e azionata da un congegno moderno: in fondo sarebbe bastato un mazzo di chiavi per spalancare i battenti. E pretendevano di sfondarla a spallate, poi a colpi di B40. Quanto al palazzo del governo, non riusciron neppure ad avvicinarsi. Si asserragliarono in una villetta di fronte e vi si lasciarono massacrare. Gli ultimi sei, cinque uomini e una donna, furono catturati due giorni dopo e giustiziati sul posto. La radio la distrussero in buona parte e non riuscirono a entrarci. Se ci fossero riusciti, sarebbe bastato agguantare un microfono e mandare in onda otto parole: "La città è in mano nostra. Cittadini, insorgete". Ma che ne sapevano, loro, di mandare in onda. Loro sapevano morire e basta. Non capiron nemmeno che al centro della città vivono solo borghesi per cui la guerra e la presenza degli americani sono un guadagno, sicché non hanno alcun interesse ad aiutare i vietcong. Bussavano alle case dei borghesi e dicevano con un sorriso: "Siamo del Fronte di Liberazione Nazionale, siamo venuti a liberarvi". E si vedevan sbattere l'uscio in faccia. Oppure si vedevano accogliere e poi tradire: con una denuncia al telefono. Li tradì perfino un prete. Chiamò al telefono la polizia e li guardò fucilare. Quando gli chiesi come ha potuto far questo, reverendo, ma come, rispose: "Io sto con la legge". »

Non avrei mai creduto che François fosse capace di commuoversi. Invece lo è. Giunto alla storia del prete, il suo sguardo s'è fatto lucido lucido e gli si è rotta la voce. Allora ha tirato un gran pugno sul tavolo e s'è girato dalla parte del muro. Così girato, ha preso l'orlo della sua maglietta celeste e ci si è asciugato gli occhi. Alla svelta. Io ho finto di guardarmi un'unghia poi ho portato il discorso su un argomento che mi premeva assai.

« Non s'è comportato bene neanche Loan. »

« No. »

« Hai più visto Loan? »

« Non lo voglio vedere. »

« Mi chiedo perché l'abbia fatto. »

« Io no. Non me ne importa. L'ha fatto. »

« Forse era ubriaco. »

« Forse. »

« Vorrei saperlo. »

« Chiediglielo: perché hai ammazzato un uomo con le mani legate? »

« E se mi desse una ragione giusta? »

« Non può esistere una ragione giusta. »

« E se tu lo incontrassi? Se ti porgesse la mano? »

« Non gli stringerò mai più la mano. »

« Però ti piaceva. »

« Sì, mi piaceva. Lo sai. Che me lo chiedi a fare? »

E s'è seduto alla macchina da scrivere. Per dimostrarmi che tale argomento era chiuso. Più tardi Felix m'ha confermato che ormai sono nemici. Non è vero che non si son più rivisti. Si incontrarono due giorni fa, per caso. Ma quando Loan fece l'atto di muovere incontro a François per stringergli la mano, François gli voltò di colpo le spalle. E lo lasciò lì, con la mano tesa, incredula.

8 febbraio pomeriggio. È Loan che li snida: nei quartieri di Gia Dinh, Cholon, Go Vap, Phu Tho Hoa. Si sono ritirati in quei quartieri poveri, coi poveri si intendono meglio: i poveri parlano la stessa lingua. E Loan va a snidarli fra i poveri. Nei primi giorni usava la tattica della controguerriglia: ne catturava due o tre per volta e poi li ammazzava con un colpo di rivoltella. Ma da quando s'è accorto che cacciarli di casa in casa è impossibile, è ricorso ai bombardamenti. Funziona così. Arriva lui e, con gli altoparlanti, ordina alla gente di evacuare. Massimo, due ore di tempo. Scadute le due ore, dà l'ordine: e l'inferno incomincia. Razzi, mortai, artiglieria pesante. Poi l'inferno zittisce, lui dà un altro ordine e si alzano in volo gli aerei. Cadono bombe da cinquecento chili, napalm da settecentocinquanta, spezzoni incendiari. E il quartiere brucia, insieme ai vietcong. Giacché i soli a non evacuare, lui dice, sono i vietcong. E pazienza se non è vero, se a non evacuare sono anche i vecchi, i sordi, gli infermi, i bambini che all'ultimo momento non si riesce a trovare. Peggio per loro, c'est la guerre.

L'ho visto in azione. Stamani, con Mazure. Da lontano perché non volevo che tendesse la mano anche a me. Sull'uniforme portava una giacca imbottita d'acciaio per respinger le schegge. Si muoveva coi gesti molli di sempre, osservava la folla con l'aria schifiltosa di Maria Antonietta che dice: « Non hanno pane? Allora si comprino le brioches! ». La folla scappava spingendo vacche, biciclette, maiali, bilanciando masserizie sulle canne di bambù, piegandosi di stanchezza ed angoscia sotto i cappelli a cono, via come un fiume in piena che ha rotto gli argini e non sa dove fermarsi. Fuggire, ma dove? Metà di Gia Dinh non esiste più. Esistono solo macerie annerite e da esse si alza ognitanto il troncone di un muro, lo scheletro di una porta, un mobile ridotto a cenere. Intorno, taxi carbonizzati, autobus rovesciati, macchine da cucire contorte. Stalingrado o Berlino durante la Seconda Guerra Mondiale. Specialmente per i cadaveri. Non c'è modo di raccoglierli tutti. Molti si disfanno al sole, appena coperti da una stuoia o un giornale, e l'aria è ammorbata da un puzzo che ti fa vomitare.

« Lo senti? »

« Lo sento. »

« Ma da dove viene? »

« Viene da quei sassi. »

« No, da quella stuoia. Da quel giornale. »

Sotto il giornale c'era un bambino nudo. Avrà avuto sì e no quattro anni. Nella manina destra stringeva una mela da cui aveva staccato un morso. E sul suo piccolo corpo già gonfio non si vedevan ferite. Sotto la stuoia invece giaceva un vietcong: capivi che era un vietcong per via del nastro rosso. Lui era rimasto colpito alla testa. Non aveva più testa. Però aveva una rosa sul cuore. Sì, una rosa! Dio sa come avevano fatto a trovare una rosa a Gia Dinh, e a trovare il coraggio di posarla sul cuore di un vietcong senza più testa.

Ho camminato per più d'un'ora a Gia Dinh, insieme a Mazure. Sono andata anche a vedere la pagoda di Tri Quang. O quella che era la pagoda di Tri Quang: c'è rimasta solo la facciata, tutta buchi e squarci. E poi ci son rimaste le scale che conducevano alla sua cella, una parete della sua cella: quella dov'era appoggiato il tavolo con la foto di Gandhi. Almeno m'è parso: è difficile, sai, distinguere una parete da un'altra dopo che c'è passato Loan. Loan e le sue rose, una perla di rugiada su un petalo di ciascuna rosa. Loan e il suo pianoforte, i suoi notturni di Chopin. Loan e la sua poesia incorniciata.

« Perché l'ha fatto? Perché? »

« Tri Quang era accusato di favorire i vietcong. »

« E Tri Quang dov'è? »

« Scomparso. Nascosto in qualche altra pagoda. »

E poi siamo andati a Cholon dove i vietcong sono asserragliati come dentro un fortino. La popolazione a Cholon è completamente con loro: li ospita nelle case, gli dà da mangiare e da bere, li aiuta a sparare. Cholon cominciò ad organizzarsi due giorni prima l'offensiva del Tet: il 28 gennaio un gruppo di ragazze in uniforme distribuiva già rivoltelle e manifestini. Cholon è Zona Rossa, i cartelli avvertono: « Proibito entrare. Qui comandiamo noi ». Cholon è testarda, direbbe Loan: agli ordini di evacuare non ubbidisce nessuno. E così neanche Loan osa il massacro totale, qui, a base di cannonate e napalm. Si combatte di porta in porta, di finestra in finestra, a Cholon. I vietcong dispongono di mortai leggeri, spostabili: ti inoltri per una strada che sembra tranquilla, odi un fischio, e non fai in tempo a gettarti per terra che il razzo è già esploso.

« Attenta, giù! »

« Giù! »

Una nube di polvere che ti entra negli occhi, una pioggia di sassolini che ti cadono addosso.

« Sei ferita? »

« Io no. E tu? »

« Neanch'io. Ma quei due là stanno male. »

Sono due giornalisti della NBC. Uno è stato colpito alle gambe e uno allo stomaco. Costa caro spedire le immagini del telegiornale al droghiere della Seconda Avenue, all'impiegato della Chase Manhattan in Madison Avenue, agli indifferenti che poi ti chiedono se in Vietnam fa davvero caldo. Ma ecco che avanza Loan, coi suoi gesti molli, e una pattuglia gli porge l'omaggio di sei vietcong catturati di fresco. Sono contadini fra i quattordici e i diciotto anni, hanno i pantaloni corti e i sandali giapponesi legati con lo spago dietro il tallone. Il più giovane si tiene una mano sul ventre e fra le dita gli colano strisce di sangue. Loan li osserva a uno a uno, in silenzio, a uno a uno i vietcong gli rispondono con un sorriso beffardo. A uno a uno si lasciano bendare e scaraventar contro un muro, dove restano fermi con quel sorriso beffardo. Sorride anche quello ferito, sebbene le strisce di sangue ora siano diventate fiotti di sangue. Sorride fin quando scivola giù, sempre tenendo il ventre, cade in avanti e muore. Allora lo agguantano, lo sollevano come un sacco di spazzatura, lo buttano sopra un camion: insieme ad altri morti che verranno sepolti in una fossa comune, dopo essere stati bruciati coi lanciafiamme.

« Andiamo via, Mazure. Abbiamo visto abbastanza. »

« Anche troppo, cara. Anche troppo. »

« François dice che i vietcong hanno fallito. Tu credi che abbiano davvero fallito? »

Resta un po' zitto. Poi scuote la testa.

« Non lo so. Non ne sono certo. »

Sera. Neanch'io. O non ancora. A Than Son Nhut combattono bene come a Cholon, Gia Dinh, Go Vap, e lì non sono ragazzini coi calzoni corti. Sono nordvietnamiti con le uniformi pulite e stirate. « Più ne ammazzi, » ha detto il maggiore americano che presiede la difesa dell'aeroporto « più ne giungon di nuovi. Sempre con le uniformi pulite, stirate. » A Bien Hoa tengono in mano la situazione. Il resto del paese è praticamente nelle loro mani. Delle tredici città attaccate, e trentun capitali di distretto, quasi nessuna è stata ripresa dalle forze governative. Resistono a Quang Tri, a Phu Loc, a Can Tho, a My Tho, a Kontum, a Kien Hoa, e poi a Natrang, a Danang. Cioè dal Delta alle Pianure Centrali su fino al Nord dove sono i padroni di Hué: sulla Città Sacra sventola la bandiera gialla rossa e blu dell'FLN. Come facciano a resistere è proprio un mistero: c'è fra i loro mezzi e quelli degli americani la stessa differenza che passa fra un elefante in buona salute e migliaia di formiche malate. Eppure resistono, ed è straordinario. È come se l'elefante si fosse messo a schiacciarle con la proboscide, così ammazzandone tante, quasi tutte: ma senza riuscire a liberarsene. Perché tra le pieghe del ventre, sotto gli orecchi, dentro i buchi del naso, negli occhi, ovunque la sua proboscide non arriva, qualche formica resta. E depone le uova. Non solo il 33° Battaglione della 23ª Divisione Fanteria di Soc Trang è passato dalla parte dei vietcong. Ci son passati anche centosessantanove posti militari. Che alle autorità americane e sudvietnamite piaccia o non piaccia vederlo scritto. Infatti sta diventando difficile scrivere la verità: François è nei guai. Lo hanno chiamato, dice, e gli hanno contestato le notizie pubblicate finoggi sull'offensiva del Tet. In particolare, non gli perdonano il servizio di Mazure da Hué: quello dove raccontava d'essere stato trattato con gran civiltà dalle truppe nordvietnamite e dove affermava che la popolazione di Hué trattava cordialmente i vietcong: fornendo loro da mangiare e da bere. Il dialogo, a quanto sembra, è stato teso ed ostile.

« Mazure ha preso contatto con il nemico. »

« Nossignori. Mazure è stato catturato. »

« Mazure era in una zona occupata dal nemico. »

« Mazure fa il giornalista. »

« Mazure ha narrato menzogne. »

« Ha narrato quello che ha visto e quello che ha udito. »

« Ne assume la responsabilità? »

« Assumo l'intera responsabilità del dispaccio che egli ha scritto e che io stesso ho inviato a Parigi. »

Gli hanno risposto con la minaccia di chiudere la France Presse e di espellerlo dal Vietnam insieme ai suoi redattori. A tanto, forse, non arriveranno ma l'espulsione di Mazure è molto possibile. Alcuni dicono inevitabile: non osando affrontare lo scandalo di abolire l'ufficio di una agenzia straniera, cercheranno un capro espiatorio. Il particolare più interessante è che parlano sempre di Mazure, mai di Catherine che era insieme a lui dall'inizio alla fine dell'avventura. Ma Catherine lavora per un'agenzia americana e ha venduto alla rivista *Life* sia la storia che le fotografie di Hué. Diverso, no?

Li osservo con amarezza. François che va e viene come un gatto arrabbiato e sbatacchia il telefono. Mazure che siede in un angolo con aria depressa e scuote la testa. Catherine che ognitanto appare con quel visuccio smalzito ed esprime la sua disapprovazione. Ma i suoi occhi restano freddi, distanti. A ventitré anni ha già imparato il malvagio insegnamento che t'offre la guerra: « Sparano, si salvi chi può ».

9 febbraio mattina. Anche fra noi la commedia si mischia alla tragedia. Ierisera, mentre si discuteva il caso Mazure, i vietcong hanno fucilato due giornalisti. È successo a Cholon. Erano Kim Hyunh Kuk, corrispondente del *Corea Times* da Hong Kong, e Park Ro Yu, addetto stampa dell'ambasciata coreana a Saigon. Il racconto c'è stato fornito da Yo Thanh Son, un vietnamita che lavora per la CBS e che è scampato per miracolo all'esecuzione. Eccolo. Kim era appena arrivato da Hong Kong, via Bangkok, e voleva rendersi conto di come vanno le cose a Cholon. Ha cercato Park Ro Yu, un vecchio collega, ed ha chiesto a Yo di accompagnarli perché Yo conosce bene Cholon. Così sono andati, come abbiamo fatto io e Mazure, come fanno tutti, e li hanno presi. Li hanno condotti in una casa dove c'erano altri quattro civili in stato di arresto e li hanno tenuti qui tutto il giorno: interrogandoli. Verso le sette di sera è arrivato un ufficiale vietcong, con una squadra. Ha ordinato ai sette di uscire e ha legato loro le mani dietro la schiena. Poi li ha fatti camminare per circa un'ora verso l'ippodromo. Giunti all'ippodromo, l'ufficiale vietcong li ha messi contro il muro, ha letto la sentenza di morte, e il plotone di esecuzione ha sparato una raffica. La raffica non ha colpito Son che s'è gettato lo stesso per terra ed è rimasto lì a fare il morto. A questo punto l'ufficiale vietcong s'è avvicinato a ciascuno per dargli il colpo di grazia ma, nello stesso momento in cui stava per tirare a Son, un elicottero americano s'è abbassato. L'ufficiale è fuggito con la squadra. Son si è messo a correre verso un deposito di benzina, vi si è nascosto. In quel deposito lo ha trovato stamani una pattuglia dei Ranger.

Non so, c'è qualcosa che non quadra nel racconto di Son. Il colpo di grazia, ad esempio, non sparato per via dell'elicottero. Ma comunque sia andata, Kim e Park sono morti e non era mai successo che i vietcong fucilassero dei giornalisti. Mai dall'inizio della guerra in Vietnam. Chiunque sia stato catturato n'è uscito indenne: la faccenda ha l'aria di una rappresaglia contro i coreani. C'è un tale odio per i coreani. Soprattutto a Cholon, dopo l'episodio di una settimana fa. E mi dà noia perfin riportarlo. Dunque a Cholon, una settimana fa, i coreani presero un bambino vietnamita che s'era infiltrato nel loro campo per rubare il cibo. Lo presero e impiegarono ventiquattr'ore per farlo morire. Sai come? Infilandolo a un palo. Ho scritto proprio così: infilandolo a un palo. E aveva otto anni.

Dio, perché gli uomini fanno queste cose. Uomini con due braccia e due gambe ed un cuore. Uomini ritenuti normali, sani di mente. Avviene una cosa simile in tempo di pace e il mondo grida all'orrore: intervengono tribunali, preti, psichiatri. Avviene una cosa simile in tempo di guerra e nessuno ci fa caso, nessuno invoca tribunali, preti, psichiatri. Nessuno pronuncia la parola pazzi, la parola assassini. E gli uomini vanno sulla Luna, e gli uomini guariscono il cancro, e gli uomini sono così fieri di essere uomini anziché alberi o pesci. Vi sono momenti in cui avrei preferito essere nata fra gli alberi o i pesci.

Sera. Stavo dicendo così quando tre poliziotti vietnamiti sono entrati e hanno chiesto se c'era Mazure. C'era, purtroppo, e gli hanno consegnato un foglio firmato dal generale Loan. Il decreto di espulsione. Da applicarsi entro cinque giorni. Mazure ha torto le labbra in un sorriso triste e l'ha porto a François che ha immediatamente posato lo sguardo sulla firma di Loan. Poi ha mormorato fra i denti « figlio d'un cane » e ha detto a Mazure di recarsi alla centrale di polizia per tentar di ottenere un rinvio. Lui intanto avrebbe cercato il generale Ky per tentar di ottenere una revoca. Sono andata con Mazure. Ci hanno accompagnato gli stessi poliziotti, sulla jeep. Erano gentili ma appena giunti alla centrale di polizia ogni gentilezza è scomparsa. Ci ha ricevuto per primo un poliziotto in mutande: grasso, scalzo, sudato. Esaminandoci come si esamina due criminali, s'è tirato su le mutande e ha sputato per terra. Poi è rimasto ad ammirare lo sputo per terra, si è grattato dentro le mutande e ci ha spinto verso una scrivania dietro la quale sedeva uno scheletro vestito di pelle rugosa. Immobile come uno scheletro, ci fissava con occhi spenti da chissà quante migliaia di fumate di oppio e il solo segno di vita era il tremolio delle mani. Incessante, convulso. Per vincerlo se le stringeva l'una con l'altra ma non serviva a nulla e il risultato era un martellare di nocche sulla scrivania, quasi un suono di pioggia. Mazure gli ha mostrato il foglio.

« Mi si ordina di lasciare il Vietnam entro cinque giorni. Gradirei molto una proroga. »

Lo scheletro è rimasto zitto, a martellare le nocche.

« Tanto più che l'aeroporto è chiuso e nessun aereo può décollare. »

Lo scheletro è rimasto zitto, a martellare le nocche.

« È lei il responsabile di questo ufficio? »

Allora s'è udito un pigolio, impercettibile.

« Oui. »

« Ha capito quello che ho detto? »

« Oui. »

« Vorrei una proroga. »

« Oui. »

« Non ha nient'altro da rispondermi? »

« Monsieur... questo foglio è firmato dal generale Loan, Monsieur. Il generale Loan le troverà un aereo, Monsieur. »

Ho trascorso il resto della serata insieme a Mazure. Ignorando il coprifuoco siamo andati a cenare al Continental e qui abbiamo trovato Catherine, col suo visuccio da si-salvi-chi-può. Non capirò mai questa ragazza. La guardi e ti viene spontaneo proteggerla: così bionda, consunta, minuscola. Poi la riguardi e ti viene spontaneo protegger te stesso: da lei. Forse sono i suoi occhi: spietati, gelidi. Forse sono le sue dita: grandi, nodose, sempre tese in avanti come gli artigli di un'aquila. Ha mai avuto paura questa ragazza? Mazure dice di sì: quando i nordvietnamiti la catturarono. Piangeva, e lui non riusciva a calmarla. Ma ad osservarla stasera non ci avresti creduto. Parlava a Mazure col tono che s'usa verso un collega in procinto di prendersi due o tre giorni di ferie.

« Bien. Dunque vai ad Hong Kong. »

« Sì, credo che mi sbarcheranno ad Hong Kong. »

« Bien. Ma non ci sono aerei. »

« Temo che lo troveranno per me. »

« Bien. E dopo Hong Kong? »

« Londra, suppongo. La mia casa è a Londra. »

« Bien. Quando vengo a Londra ti chiamo. »

Io invece non sapevo dirgli nulla a Mazure, ero così addolorata all'idea che lo cacciassero così. È un bravo ragazzo, Mazure. Quando l'ufficiale nordvietnamita li rilasciò, Mazure si tolse l'orologio e glielo dette: in ricordo. L'ufficiale nordvietnamita non lo voleva. Ma lui insistette e glielo mise al polso: « Le porterà fortuna ». Ci teneva a vedere questa guerra. Contava di restarci un anno. E ora continua a ripetere col suo bel sorriso gentile: « C'est fini le Vietnam pour moi, c'est fini ».

10 febbraio pomeriggio. Anche Cholon sta cadendo. Loan ha deciso di applicare anche a Cholon il sistema scelto per Gia Dinh e gli americani hanno collaborato inviando non so quanti Skyriders. Per tutta la notte i bombardamenti hanno fatto tremar la città, perfino qui al centro i vetri si son frantumati. All'alba ho chiesto al Juspao se potevo esser messa su un elicottero e così ho visto bene il risultato di questa nuova prodezza. Almeno metà di Cholon è rasa al suolo: non riconosci neppure le strade. Dov'eran le strade, scorgi solo distese di terra carbonizzata, di morchia. Macché Stalingrado, macché Berlino: Hiroscima, il nulla. E nelle zone in cui è rimasto qualcosa si leva il fuoco. Fiamme apocalittiche divorano case, capanne, sanpan ancorate sul fiume. Vi sono punti in cui il fiume non è più d'acqua, è di fuoco. E anche su per aria il calore è così insopportabile che ti si accartoccian le ciglia. Come faranno i vietcong a resisterci?

Il mio elicottero andava a caccia di vietcong, e per questo volava basso. A un certo momento il pilota ha scorto un gruppo di uomini in corsa, e s'è abbassato ancora di più. Il mitragliere s'è chinato sulla mitraglia. Ma non ha potuto sparare perché il fumo ci ha inghiottito subito, rendendoci ciechi. Il pilota è risalito bestemmiando, tossendo, nero di fuliggine, poi per consolarsi ha detto: « Non andranno lontano. È stato fatto un buon lavoro, stanotte. A good job. A real good job ». La cosa più straordinaria è che nel resto del mondo protestano per i bombardamenti sul Nord: su Hanoi, Haifong. Nel resto del mondo berciano contro l'atomica. Ipocriti. Neanche se cinquanta napalm da settecentocinquanta chili ciascuno, o cento bombe "normali" da mille chili ciascuna, non ottenessero il medesimo effetto di un'atomica. Sai quante creature son morte, negli ultimi dieci giorni, solo a Saigon? Diecimila. Incominciano a seppellirle. Per ordine della Prefettura di Sanità. In quelle fosse comuni. *Unidentified bodies*, li chiamano. Corpi non identificati. Perché non hanno nome, non hanno cognome, sono morti e basta. E i loro compagni, i loro parenti, non potranno mai rintracciarli. Sono morti due volte. Mille volte. Sono i nuovi Gesù della Terra.

La maggior parte delle fosse comuni sono alla periferia, dove si svolsero e ancora si svolgono i combattimenti più aspri. Non si vedon neanche. Dopo che sono state riempite, i carri armati ci passano sopra: per spianare le zolle. Altre sono nei cimiteri, e soprattutto a Chi Hoa, nel quartiere Le Van Duyet. Ci sono stata, dopo il giro in elicottero. I camion coi morti giungevano a intervalli di dieci, venti minuti: i becchini non facevano in tempo a scavare. Giungevano, fermavano il rimorchio sul ciglio della fossa, spalancavano la paratia posteriore, sollevavano il rimorchio in posizione di scivolo, e rovesciavano giù ondate di corpi decomposti straziati bruciati che si ammucchiavano uno sopra l'altro, disordinatamente. E un puzzo. Che puzzo, ce l'ho ancora addosso. Ho fatto il bagno, mi sono lavata i capelli, mi sono cambiata i vestiti, ma il puzzo è qui: dentro il naso, dentro il cervello.

Fra poco andrò a vedere i profughi: incominciano a fluire anche da Cholon. Si ammucchiano nelle piazze, compatti, spauriti, sembrano pecore. Funzionari governativi tentano di catalogarli, smistarli nelle scuole e negli ospedali, e gli distribuiscon cartelli sui quali è scritto: « Dobbiamo la nostra disgrazia ai vietcong ». Loro li appoggiano sulle masserizie, con sguardi di odio improvviso. Forse ha ragione Marcel quando mi intrattiene con le sue interpretazioni marxiste. Marcel sostiene che l'offensiva del Tet non mirava a conquistar le caserme bensì a scuotere il popolo rattrappito nell'indifferenza. Il popolo è così stanco della guerra, egli dice, che non sta più con gli uni né con gli altri e non reagisce nemmeno con l'odio. Contando sulla repressione di Loan, sui bombardamenti aerei, il massacro, l'FLN ha voluto restituirgli la capacità di odiare. Ora l'odio spingerà gli indifferenti a una scelta, e la scelta non càdrà su chi ha distrutto le loro case e ucciso i loro figli. Forse. Tornando dal cimitero di Chi Hoa, sono passata dinanzi al negozio del sarto che tre mesi fa mi aggiustò l'uniforme. M'ha riconosciuto. S'è guardato intorno per controllare che nessuno ascoltasse e poi ha detto una cosa che non mi aspettavo.

« Abbiamo avuto un bel Tet. Un bellissimo Tet. »

« Il Tet continua a Cholon » ho risposto per accertarmi di aver capito bene.

E lui ha strizzato un occhio.

« Oui, Madame. C'è ancora un bel Tet a Cholon. Un bellissimo Tet. »

Corre voce che in città siano esplosi i primi due casi di colera, e che l'epidemia avanzi. Per via dei cadaveri, dell'acqua che in molti quartieri è inquinata, della spazzatura che s'alza a montagne. È importante? Non so. Ho perso le proporzioni di tutto.

Sera. Ero a vedere i profughi quando i poliziotti di Loan sono tornati alla France Presse. Hanno sorpreso di nuovo Mazure e gli hanno ingiunto di partire entro un'ora. Mazure s'è ribellato dicendo che ciò era illegale. Non è servito a niente. Ha avuto appena il tempo di telefonare a François e farsi portare a casa per prendere una valigia. Di lì sono andati all'aeroporto. Intorno a Than Son Nhut continuavano i combattimenti, la pista era chiusa, ma un aereo dell'Air Vietnam aspettava. Un aereo tutto vuoto per Mazure, colpevole di aver scritto la verità. Mazure era pallido, François aveva i nervi così a fior di pelle che ha perso la testa e ha picchiato un americano. Gli aveva fatto non so quale prepotenza. Tristezza e malumore si tagliano con il coltello, stasera. François si morde le unghie, strappa la carta coi denti, e non parla a nessuno. Ma io lo so a cosa pensa. Pensa che se si fosse rivolto a Loan, l'espulsione non sarebbe avvenuta. Loan lo aspettava. Loan aveva firmato il foglio per questo. E lui non c'è andato. Ha preferito perdere Mazure piuttosto che guardare in faccia Loan, stringere la sua mano tesa.

D'un tratto rompe il silenzio.

« Sai cos'ha fatto ierisera? »

Non c'è bisogno di chiedergli « chi? ».

« No, non lo so. »

« Ha arrestato sei giornalisti. Mezz'ora appena dopo il coprifuoco. »

« Lui personalmente? »

« Lui personalmente. Passava con la jeep. È balzato giù col mitragliatore e li ha condotti alla centrale di polizia. Li ha allineati lungo il marciapiede e ce li ha tenuti tutta la notte. »

« Era ubriaco? »

« No. Era Loan. »

11 febbraio mattina. Oggi è domenica. Per la prima volta le campane suonano a Messa e la gente si avvia verso la cattedrale. Dietro i convogli militari si vede qualche bicicletta, qualche motocicletta. Il *Saigon Post*, uscito su una pagina sola, annuncia che le cose stanno normalizzandosi: le uova sono scese a trecento lire l'una e per comprare il riso non si fa più la coda. Ma allora perché continua a tuonare il cannone? Perché il filo spinato e i sacchi di rena sono raddoppiati? Perché alla periferia nessuno aspetta il coprifuoco per barricarsi in casa, alle due del pomeriggio sono già chiuse porte e finestre? Te lo dico io perché: la battaglia di Saigon non è affatto finita, s'è solo interrotta. A Go Vap, stanotte, i vietcong hanno attaccato un deposito di munizioni. A Phu Tho Hoa s'è svolta la battaglia più violenta delle ultime due settimane. Corre voce che grandi quantità di esplosivo e di armi siano nuovamente nascoste nelle case e nei cimiteri, che molti vietcong fuggiti da Cholon si aggirino indisturbati per la città. Hanno imparato a conoscerla, hanno imparato a camminare coi sandali giapponesi, e chiunque è convinto che si stiano organizzando per il prossimo attacco. Esso potrebbe avvenire fra quindici giorni come fra un mese o fra tre. Di sicuro c'è solo che avverrà.

Americani e sudvietnamiti parlano solo di questo. Vai al

Juspao e non trovi più quei volti cordiali, quelle voci scherzose. Sono tutti seri, tesi, aggrottati, a cominciare da Zorthian cui è calata la pancia. Squadre di esperti si affannano a studiare l'offensiva del Tet, per prevenire la prossima. Chi la organizzò? Il generale Giap, vincitore di Dien Bien Phu, o i politici del Fronte? E qual era il suo scopo? Sollevare il popolo a una rivolta o dare una semplice dimostrazione di forza? Si studiano gli interrogatori dei prigionieri: più di duecento vietcong sono stati interrogati, mi immagino con quali metodi. Oltre la metà hanno detto che si aspettavano un sollevamento generale, non a caso s'eran portati dietro cibo per due giorni e basta. Si aspettavano inoltre che gli americani collaborassero a un governo di coalizione: dopo la vittoria, un grande comizio doveva aver luogo nella piazza del Mercato. Altri hanno detto di non aver ricevuto ordini di ritirata nel caso che gli attacchi finissero male, ma di restare in città e prepararsi a una seconda offensiva. E la psicosi dell'attesa è nell'aria.

È anche in Loan che ha ordinato un censimento per identificare i vietcong. Sicché folle di vietnamiti fra i quindici e i quarant'anni sostano dall'alba al tramonto dinanzi alle sedi di polizia, stringendo in mano una carta rosa: il certificato di residenza a Saigon. Sul marciapiede c'è un tavolino, e seduto al tavolino c'è un poliziotto. A uno a uno essi si presentano a lui, gli esibiscono la carta rosa, e chi non ce l'ha è automaticamente considerato un vietcong. Molti l'hanno perduta fra le macerie, o non si sono mai curati di averla, ma il poliziotto non li ascolta e li arresta: mentre le donne piangono, si aggrappano ai figli e ai mariti. Il censimento dev'esser concluso in tre giorni, siamo al secondo giorno e già un migliaio di uomini senza la carta rosa sono stati arrestati: le carceri son così piene che Loan non sa più dove metterli. Del resto a che serve? Nella setacciata non sono inclusi i bambini, e sappiamo che i bambini ebbero un ruolo definitivo nell'offensiva del Tet. Ogni compagnia vietcong reclutava almeno tre bambini affinché giocassero vicino ai campi americani e sudvietnamiti, osservassero il movimento delle truppe e la qualità delle armi. Poi i bambini scrivevano tutto su foglietti gialli e attaccavano i foglietti gialli sugli alberi, sulle staccionate. A chi denunci un bambino, Loan offre ricompense che oscillano fra diecimila piastre e un milione di piastre. Ma non s'è presentato nessuno.

Loan, Loan, Loan. È diventato un incubo questo nome: Loan.

Notte. Prima o poi doveva succedere. E stasera è successo. Ora metto un po' d'ordine fra le mie idee e tento di raccontarlo. Cominciando da dove, vediamo. Dal fatto che ognisera, verso le otto, François lascia l'ufficio e va al Continental per la radio francese. Ci va in spregio al regolamento sul coprifuoco che per i civili scatta alle cinque del pomeriggio, per noi giornalisti alle sette. E spesso qualcuno gli chiede di andare con lui. Per muoversi un poco, per bere una birra al Continental. Stavolta gliel'ho chiesto io. Non voleva e poi ci ha ripensato. Ha mugugnato, in quel tono scorbutico: « Uhm. Vieni, su! ».

Siamo saliti sulla sua automobile. Abbiamo percorso cinquanta metri di rue Pasteur e abbiamo girato a destra, per raggiunger la piazza della cattedrale. Era buio ma non troppo, sicché quando siamo arrivati alla piazza l'ho subito visto. Circondato dai suoi poliziotti, appoggiato alla sua jeep, proprio accanto all'aiola che è sotto la statua della Madonna. Ci ha visto anche lui, naturalmente. L'automobile di François è inconfondibile, una grossa Ford nera con un cartello sul quale è scritto « AFP. Bao chi. Stampa ». E François gli è passato vicino, vicino, quasi volesse farsi guardare bene. Ma lui non ha fatto un gesto, non ha detto una parola, o l'ha detta solo ai suoi uomini: di lasciarci andare. Così abbiamo continuato fino al Continental. Qui siamo rimasti mezz'ora. François con quelli della radio francese e io al bar. Poi siamo saliti di nuovo sull'automobile. In silenzio. Credevo che passasse da un'altra parte, per la piazza dell'Indipendenza ad esempio, evitando la cattedrale. Invece, con una curva secca, ha riportato la macchina in direzione della cattedrale. E ci ha puntato dritto.

« C'è Loan » ho balbettato.

« Lo so. »

Aveva un viso di pietra.

« Ora ci fermerà. »

« Lo so. »

« Ma... »

« Tais-toi. Chetati. »

Dal Continental alla piazza della cattedrale ci sono sì e no cento metri. Poi, in piazza, si volta a sinistra e si imbocca la strada che conduce a rue Pasteur. Loan ci aspettava proprio a quell'angolo. Coi fari accesi e i suoi uomini dal fucile puntato. S'era messo dinanzi a loro e ci aspettava con aria indolente, fumando una sigaretta.

« Eccolo. »

François non ha risposto. Non ha neanche rallentato. Ha continuato con quel viso di pietra. Poi ha frenato, di colpo, ad appena due metri da lui. Ha spalancato la portiera. È sceso. Ha camminato verso Loan. Loan ha gettato la sigaretta, con calma. Ha messo la mano sulla rivoltella, con calma. Ha fatto un passo in avanti, con calma. S'è fermato. S'è fermato anche François. Ora fra i due ci sarà stato mezzo metro, non più. Si sono fissati. Occhi negli occhi. Per due o tre lunghi secondi. Poi François ha mosso le labbra, e n'è uscita una voce di ghiaccio.

« Tu vas m'arrêter? Vuoi arrestarmi? »

Loan ha dischiuso l'enorme bocca, in una smorfia che voleva apparire un sorriso. Ha piegato la testa sulla spalla, dolcemente. Ha soffiato la sua cantilena.

« Pour toi, c'est une balle dans la tête. Per te, è una pallottola in testa. »

François non s'è mosso.

« L'hai già fatto una volta. »

Loan è rimasto zitto. François ha insistito.

« Peccato che non abbia le mani legate. »

Allora Loan è arrossito. Aveva in faccia la luce dei fari e ho visto bene: è arrossito. Poi ha avuto uno scatto in avanti, con la rivoltella in mano, poi uno scatto indietro. E ha riposto la rivoltella.

« Va-t-en. Vattene. »

« L'hai già fatto. No? »

« Vattene. »

Si sono fissati ancora per qualche secondo che m'è parso un secolo. Poi, lentamente, François gli ha voltato le spalle. Lentamente è tornato all'automobile. Lentamente ha chiuso la portiera, ha avviato il motore. Lentamente è passato accanto a Loan, sfiorandolo. Due poliziotti hanno puntato il fucile.

Ma con un gesto breve del braccio, Loan li ha fermati.

Sono ancora sudata.

Capitolo quinto

Fu nei giorni che seguirono il drammatico incontro col generale Loan. Cioè i giorni che mi confinarono, dopo le sette di sera, nella palazzina di rue Pasteur. Del resto, eccettuato François che continuava ad uscire col coprifuoco per sfidare Loan, alle sette di sera ci chiudevamo tutti in una prigione che per alcuni era la propria casa e per altri un albergo. La prigione più tollerabile la offriva il Continental dove abitavano la maggior parte dei corrispondenti, ed io invidiavo pazzamente coloro che ci avevano trovato posto. Non solo perché era una specie di bastimento dove non ti sentivi mai abbandonato a te stesso, ma perché esercitava su me una gran seduzione. Mi piaceva ad esempio il suo aspetto antiquato: i balconi di ferro, le scale di legno, il vecchio ascensore coi ghirigori e il velluto rosso. Mi piaceva il suo esotismo romantico: il giardino verde di palme e di piante strane, il bar con le poltrone di paglia e le stuoie per ripararti dal sole, le enormi stanze col ventilatore al soffitto. Mi piaceva, infine, un che di letterario che vi stagnava insieme al mistero. Ti muovevi in quei corridoi, in quei saloni, come dentro un romanzo di ambiente coloniale o una commedia assurda. Il direttore era un giovane còrso, Philip Franchini. Sposato a una bella cinese si dilettava di pittura erotica e il suo massimo sogno era partecipare all'Esposizione Erotica di Copenhagen. L'amministratore, Monsieur Loi, era un vietnamita di mezz'età, misterioso e rotondo, e conosceva i vini come un cantiere della Borgogna. Per ciascuno dei due la guerra era un contrattempo noioso che impediva al Continental di funzionare bene: perciò ostacolava il turismo. Tuttavia essi riuscivano a farlo funzionare lo stesso: proprio come un bastimento nella tempesta.

Paragonato al Continental, il mio alberghino sembrava una barchetta, anzi una zattera cui sei rimasto aggrappato dopo un naufragio. E su questa zattera non c'era nulla fuorché alcune camere miserabili, con le finestre affacciate su una caserma. Non c'era telefono, né servizio, né ristorante: per mangiare dovevi scendere nel cortile a una specie di snack-bar tenuto da un còrso sposato a una vietnamita. Lì, per il prezzo di una cena al *Twenty One* di New York, ottenevi un uovo e due sardine morte al tempo dell'imperatore Ham· Nghi: l'avarizia del proprietario era così odiosa, la complicità di sua moglie così maligna, che presto non ci tornavi più. Allora non ti restava che la camera dell'alberghino e il tragitto fino alla France Presse. Un tragitto di neanche tre minuti. Prima il corridoio del piano dove incontravi sempre Marcel e la sua vocetta acuta, « Ça va? Je viens avec toi », poi le scale infestate dai topi, poi il cortile, poi di nuovo le scale per salire all'ufficio, poi l'ufficio.

Esso era composto di due stanze alle quali si accedeva da una terrazza di cui conoscevo ogni mattonella perché ci andavo quando volevo star sola e all'aperto. Una terrazza lunga, larga, interrotta dalle porte degli altri inquilini che non si vedevano mai, e l'ultima porta in fondo era quella della France Presse. Di vetro smerigliato, col cartello più inutile del mondo: « Proibito l'ingresso ». Infatti ci entrava chiunque, senza bussare e senza chieder permesso: francesi di passaggio, fotografi in cerca di lavoro, cronisti in cerca di notizie, preti in cerca di anime. Il vai e vieni era tale che spesso François perdeva la pazienza e, tirando un pugno sul tavolo, urlava: « Fuori! ». Sicché il signor Lang si scuoteva per un attimo dalla sua immobilità e alzando su loro uno sguardo indignato sembrava dire: "Sì, fuori!". Il luogo era angusto, reso più angusto dalle scrivanie troppo grandi, e assai sciatto. Alle pareti pendevano carte ingiallite del Vietnam, fotografie di guerra, cartoline postali e indirizzi. Si ravvivò un poco quando vi sistemai una gabbia con un uccellino che Felix amava, Claude detestava, François ignorava, e comunque non passava mai inosservato perché si metteva a cinguettare col rumore delle telescriventi.

Le telescriventi si trovavano in fondo e girandovi dietro passavi alla stanza di François e del signor Lang che però era la stanza di tutti perché qui si mangiava le sue razioni C, si lavorava da ospiti, si usufruiva del frigorifero con le birre e dello sgabuzzino per farci il caffè. La confusione vi regnava sovrana, fra giornali arretrati, bottiglie vuote, apparecchi radio, libri, borracce, caricatori di mitra e pallottole sparse, zaini, materassini di gomma pei turni di notte e, dalla parte del frigorifero, una pila di fogli che François ammucchiava da anni. Sulla poltrona accanto alla pila dei fogli trascorrevo a volte l'intera serata, leggendo o scrivendo, fino al momento in cui le trasmissioni cessavano. Ciò avveniva, di solito, quando il circuito con Manila era tolto e le telescriventi battevano il messaggio « Good night, gentlemen, we close now », buonanotte, signori, ora chiudiamo. Di colpo l'uccellino smetteva di cinguettare, la calma calava come un sipario, e bisognava andarcene inseguiti dall'ordine di François: « Allons, allons! À demain, à demain! ». O meglio: se ne andavano loro. Io e Marcel restavamo sul marciapiede a vederli partire, diretti alle loro case. Poi Marcel entrava allo snack-bar dove il còrso gli faceva prezzi speciali, io mi chiudevo in prigione ad ascoltare i tonfi dei bombardamenti notturni e il silenzio della mia solitudine.

Tu lo sai: accade spesso che ci si affezioni alla propria prigione, per quanto squallida sia. E certo accadde a me, dopo una certa sera. Voglio dire che dopo una certa sera non fui più gelosa dei colleghi alloggiati al Continental, non rimpiansi più l'atmosfera da romanzo coloniale che li circondava. Perché sulla mia zattera avevo scoperto una letteratura assai più umana e poetica: quella che sboccia dalla guerra allo stesso modo di un fiore che sboccia dallo sterco. E sai dove l'avevo scoperta? Nella pila di fogli che François ammucchiava dalla parte del frigorifero. D'accordo: mi rendo conto benissimo che avrei potuto scoprirla altrove. Ma io la scoprii lì. Rammento bene la sera. I miei amici stavano lavorando, io no perché avevo già spedito l'articolo settimanale: sedevo sulla terrazza. C'era un vento caldo e un elicottero sorvolava il quartiere gettando bengala. I bengala scendevano lenti a cercare i vietcong, inafferrabili fantasmi nel buio. Dal fiume giungeva l'eco di fucilate secche, anch'esse dirette agli inafferrabili fantasmi nel buio. E d'un tratto pensai che anche per me i vietcong erano fantasmi nel buio. Che ne sapevo in fondo? Mesi addietro avevo frugato l'anima di uno che sarebbe morto sotto un plotone di esecuzione. Ma niente di più: gli altri li avevo visti cadaveri e quando li pensavo vivi non riuscivo a immaginarli vivi. Così lasciai la terrazza, raggiunsi la poltrona accanto alla pila dei fogli. C'era un quaderno dattiloscritto, in inglese. Lo presi distrattamente, cominciai a leggerlo. Quasi gridai: « E questo cos'è? ».

François correggeva un articolo. Si interruppe appena.

« Il diario di un vietcong. »

« Autentico? »

Continuò a correggere senza rispondermi. Quando ebbe finito, si alzò e aprì un cassetto. Ne tirò fuori un libriccino dai bordi sporchi, scritto in vietnamita con calligrafia minuscola e fitta. Lo sporco sembrava sangue essiccato.

« Certo. Ecco l'originale. Quasi tutti i vietcong tengono un diario o scrivono poesie su libriccini così. »

« Dove l'hanno trovato? »

« Addosso a un cadavere, ovvio. Ce ne sono a centinaia. Prima quasi era facile averli. Ora no, tuttavia, perché li requisiscono gli americani per catalogarli e tradurli. »

« A che scopo? »

« Raccolta di informazioni, contropropaganda. Di solito ne forniscono estratti per la contropropaganda. Ma questo è completo. »

« Te lo restituirò. »

Quella sera non aspettai che le telescriventi zittissero e che l'uccellino smettesse di cinguettare. Me ne andai molto prima. E la mia prigione non fu più una prigione. Ed essi non furono più inafferrabili fantasmi nel buio. E in essi trovai ciò che nemmeno la guerra riesce a cancellare: il glorioso dolore d'essere uomo.

* * *

16 febbraio. L'ho letto come si beve un bicchier d'acqua quando si ha sete. Ha dissolto il mio sonno e l'alba m'è caduta addosso mentre leggevo ancora. Vorrei averlo scritto io. Chi era? Che aspetto aveva? Il suo nome non appare mai in una pagina, le informazioni che fornisce son scarse. Dargli un volto è impossibile: l'unica volta che si descrive fisicamente è per dire il suo orrore a guardarsi nello specchio. Così consunto, malato. Di sicuro v'è solo che si tratta di un nordvietnamita infiltrato al Sud attraverso il Laos e aggregato a una normale unità militare. Cattolico, perché allude al Natale come a una festa sacra e invoca Gesù Cristo. Giovane, certo, poiché fa il soldato da poco. Non un contadino, però. Un chimico, forse, o un tecnico, o uno studente. Allude a un laboratorio di ricerche dove lavorava prima di entrar nell'esercito. Parla anche dei suoi libri, del suo libraio. E non sembra di fisico forte. Le lunghe marce lo lasciano esausto, i pesi eccessivi lo stroncano, lo stomaco gli fa sempre male. Si lamenta di tutto: del caldo, del freddo, del cibo, delle sanguisughe. Non posso fare a meno di immaginarlo con le spalle ossute, le mani delicate, i polsi fragili e due occhi da cerbiatto. Sono gli occhi con cui invoca la moglie di cui è innamorato, ed anche gli occhi con cui va a morire. È morto, mi par di capire, alla periferia di Saigon. Chissà dove giace il suo corpo. Nel cimitero di Chi Hoa o dentro qualche fossa spianata dai carri armati? Non riesco a tollerare l'idea che sia morto. Ora traduco. È notte e i vetri della mia camera sono squassati dalle esplosioni. La sentinella giù all'angolo non fa che sparare. E dopo ogni sparo, lancia un grido rauco.

DIARIO DEL VIETCONG IGNOTO

È il 1° maggio. *Ma non scrivo per commemorare la Festa del Lavoro. Scrivo perché è successo qualcosa di molto importante, che all'improvviso ha cambiato la mia vita. Stamani, alle sette e mezzo, quando mi son presentato a rapporto e il compagno Lan mi ha detto: « Preparati a entrare nell'esercito ». Penso che scriverè mi aiuti a capire le sensazioni che m'hanno aggredito. Una specie di gioia e di eccitazione, lo ammetto. Ma allo stesso tempo come un terrore, un'angoscia. Perché dovrò lasciare mia moglie, quest'amore così sacro e prezioso. Ci siamo spo-*

sati solo quattro mesi fa, siamo stati così poco insieme. Devo impormi un gran senso di sacrificio e di abnegazione per accettare un simile distacco. Io non ho paura di morire: se la morte serve al mio popolo, sono pronto a morire. Ma separarmi da Can mi brucia tanto, troppo.

È il 2 maggio. *Ho deciso di fare una specie di diario. Sono nel mio laboratorio. La notizia della prossima partenza ha raggiunto mia moglie. Ora anche lei sa che abbiamo solo quaranta ore da stare insieme. Quaranta e basta. Saranno le ore più preziose della nostra vita perché dopo resteremo separati per sempre, forse. Il mio problema è grosso: la vita di un soldato è certamente gloriosa ma separarsi dalla donna che si ama è così duro. Il tempo mi scivola tra le dita: ancora un poco e non la vedrò più. Conto ogni minuto, ormai. E mi pongo tante domande: perché si viene al mondo e perché si deve soffrire...*

È il 3 maggio. *Abbiamo passato insieme tutte queste ore, io e Can. A momenti parlavamo animatamente, a momenti stavamo zitti zitti. Ci chiedevamo, in silenzio, quando ci saremmo rivisti e se ci saremmo rivisti. Ci rivedremo soltanto quando il nostro paese sarà riunito, se tutti e due saremo sopravvissuti alla lotta. Mi dispiace anche di non rivedere i miei genitori, i miei fratelli, le mie sorelle. Non ho più tempo per cercarli e sapranno in quali difficoltà mi dibatto? Ah, la guerra... la morte... Com'è brutta la guerra, com'è brutta la morte! Partirò fra poco e sto piangendo. Non sono un vigliacco. Mi sento deciso, anzi, e forte. Ma sono una creatura umana e non posso rinunciare ai sentimenti. E le lacrime cascano. Addio, mia adorata. Quante cose restano da fare. Devo portarti la bicicletta e alcuni libri. Speriamo che Chien mi accompagni con l'automobile, così metto la bicicletta sull'automobile e ti rivedo prima. Can... il tuo cuore nei tuoi occhi. Un cuore rotto. Ma un giorno non ci sarà più un diavolo americano in questo paese. Se non fosse per gli americani io e te non ci daremmo baci d'addio.*

È il 4 maggio. *Ho salutato anche i miei amici. Quante sere abbiamo trascorso insieme bevendo tè e gioia e dolore. È stato doloroso separarsi anche da loro. Sono finiti i bei giorni. Incomincia la vita dell'esercito.*

È il 5 maggio. *Il mio primo pasto di soldato. Oggi mi sento come se fossi un anno più vecchio. Non ho ancora l'uniforme ma sono orgoglioso di me stesso. Ora vengono ad organizzarci in squadre e pattuglie, e a darci materiale per camuffarci e cibo e acqua. Partiamo stanotte per Nghia Dan dove resterò sette-otto giorni. Do un ultimo sguardo a Phu Quy: queste verdi foreste, questi campi sterminati, questa terra così amata. Quanti anni ci ho vissuto? Io l'abbandono e mi appresto a marciare sulla strada numero 15, con un bel pacco pesante sulle spalle. È ormai buio e s'è levata la luna. Illuminerà la colonna durante il cammino.*

È il 6 maggio. *Ma indovina un po' chi incontro marciando? La mia amica Tran Thi Han di cui ero innamorato da ragazzo. Che sorpresa. Ci siamo scambiati una affettuosa stretta di mano, abbiamo pronunciato poche parole e poi ci siamo detti addio un'altra volta. Lei ha riso: « Ci diciamo sempre addio noi due ». Oh, Han! Che stupore quando t'ho visto sulla porta di casa! Capirai mai che mi ha fatto tanto ma tanto piacere? Signorina Tran Thi Han, cooperativa di Dhai Thanh, provincia di Nghia Bin. Dieci meravigliosi e indimenticabili minuti mi hai dato, anche se ormai io amo un'altra. Poi ci siamo rimessi a marciare e abbiamo passato Nghia Binh e Nghia Dong. Siamo ora a Nghia Hop. Sono esattamente le tre del mattino e siamo molto stanchi. Nessuno parla, nessuno canta.*

È il 7 maggio. *Ho dormito pochissime ore, sono troppo stanco, e la notizia che faremo un bivacco a Nghia Thai mi riempie di gioia. Ho chiesto il permesso di fermarmi e veder mio fratello Bay Luan che abita da queste parti, così posso mandare due parole a mio padre... Riprendo il diario, ho visto Bay Luan. Ho anche mangiato con lui, com'era contento. Ero contento* anch'io sebbene per raggiungerlo abbia dovuto guadare il fiume. Menomale che l'acqua non era troppo alta. Sono stato con Bay Luan fino alle due del pomeriggio, poi sono tornato alla mia unità. Abbiamo bivaccato fino alle sei e poi ci siamo rimessi in viaggio. Questa è la seconda notte che passo lontano da casa, lontano dalla mia Can. La luna è nascosta fra le nubi perché ha piovuto ma il tempo è buono. Gli uomini parlano e ridono rumorosamente. Siamo arrivati a una zona che mi è completamente sconosciuta. Le case hanno tetti rossi di mattone e le capanne sono fatte con paglia di riso. Le ragazze escono dalle case e dalle capanne per guardarci ma si nascondono con timidezza dietro gli alberi. Allora noi gridiamo: « Coraggio, belline, avanti! ». E loro scappano tra piccoli scoppi di risa.

È l'8 maggio. Oggi è il mio turno di cuciniere e devo trovare l'acqua. Ma accidenti: dopo una marcia di due notti consecutive, le mie gambe sono a pezzi. Ogni movimento mi dà un dolore terribile: non sono mai stato uno sportivo. Il pasto che devo cucinare consiste, al solito, in brodo di vegetali. Aiuta la digestione. E poi riso. La sera bisogna cucinare più riso, così se ne fanno palline ben pressate e si mangiano il giorno dopo durante la marcia. Vero è che la marcia di stanotte è stata abolita. Molti di noi sono delusi: siamo impazienti di raggiungere la nostra unità e renderci conto di cosa accade. Ma gli aerei americani piombano continuamente sulla strada e gettano i bengala: in tal condizione spostarsi diventa impossibile. Meglio così, in fondo. Sono tanto stanco. Marcio da dieci giorni ormai, portandomi dietro tutto l'amore per ciò che ho lasciato. E quell'amore pesa, pesa... Can mi manca terribilmente. Non faccio che pensare a lei, che contare i giorni che già mi separano da lei.

È il 9 maggio. Dopo la partenza delle prime squadre, sono apparsi tre aerei americani e subito abbiamo udito le esplosioni delle bombe cadute all'inizio della colonna. Un'ora dopo siamo arrivati in quel punto ma non abbiamo trovato morti: solo una vacca giaceva riversa sulla strada numero 15. Faceva un certo effetto, nel buio. Era la prima creatura che vedessi ammazzata

dalla guerra, mi spiego? Abbiamo avuto un riposo di mezz'ora,
per mangiare. Ma invece di prendere la mia ciotola di zuppa
mi son messo a scrivere. Mi piace più che mangiare. Presto ri-
cominceremo ad andare attraverso i villaggi del distretto di Do
Luong. Ai lati della strada cresce un'erba alta, verde.

È il 10 maggio. Siamo senza riso e qui non ne possiamo comprare perché non si trova. Non abbiamo mangiato che un poco
di segala e siamo andati a dormire con lo stomaco vuoto. Non
avremo riso fino a domani sera, se va bene. Com'è brutta la fame, non ho voglia di scrivere.

È il 26 maggio. Da sedici giorni sto male e non ho voglia di
scrivere. Continuiamo questa marcia nel buio, attraverso villaggi sconosciuti, e gli aerei americani non ci danno tregua.
Quando meno te li aspetti, piombano giù e ti illuminano con
quelle luci. Oggi però siamo fermi: ci hanno raggruppato in
squadre di sei uomini ciascuna per tagliare la legna. Ho tagliato legna per sei ore. Ma questo non è nulla in confronto alle
sanguisughe. Dal momento che abbiamo messo piede nella
giungla e nel clima umido, abbiamo incominciato a conoscere
il nostro peggior nemico: le sanguisughe. Maledizione a loro.
Sono dovunque e saltano addosso al primo uomo che vedono.
Malgrado la cura che mettiamo a coprire ogni parte del corpo,
riescono ad attaccarsi, e tutte le volte che sento una puntura al
piede so cos'è. Mi tolgo la scarpa e, immancabilmente, il piede
è coperto di sangue. Disgustoso.

È il 27 maggio. Abbiamo fatto un bagno nel fiume Lam e ci
siamo rimessi in marcia. Ciascuno di noi doveva portare due
ceste addosso, e per cibo non abbiamo ricevuto che una pallina
pressata di riso. Al tramonto ci siamo ritrovati di nuovo nel distretto di Do Luong, vale a dire che siamo tornati indietro. Ci
dirigiamo verso Ngoc Son, Lem Son e Boi Son. La mia borraccia è vuota, le mie spalle sono gonfie e mi fanno male. Ogni
volta che sposto una cesta, devo fare uno sforzo terribile. Ho
anche i piedi coperti di piaghe e non ce la faccio più a tirare

avanti. La mia unità è armata solo di fucili, il nostro compito è di appoggiare la fanteria. Così le ceste che portiamo sulle spalle sono colme di esplosivo: destinato ai bunker e ai carri armati americani. Siamo alloggiati per ora nella provincia di Nghe An, distretto di Thanh Chuong, villaggio di Than Phong. Viviamo fra la gente del villaggio e giorno per giorno ne guadagniamo l'affetto. Ma non ho notizie di Can.

È il 1° giugno. È quasi un mese che sono nell'esercito. E non facciamo che allenarci: a procedere carponi, a rotolarci nelle buche, perfino a saltare sugli alberi e nasconderci tra le foglie. Sono esercitazioni dure, tanto più che fa caldo: anche il vento che viene dal Laos è così caldo. Ma le durezze di questa vita hanno rafforzato la nostra capacità di sopportare. A me hanno addirittura restituito l'entusiasmo. Negli ultimi tre giorni abbiamo avuto corsi di politica e alcuni di noi si sono offerti volontari per entrare nel Vietnam del Sud attraverso il Laos: lì combattere l'aggressore americano. Io sono fra quelli. Però mi manca Can e mia madre. Domani è giorno di riposo e ho chiesto il permesso di fare una visita a casa: i miei genitori non vivono lontano da qui. Il permesso m'è stato accordato perché mi sono offerto di entrare nel Vietnam del Sud, e alle quattro del pomeriggio partirò insieme a Vi. Punteremo su Trang Ke attraversando le montagne a zig-zag. Sarà una lunga marcia, però cosa importa? Mi sento pazzo di felicità: rivedrò mia madre, i miei parenti.

È il 2 giugno. Li ho visti ma non ho visto mia madre. Che sfortuna, madre! Quando sono arrivato erano le undici e mezzo di sera, il cuore mi batteva forte. Ho abbracciato Van, e la nonna, gli zii, le zie, i cugini, poi ho chiesto: «Ma la mamma? La mamma dov'è?». Non c'era. Era andata a Dong Noi la mattina. Madre mia, quanto soffrirai quando ti diranno che sono venuto e non ti ho trovato. Ho sofferto anch'io. La famiglia m'ha fatto un gran pranzo, il primo pranzo dacché sono nell'esercito, ma non avevo fame: pensavo a te, mamma. Forse non capiterà più un'occasione come questa... Sono così deluso. Ti

*ho aspettato fino a mezzogiorno ma tu non sei arrivata e son
dovuto partire. Mi avevano caricato di palline di riso, altro cibo, ma non me ne importava nulla. Ero così commosso quando
li ho salutati che non sono riuscito a trattenere le lacrime... Me
ne sono andato tra gli alberi, il villaggio spariva un po' per
volta dietro gli alberi, e singhiozzavo. Anche ora le lacrime cadono sul mio libriccino. Che peccato, mamma. Non siamo mai
stati fortunati, noi due. Ora sono dinanzi alla casa di Vi.
Aspetto che saluti i suoi genitori, poi continueremo il viaggio.*

*È il 3 giugno. È stato un viaggio duro. Verso le tre del pome-
riggio, mentre ci apprestavamo a guadare il fiume, un aereo
nemico è apparso in cielo e s'è messo a mitragliarci. Abbiamo
dovuto stenderci in un fossato e pregare per la nostra anima.
Le pallottole ci cadevano intorno, sfiorandoci. Ma né io né Vi
siamo stati colpiti e così verso le quattro abbiamo potuto rimetterci in viaggio, al tramonto siamo giunti a Trang Ke dove
abbiamo conosciuto una bella ragazza dalla voce squisita. Andava al tempio e così per una trentina di metri abbiamo camminato insieme. Mi ha detto di chiamarsi Tren Thi Huong.
Ripensando a lei sento come una carezza sul cuore: ha la stessa
voce di Can, e anche nelle guance le assomiglia un pochino.
Ho scritto un'altra lettera a Can. Le ho scritto ben dieci lettere
in un mese: senza mai avere risposta. Mai.*

*È il 7 giugno. È tutto il giorno che ho un mal di stomaco in-
sopportabile. Son venuto a riposarmi in una casa, mi sono
guardato in uno specchio, e non mi sono riconosciuto. Non ero
mica così brutto un mese fa. Ora i miei zigomi sono così pro-
nunciati, la mia pelle è così tesa, che sembro un teschio. Il fatto è che non mangio. Anche stasera ho mangiato un po' di riso
bollito e basta: non sono riuscito a mandare giù altro. Sono
stanco, sono distrutto, ma tento ugualmente di scrivere perché
ho bisogno di confidarmi con qualcuno. Sia pure un pezzo di
carta. Vedi, pezzo di carta, non è tutto brutto alla guerra: per
esempio si incontrano persone buone, alla guerra, come i mem-
bri della cooperativa Thanh Long, nel villaggio di Thanh*

Phong. Lo zio Quy, lo zio Duong, il signor Lam... Gente deliziosa che si prende cura di noi come se fossimo parenti. Veri socialisti, poi: dividono con noi tutto ciò che hanno, da una tazza di tè a una patata. Io mi sento con loro come un pesce nell'acqua e li ricorderò con affetto finché campo. Però tante altre cose son brutte. I mitragliamenti, e la fatica, e il mal di stomaco. Quanto mi fa male lo stomaco. Devo smetter di scrivere. Ma come facevo, prima, a scrivere tutti i giorni?

È il 16 giugno. Praticamente sono stato malato fino al giorno in cui ci siamo rimessi in marcia. Ora siamo nella cooperativa Long Minh, nel villaggio di Minh Son. È un luogo stupendo. C'è un laghetto letteralmente coperto di fiori di loto. Mandano un profumo così delicato. Non c'è nulla di più bello che un fiore di loto.

È il 4 luglio. Due mesi! I mesi passano e mi spezzano il cuore. Soffro. Due mesi da quando l'ho lasciata, e neanche una parola in due mesi. È duro a sopportarsi. Non le sarà mica successo qualcosa? Non sarà mica rimasta sotto un bombardamento? Alla guerra può succedere tutto.

È il 15 luglio. È un gran giorno. Ho ricevuto una lettera da Can. La prima lettera da Can. La mia Can aspetta un bambino.

È il 17 luglio. È il mio compleanno. Tutti i miei compleanni li celebravo a casa. Stavolta cade di sabato. A casa sarebbe stato un buon giorno ma alla guerra non c'è differenza fra sabato e domenica. Non posso neanche festeggiarlo riposandomi: il comandante ha avuto la bella idea di organizzare uno spettacolo per tirarci su il morale, e son costretto a tirarmelo su lavorando. Mi ha appiccicato la rogna dell'organizzazione, accidenti! Non me ne importa nulla dello spettacolo.

È il 18 luglio. Te l'avevo detto, mio diario, d'aver chiesto una licenza per andare da Can? Credo di no. Ero così preoccupato per ottenerla che non ne volevo neanche parlare. Ebbene, l'ho ottenuta! È straordinario. L'ho saputo ierisera. Mi ha chiamato il comandante e m'ha detto: « Ho un regalo per il tuo compleanno ». Io credevo che mi desse un oggetto e mi sono un poco commosso. Ma quando ha esclamato: « La licenza è ottenuta! » mi sono parecchio commosso. Non so cosa dire, non so cosa aggiungere. Sto perdendo la mia capacità di esprimermi con le parole. Forse mi sto abbrutendo. O è la gioia? Ho troppa gioia addosso. Il viaggio durerà dieci giorni. Per dieci giorni mangerò gioia.

È il 26 luglio. Sono in viaggio da quasi otto giorni, sto marciando lungo la strada numero 7 alla velocità di sei chilometri all'ora. Stamani ho mangiato solo una ciotola di riso ma non me ne importa, la gioia mi toglie la fame. Mi toglie anche la paura: presso Song sono stato mitragliato da un aereo americano. Ma il panico non mi ha stretto le gambe come quel giorno sul fiume con Vi, mi son gettato in un buco e via. Ora sto avvicinandomi a Dieu Chau, dove sono nato. Arriverò verso le quattro del pomeriggio e mi diranno che i miei genitori sono ancora nei campi. Sono così felice. Via, rimettiamoci in cammino.

È il 27 luglio. Ho abbracciato la mamma e il babbo e gli altri parenti. Non mi sentivo nemmeno più stanco e ridevo perché loro mi trovavano magro. Ridevo... Non facevo che pensare al momento in cui avrei rivisto la mia Can. Mi dicevo: Ecco cosa farò, camminerò per un pezzo lungo la ferrovia, poi girerò a sinistra sul fiume Tien, poi arriverò a Hang Dua e prenderò l'autobus per Phu Quy. Parte alle nove di sera, quindi viaggerò in autobus fino a mezzanotte e... Non ho preso l'autobus delle nove. Io ero lì ma l'autobus no. Sono passate le dieci, e poi le undici, e poi mezzanotte... Poco dopo mezzanotte è arrivato, maledizione, ma non andava a Phu Quy. Andava a Vinh. Ho potuto salire sull'autobus per Phu Quy solo all'una del mattino, e poi è partito alle tre. E ho perso una notte che potevo passare con Can. Ora sono le cinque del mattino, l'autobus corre nel buio e io mi sono appena svegliato da un sogno: sognavo di dormire fra le braccia di Can. Speriamo di arrivare prima del *giorno perché viaggiare di giorno lungo queste strade non è prudente. Tutti i passeggeri dicono ridendo all'autista: « Svelto, svelto! Se Johnson ci vede dall'alto dei cieli, ci riempie di pallottole! ».*

È il 28 luglio. *Forse è sciocco, in un giorno come questo, sprecare il tempo scrivendo un diario. Ma in questo momento lei dorme e io non riesco a dormire perché continuo a ripetermi: sono qui con lei! Voglio dirti tutto, mio diario. L'autobus è arrivato alle cinque e mezzo del mattino. Sono corso al ponte per attraversarlo ma il ponte non c'era più. Era stato distrutto dalle bombe e ne avevano rizzato un altro, di barche, cento metri più in là. Finalmente sono stato dall'altra parte del fiume. Che tragedia, oh, che tragedia! La città è completamente devastata dai bombardamenti americani. Una città ridotta completamente in rovine. Nel parco c'è un cratere enorme, e un altro cratere molto grande è nel punto dove sorgeva il negozio del mio libraio. Neanche la strada esiste più. Dei ristoranti di Tay Hieu, della scuola commerciale, della cooperativa, infine del mio laboratorio, non rimane nulla fuorché le fondamenta. Una tragedia mille volte maggiore di quello che temevo. Nghia Dam, la mia Nghia Dam che era un posto così allegro, è ormai una città fantasma. Mi aggiro fra le macerie smarrito, pensando che vivevo qui, lavoravo qui, e non vedo che buchi ed erbaccia. Mio diario, quanto ho sofferto. Non facevo che ripetermi: e se la mia Can fosse morta? Mentre camminavo verso il centro del dipartimento agricolo ero così sconvolto. Ho incontrato il mio amico Nung e gli ho chiesto di portarmi lo zaino perché non ce la facevo più. Poi sono corso a casa con lui perché da solo mi sarei sentito male. Corro, entro, grido: Can! E Can non c'è. Chiedo dov'è. Mi rispondono che è nella piantagione di gomma dove facevo le mie ricerche di laboratorio. Una bicicletta, dico, una bicicletta! Mi danno una bicicletta. Ci salto sopra e pedalo. Ed eccola che mi viene incontro. Scendo di bicicletta, so dirle soltanto: Can! Poi ambedue abbiamo l'impulso di gettarci le braccia al collo. Ma ci tratteniamo: non sta bene, troppa gente ci guarda. E ci sfioriamo appena le mani, ci fissiamo. Gli occhi negli occhi. Quanto tempo resterai, chiede Can. Due giorni, rispondo. Due giorni soli, sussurra. Hai ragione, Can. Tutto questo viaggio, a piedi, pei monti, dieci giorni di viaggio per restare solo due giorni con te.*

È il 30 luglio. *Devo partire questa mattina per presentarmi alla mia unità domani sera. Can mi ha preparato in silenzio la colazione, ed anche un pacchetto di riso da mangiare in viaggio. Era l'alba. In silenzio abbiamo fatto colazione: guardandoci fissi. Il mio cuore era a pezzi, e credo anche il suo. Fra poco le darò l'ultimo bacio, l'ultimo sguardo, e me ne andrò. Non fo che ripetermelo mentre lei si prepara per accompagnarmi all'autobus, e io scrivo per fare qualcosa. Per darmi un contegno. Per non impazzire mentre aspetto. Viaggerò in autobus fino a Tay Hieu, e qui prenderò un altro autobus. Addio, Can. Sento che questa volta è l'ultima volta, ho il presentimento che non ci rivedremo mai più. Ma ovunque vada, per quanto resti lontano da te, forse fino alla morte, il mio amore resterà intatto. Addio, mia Can. Come vi odio, imperialisti americani, per le sofferenze che ci causate.*

È il 31 agosto. *Un altro addio. Io passo la mia vita a dire addio. Per un colpo di fortuna, ho potuto rivedere mia madre. Ci hanno mandato a prendere alcune munizioni vicino al mio villaggio e così ho dormito a casa, ho fatto colazione con la mamma. Ma l'ho lasciata alle otto del mattino. Mi ha accompagnato per un lungo tratto di strada, e ha voluto portare lei il mio zaino. Era pesante ma gliel'ho lasciato portare perché ho capito che ciò la rendeva felice. Poi me l'ha rimesso sulle spalle, con una carezza, e ci siamo divisi. Senza dirci una sola parola. Era come se non avessimo da dirci più nulla, fuorché il nostro dolore.*

È il 14 ottobre. *Ho scritto una lettera a Can e potrebbe essere l'ultima. Uno di questi giorni andrò in combattimento e forse morirò. Non ricevo notizie da Can da moltissimo tempo. Invece ne ho ricevute da Vinh e da mio padre. Perché?*

È il 18 ottobre. *Non ti parlo quasi più, mio diario. Non sono più lo stesso uomo. Abbiamo cominciato ad andare in combattimento, e non sono più lo stesso uomo. Prima di ogni combattimento penso che non ce la farò, che morirò, e quando mi ritrovo vivo mi prende una specie di stupore. Di incredulità. Dopo cinque mesi nell'esercito sento di aver davvero sacrificato tutto al mio paese: la mia famiglia, il mio lavoro, la mia felicità.*

È il 22 ottobre. *E sono quarantadue giorni che siamo fermi qui a Hung Dao. Non ci siamo mossi che per affrontare qualche battaglia in zona nemica, e sono ormai abituato a questo villaggio, a questa gente. Ma ora devo prepararmi per abbandonarli. Ci aspettano le operazioni nel Laos. Resteremo nel Laos forse un anno, forse due, per adempiere il nostro dovere verso quel paese. Tutto è pronto per partire. Riprenderò il mio diario durante una sosta della marcia... Ecco, siamo partiti alle quattro del pomeriggio. Il cannoncino e lo zaino mi pesavano sulle spalle. Il cannoncino soprattutto, e due o tre volte sono caduto. Mi hanno anche preso in giro. Abbiamo attraversato Hung Dao, Rung Thong, Xom Cat, e poi abbiamo camminato per quattro chilometri lungo le dune di sabbia del fiume Lam. L'acqua del fiume era limpida e decine di barche aspettavano di portarci sulla riva opposta. Non solo la nostra unità che ha meno di cento uomini ma anche molte altre unità. Erano le nove di sera quando abbiamo attraversato il fiume. Avevo fame e mi sono mangiato tutte le palline di riso. Ora sono le undici, aspettiamo di rimetterci in cammino ma sono stanco.*

È il 23 ottobre. *Quando dobbiamo arrampicarci per colline rocciose, come oggi, il bastone diventa un vero compagno. Si contano meglio i chilometri: meno cinque... meno quattro... meno tre... meno due... meno uno... il bivacco! A volte, quando arriviamo al bivacco, non ho voglia nemmeno di scrivere: mi addormento subito. Ed è duro, dopo, svegliarsi. Meno male che quando passiamo attraverso i villaggi la gente ci aiuta a* portare il peso. Le ragazze soprattutto. Qui a Son Hoa ho conosciuto quattro donne deliziose: la signora Que, la signorina Dao, e le bambine Cuong e Duong. Si sono divise il mio peso e me l'hanno portato per quindici chilometri, lungo il sentiero. Con una grazia, una forza. Ora ci stiamo riposando per affrontare la marcia notturna. È meglio marciare di notte, così gli aerei americani non ci vedono. A volte mi chiedo a che servano i loro bengala.

È il 26 ottobre. *Giorni difficili. Mi hanno perfino rimandato a Nghe An e non per la vecchia strada ma per la strada di Truong Than dov'era la cittadella della dinastia Le. La montagna era alta, il viottolo stretto, un momento di disattenzione e si rotolava giù: a capofitto. Ora stiamo proseguendo tutti insieme per Hung Dao e, dopo aver mangiato a Pham Thi, siamo venuti a Nam Lien. Questo posto è la terra natale dello zio Ho, cioè del nostro capo Ho Ci Min. Mentre andavo alla cooperativa Lien Tuong, per vedere il mio amico Truong, sono passato dinanzi alla casa dello zio Ho. Essa consiste di due semplici capanne coperte di paglia di riso e circondate da una staccionata di bambù. Avevo sempre desiderato conoscere la casa natale dello zio Ho e vederla mi ha fatto una certa impressione. Le finestre sono coperte da belle tendine di bambù e a destra c'è un vecchio albero di banane. C'è anche un albero di pompelmi, e poi c'è un aranceto. Mi sono permesso di cogliere una banana, un pompelmo, una arancia. M'è sembrato un posto grandioso sebbene fosse piccolo, piccolo.*

È il 5 novembre. *Ho ricevuto tre lettere da Can. Tutte insieme. Allora, appena giunto a Son Ninh, sono entrato in un negozio dove fanno le fotografie e mi sono fatto fare una fotografia e gliel'ho mandata. Le ho anche scritto. E poi ho scritto a mio padre, a mia sorella Lang, al mio amico Thuoc il libraio. Ma non provo più gusto a scrivere. Sono troppo esausto, come scoraggiato. Forse dovrei smetterla con questo diario. A che serve?*

È il 23 dicembre. *Sessanta giorni abbiamo passato in questo dannatissimo posto chiamato Son Ham: e sempre ad esercitarsi per la missione che ci aspetta. Oggi incominciamo la lunga marcia e continuo a chiedermi dove andremo e cosa faremo e in che cosa consiste questa missione di cui parlano tutti. Ha l'aria d'essere una missione importante, e tuttavia nessuno ha la minima idea di cosa si tratti. Dovremo farci ben duecento chilometri a piedi. Io, solo a pensarci, mi sento male. Duecento chilometri su per i monti, lungo i ruscelli, con lo zaino e il fucile e le munizioni. Non posso pensarci. Ho ripreso il mio diario per sfogarmi un po'.*

È il 24 dicembre. *Abbiamo ripreso a marciare alle cinque del mattino: era già buio. Sono così stanco, mi fanno male le gambe. Il terreno continua ad essere accidentato, si procede per viottoli ai lati dei quali c'è solo il precipizio. Meno male che quando arriviamo a una casa di montanari o di contadini ci viene permesso di entrare e di rifocillarci. Ma che vita è questa? Quanto costa caro l'amor di patria.*

È il 25 dicembre. *È Natale, Gesù Cristo! È Natale e mi porto il cannoncino addosso. Bel Natale. Abbiamo marciato per tre giorni nella giungla e le zanzare ne hanno approfittato fino in fondo. Sono anche caduto e mi sono provocato una distorsione alla caviglia. Ora è tutta gonfia, e anche la gamba è tutta gonfia, e i piedi sono pieni di vesciche. Siamo rientrati nella strada principale e poi abbiamo percorso la ferrovia, approfittando dell'oscurità. La pioggia diventava sempre più pesante, quasi ci bucava la faccia. Poi, alle tre del mattino, abbiamo dovuto guadare un fiume freddissimo. Siamo arrivati a un villaggio cattolico, nel distretto Chu Le, al sorger del sole. Ora siamo fermi qui, a cuocere il riso e a regalarci un po' di riposo. Ci rimetteremo in viaggio all'una di notte ma ho i piedi troppo gonfi e mi chiedo se sarò in grado di seguire la mia unità fino in fondo. La pioggia continua e molti tratti di strada sono distrutti dalle bombe. Anche i ponti. Gli americani non ci risparmiano, qui. La vista di tanto sfacelo mi fa sentir peggio e spesso devo fermarmi sul ciglio della strada per riprendere fiato. Ma poi, per raggiungere gli altri, devo mettermi a correre. E la caviglia duole, duole... Ci hanno dato bende di nailon per fasciarci le gambe e difenderci dalle sanguisughe. Ma io non ce la faccio più, più... Ah, che brutto Natale. E Can? Cosa fa? Come sta? Il bambino cresce bene in lei? È strano: penso continuamente a Can ma in modo diverso. Come rarefatto.*

È il 29 dicembre. Settimo giorno di marcia. Di solito ci alziamo prima dell'alba, per camminare nel buio ma freschi. Non sarebbe così tremendo se la caviglia non mi dolesse. A volte i miei compagni mi portano il cannoncino ma neanche questo sollievo mi è di molto aiuto. Il fatto è che se non ti fai strada nella giungla, fra le sanguisughe, devi scalare montagne. Menomale che in questo tratto ci sono i tunnel. I tunnel sono lunghi corridoi scavati nella montagna: naturalmente ne avevo sentito parlare, però non li avevo mai visti. Si cammina bene, dentro, ma l'oscurità è completa. Bisogna parlarci continuamente per restare in contatto. A un certo punto diventa un po' soffocante. Come quel tunnel di duecento metri. Uno non abbiamo potuto infilarlo: era tappato dai massi caduti dopo un bombardamento. Così siamo stati costretti a salire su per la montagna, e pioveva. Piove ancora e tutte le volte che la caviglia mi fa cilecca cado per terra, impiego almeno cinque minuti per rimettermi in piedi. Mi consolo pensando che la volontà umana arriva sempre dove vuole, sconfiggendo le distanze e le sanguisughe e un corpo che duole.

È il 30 dicembre. C'erano ancora tre chilometri prima di arrivare al ferry Kinh Chau. Così, quando abbiamo visto quella casa, io e Ly ci siamo disfatti del nostro peso e siamo entrati a chiedere qualcosa da mangiare. Il padrone di casa ci ha dato una pentola di patate appena cotte e un grappolo di banane. Ci siamo ingozzati fino a diventar rossi e poi abbiamo chiamato Nuoi e Mai perché prendessero il resto. Volevamo pagarlo, quel brav'uomo, ma lui non ha assolutamente voluto. E ci ha offerto perfino una tazza d'acqua calda: perché digerissimo meglio. L'episodio ci ha messo di buonumore e, arrivando al ferry, avevamo addosso una gran voglia di scherzare. Nel buio, Ly ha gridato la parola d'ordine: «Son!». Qualcuno ha risposto con l'altra parola d'ordine: «Sam!». Allora ho gridato: «Lunga vita allo zio Ho!». E Ly: «Idiota! Vuoi farti sentire?». Il fatto è che la caviglia mi duole assai meno, e che domani sarà l'ultimo giorno della lunga marcia. Come siamo sporchi! Puzziamo in un modo insopportabile. Non vedo l'ora di lavarmi un po'. Pensa: fare il·bagno in una vasca d'acqua calda. Il mare ormai è distante pochi chilometri.

È il 9 gennaio. Oggi è un giorno molto importante per me perché è il primo anniversario del mio matrimonio. Un anno! Non si può certo dire che io e Can siamo una coppia fortunata. Dopo il matrimonio siamo rimasti insieme solo quattro mesi e in quattro mesi abbiamo vissuto gran parte del tempo a venti chilometri di distanza perché il mio laboratorio era lontano. In fondo ci vedevamo solo alla fine della settimana e nei giorni di festa. Poi mi richiamarono alle armi e rividi Can per due giorni, tre mesi dopo. E poi più nulla. Che crudele destino per un vero amore. Mi chiedo cosa stia facendo la mia Can, non le sarà mica successo qualcosa? Per settimane, lo ammetto, non ho pensato molto a lei, stavo così male, ma ora ho ripreso a sognarla. E, mentre si avvicina il Tet, la sua mancanza è una spina nel cuore. Questo sarà il mio primo Tet lontano da casa. Vorrei che il Tet non esistesse perché serve solo a farmi soffrire. E dover tenere questa pena tutta per me. Non avrò che il mio diario cui confidarla. Mi aspetta una gran solitudine. E poi, forse, la morte.

È il 14 gennaio. Continuano a dire che sta per prepararsi qualcosa di grosso. Siamo pieni di armi e scorte di cibo. Passiamo attraverso i villaggi quando la gente dorme ancora. Ciascuno di noi ha addosso almeno cinquantadue chili di peso fra munizioni, riso, eccetera. All'alba siamo esausti. Ci nascondiamo e ci riposiamo fino alle cinque del pomeriggio e poi la marcia riprende. Ma dove andremo?

È il 18 gennaio. *Pochi giorni ancora e poi celebreremo il Tet. All'improvviso ci hanno ordinato di non stare più nelle case, di non entrarci nemmeno. C'è qualcosa di nuovo nell'aria. Dobbiamo stare alla macchia, zitti. Così quando la gente celebrerà gaiamente il Tet noi dovremo starcene zitti e nascosti alla macchia. Ricordo l'ultimo Tet, io e Can lo passammo insieme. Eravamo contenti.*

È il 19 gennaio. *Ciascuno di noi ha ricevuto un chilo di riso glutinato. Così potremo farci i dolci per il Tet, suppongo. Bella consolazione. Ha ricominciato a piovere, una tristezza. Ma ci hanno dato di nuovo il permesso di entrare nelle case e il contrordine mi ha condotto nella casa del signor Viet, un brav'uomo.*

È il 20 gennaio. *La mia famiglia mi manca orribilmente, altro che dolci di riso glutinato. Cerco di nascondere ciò che provo, anche per non rattristare il signor Viet che è tanto gentile, ma mi sorprendo sempre a pensare a Can. Non più in quel modo rarefatto ma nel modo intenso dei primi giorni. Penso anche ai miei genitori, a mia madre l'ultima volta che la vidi e volle portarmi lo zaino e mi guardò allontanare senza dire una parola. Ci hanno dato anche una porzione di carne a testa. Dovrei esser contento ma ho scoperto che mentre dormo piango.*

È il 21 gennaio. *La porzione di carne è triplicata. Ma quanto mangiare ci danno. È strano però che ognuno mangi in silenzio, come perduto in ben altri pensieri. A mezzogiorno ci siamo rimessi in marcia. Io avevo sulle spalle un cannoncino. Ci è stata raccomandata una gran discrezione. Ci muoviamo sempre col buio e, poiché piove, la strada è scivolosa. Carichi come siamo, ci mettiamo due ore a coprire una distanza di due chilometri. Sdrucciolare con un cannoncino addosso non è piacevole.*

È il 22 gennaio. *Posso dire che oggi è il primo giorno in cui costruiamo una strada per liberare il Vietnam del Sud. Continua a piovere ma ciascuno di noi è risoluto a portare fino in fondo la grande missione. La 13ª Compagnia ha l'onore di aprire la colonna. D'ora innanzi avrò un nuovo indirizzo: 8757 HS. L'ho scritto a Can. Nella giungla ho colto e mangiato fichi deliziosi.*

È il 23 gennaio. All'improvviso abbiamo udito gli aerei e qualcuno che gridava: « Stanno bombardandoci ». Un secondo dopo un aereo s'è buttato in picchiata sopra di noi. È seguita una immensa esplosione e frammenti di bomba sono caduti ovunque. Uno m'è passato a neanche quattro centimetri dalla testa. Ho udito il fischio. Ma quali leggi misteriose regolano l'esistenza e la sopravvivenza di un uomo? Se la mia testa fosse stata spostata quattro centimetri più in là, ora sarei morto. Possibile che tutto accada per caso? Dopo il fischio sono corso ad accucciarmi in un buco profondo appena quaranta centimetri, e le bombe hanno ripreso a cadere. Sono corso in un altro buco e qui ho trovato un compagno coperto di sangue. Gli ho gridato: « Sei ferito? ». Ha risposto: « Sì ». Mi sono avvicinato di più e mi sono accorto che aveva un piede quasi staccato dalla gamba. Alla gamba, ormai, non lo univa che un pezzo di pelle. Mi sono tolto la camicia e gliel'ho legata stretta intorno alla gamba per frenare l'emorragia. Poi ho chiamato un infermiere e insieme lo abbiamo trascinato sotto un albero. Il piede gli ciondolava su e giù come il pendolo di un orologio. Allora l'infermiere ha tagliato anche quel pezzo di pelle e ha buttato via il piede. Curioso, non mi ha sconvolto troppo. Mi sconvolse di più la vacca che vidi riversa quella notte. Forse perché era la prima creatura morta che avessi mai visto. Quando il bombardamento è cessato, intorno a noi c'era un gran fumo. Ho camminato un po' in giro e i crateri delle bombe erano tutti intorno al buco dove m'ero nascosto. Non posso crederci eppure l'ho scampata. Si vede che il mio destino non era di morire qui. Dov'è scritto ch'io debba morire?

È il 24 gennaio. Il glorioso momento che ho tanto aspettato è finalmente giunto. Il mio sogno è diventato realtà. Sono stato ammesso al Partito. Reggendo la bandiera del Partito con la mano sinistra, ho alzato la mano destra e ho giurato di servire il comunismo a costo di ogni sacrificio e di ogni durezza, di portare in fondo la missione affidatami dal Partito a ogni costo, incluso il costo della vita. È stata una cerimonia semplice e breve, ma commovente. Ora il mio motto è « Fedele al Partito, leale col popolo ». Il camerata Ho Dac Tien mi ha fatto da padrino. Mi sembra di avere una gran forza addosso. Durerà?

È il 26 gennaio. Ci siamo svegliati molto presto e abbiamo fatto colazione prima dell'alba. Tutto è pronto. Ho scritto una lettera a Can e l'ho affidata a un amico che è appena tornato dalla Tailandia. Spero che riesca a spedirgliela. Ho cercato di dirle in questa lettera le cose che mi sembrava di non averle ancora detto. Can, mia Can. Forse mi aspetta la fine, ma la fine del nostro amore non verrà mai. Non verrà nemmeno se io muoio e tu muori. Can, mia Can. Ora dobbiamo andare. Il comandante ci chiama e ci ordina...

* * *

19 febbraio. Si interrompe così. Dev'essere morto cinque o sei giorni dopo, alle porte di Saigon. A Than Son Nhut, forse, dove c'erano truppe nordvietnamite. Oppure è morto proprio il 26 gennaio, sotto un bombardamento simile a quello cui partecipai col capitano Andy sull'A37. Non fo che pensarci. E mi chiedo: lo avrà saputo Can? Magari no, ha appena ricevuto l'ultima lettera che lui le inviò, e gli scrive al nuovo indirizzo 8757 HS. Ne ho parlato perfino coi funzionari del Vietnam Documents and Research Notes, cioè coloro che traducono e catalogano i libriccini. Mi hanno sorriso e risposto che sono troppo romantica, lo sono come i vietcong i cui diari sembrano canzonette napoletane: parlano sempre d'amore. A proposito, mi sarebbe piaciuto leggere uno di quei diari d'amore? Ho detto sì certo, ed eccolo qui. Lo catturò il 6 febbraio scorso una pattuglia della Terza Divisione Marine Corps, nella provincia di Quang Tri, e stavolta non si tratta di un milite ignoto. Sul libriccino c'è nome e cognome: Le Vanh Minh, nato il 25 maggio 1942

a Quang Binh. È morto appena due settimane fa. Come sono svelti gli americani, come sono efficienti. Solo una cosa non capisco di loro: l'interesse che hanno a dar via certi fogli. È per correttezza o per ingénuità? Forse è per un calcolo ben meditato: ma quale? Traduco il diario di Le Vanh Minh con un nodo alla gola. Fuori esplodono i soliti colpi di cannone ed io penso a ciò che mi ha detto stamani François: « Non è facile piangere quando hai conosciuto la guerra, anzi è un gran lusso. Però questo lusso io me lo permetto: vi sono tre miliardi di uomini su questo pianeta, e piango per ciascuno di loro ». Per ciascuno di loro? Non sono d'accordo con lui. Bisogna scegliere gli uomini sui quali piangere: tre miliardi son troppi. E dacché ho in mano questi fogli io piango assai meno sui Larry e sui Johnny giunti qui con le loro vitamine, le loro razioni e il loro superequipaggiamento, le loro buone intenzioni. Le Vanh Minh mi piace di più.

DIARIO DI LE VANH MINH

Tuyet Lan, mia adorata! Non dovrei averti mandato una lettera tanto triste, lo so. Avrei dovuto capire che serviva solo a farti star male. Te ne chiedo perdono e non accadrà più, amor mio. Ma non posso stare senza scriverti, credi, e allora sai che farò? Ti scriverò lo stesso e terrò le lettere dentro il mio diario: per consegnartele il giorno in cui ci rivedremo. Oggi ne ho più bisogno di sempre perché oggi ricorre il giorno in cui qualcuno venne al campo di addestramento politico di Ha Tay, e mi serrò un braccio, e mi disse: « Sii forte, Le Vanh Minh, i tuoi genitori son morti ». Cominciai a tremare, poi a piangere come un bambino: tu sai quanto li amassi. Anche al campo di Ha Tay la mamma mi spediva poesie. Le rileggo e il dolore mi soffoca. In questo dolore penso all'alba che me ne andai e tu mi accompagnasti fino al fiume Hien Luong che divide il nostro paese in due parti. Stringevo le labbra, ricordi? Pensavo che da quel momento avrebbe diviso anche noi, e chissà per quanto. Finché il nostro paese si sarebbe riunito, e la primavera sarebbe di nuovo sbocciata coi fiori di loto e senza le bombe. Qui al Sud è sempre inverno: la nostra gente giace sotto il tallone ne-

mico, molti di noi son già morti e sepolti. Però hanno combattuto bene, sai? Ti saluto, Tuyet Lan. Tengo sempre la tua fotografia sul mio cuore. Siimi fedele.

Tuyet Lan, mia cara. Fiumi e montagne ci tengono separati, eppure mi sembra di vederti a ogni incrocio di strada, dietro ogni cespuglio d'erba, ogni albero. Una rondine vola verso il nostro villaggio. Le ho chiesto di portarti il mio amore e chiederti di aspettarmi pazientemente. Se tu soffri, anche il Vietnam del Sud soffre. I suoi singhiozzi salgono da ogni campo di riso, da ogni albero di cocco, da ogni canale. Il fiume Hien Luong non divide solo il nostro amore, divide l'amore di tanti. E se mi vuoi davvero bene, devi contribuire anche tu a questa lotta. Affinché sia fiero della fotografia che m'hai dato. Dovrà pur venire la felicità, per noi due, per tutti coloro che piangono come noi due.

Tuyet Lan, tesoro! Vorrei scrivere una poesia d'agosto per celebrare i tuoi vent'anni. E vorrei che i suoi versi contenessero tutto il mio amore per te e il mio odio per il nemico. Accetta questa lettera come una poesia. È il tuo compleanno, oggi, vero? Sei nella primavera della vita, della passione rivoluzionaria. Tu cresci con essa e con essa cresce la mia tenerezza per te. Mi sembra d'averti lasciato un momento fa: i miei occhi affamati seguono ancora il tuo vestito che si allontana, bianco, i tuoi capelli ondulati come i viottoli del nostro villaggio. Il mio amore è così rigoglioso: dolce come il profumo di un fiore di loto, fresco come l'acqua di un ruscello, prezioso come il sole che indora la terra. Esso mi aiuta quando vedo le bombe sul mio paese, le lacrime sul viso di una donna. Esso mi fa ergere come una montagna contro la tempesta, contro gli americani. Esso mi rende forte come un fiume che spinge al mare i detriti, gli americani. La montagna di Chi Linh e il fiume di Bach Dang che portan le tracce degli altri nemici sconfitti. Quanti nemici, sempre, hanno invaso il nostro paese. Da quanti secoli combattiamo. E che paese coraggioso è il nostro. Distruggeremo anche il nuovo nemico, Tuyet Lan.

All'ombra di un albero di cocco penso a te, Tuyet Lan. Siamo a Tri Thien, nella provincia di Quang Tri, e di fronte a me è il fiume Ben Hai con le sue rive di spiaggia bianca. È una mattina d'autunno e ho nostalgia della mia casa. Del resto ne ho sempre, anche quando mangio e siamo in marcia. Ma la nostalgia cresce ogni volta che vedo un fiore rosso: ti piacciono tanto i fiori rossi. A scorgerli, lanci piccole grida. Ah, se potessimo vivere insieme, anche qui. È bello, sai, qui. È bella la linea delle montagne, è bello il verde delle foreste, e lo svolazzar degli uccelli, e il tremolar delle foglie. Vorrei dipingere gli alberi di albicocco e i ciuffi di bambù e i petali delle orchidee. Per te. Ma la sera tutto cade in un silenzio sinistro. E ciò che era incantevole diventa orrendo. E mi manchi disperatamente, Tuyet Lan.

Continuo a non spedire queste lettere, Tuyet Lan. Però che sacrificio! Se davvero sei così forte, perché non puoi leggerle di volta in volta, Tuyet Lan? Perché mi costringi ad accantonarle così? A che vale scriverti se non sai cosa ti scrivo? Potrebbero ammazzarmi, Tuyet Lan, e allora il mio diario andrebbe perduto, tu non lo leggeresti mai. Sei in buona salute, Tuyet Lan? Mi sei fedele? Devi restarmi fedele, Tuyet Lan. Vedrai che la Resistenza non durerà a lungo: aspettami, Tuyet Lan. Un giorno tornerò. Te lo prometto, dolcezza mia.

Ho scritto una poesia per la mia mamma, Tuyet Lan. Ma la mia mamma non la leggerà mai. Così la metto da parte per te, Tuyet Lan.

> Madre cara! Io ti chiamo e sei così lontana,
> io ti chiamo e mi risponde un cervo.
> È venuto correndo da me, vagava nella foresta,
> ansimava come ansimavi tu sotto quelle bombe
> quando gridavi aiuto e nessuno ti udiva
> e il tuo cuore si disfaceva in mille pezzetti.
> A chi darò il mio affetto, ora, madre?

C'è una madre sola e non si sostituisce.
A volte sogno di tornare a casa, madre,
e torno ma niente è rimasto fuorché i crateri
i buchi delle bombe che agitano la mia vendetta.
Tutta la nostra casa è distrutta,
era così bella la nostra casa. Ricordi, madre?
Si leggeva insieme la storia di Kim Van Keou
e ci sembrava la storia più triste del mondo.
Non conoscevamo la tristezza, madre.
La tristezza è accendere questi bastoncini:
un bastoncino per te e un bastoncino per il babbo.
Ho comprato tre bastoncini e il terzo è per me,
lo tengo da parte per la mia tomba e parto.
Parto coi soldati che vanno in battaglia
però mi sento così solo, madre.
Mi sento come Luc Van Tien il Mandarino,
quando tornò a casa ed era ormai un Mandarino,
ma sua madre era morta, solo la fidanzata era viva,
Nguyet Nga che l'aveva atteso per ben dieci anni.
E lui pianse tanto che diventò cieco.
Così insieme al dolore io ti mando, madre,
il mio odio per loro che t'hanno ammazzato.
Il fiume può asciugarsi, la montagna può frantumarsi,
ma la mia vendetta sarà consumata, madre.
E non importa se dopo ammazzeranno anche me
senza accendere questo bastoncino.

Tuyet Lan, cuore mio. Io lo so che non vuoi udire da me parole di odio ma come è possibile non sentire odio? Io lo so che
tu credi al perdono ma come è possibile inchinarsi al perdono?
Io non penso che a questo, a distruggere gli americani. E mi
pare che perfino una pietra serva, perfino un fanciullo. Per
questo ti chiedo di partecipare con entusiasmo alla Resistenza
contro di loro. Non sei adatta, dirai. Non sembri adatta in
realtà. I tuoi capelli sono morbidi come la superficie di questo
ruscello, le tue mani sono tenere come i petali di questo fiore,
le tue spalle sono fragili come la tela di questo ragno, Tuyet

Lan: devi farlo ugualmente. E allora il tuo prossimo compleanno, tutti i tuoi compleanni saranno più allegri: dimenticherai d'esser cresciuta fra le esplosioni ed il sangue. Cuore mio, non essere demoralizzata. Lascia che lo sia soltanto io. Sono le difficoltà che ci insegnano a vivere, che ci aiutano a crescere. Vedi, siamo ora accampati in una foresta: fa freddo, piove, sono tutto intirizzito e bagnato. Ma se non combattessi, che uomo sarei? Non sarei nemmeno un uomo, sarei solo un coso intirizzito e bagnato. Ti chiedo di sentire ciò che io sento. Ed è tutto inutile, amore mio, perché non mi leggi.

È dura la vita di un guerrigliero, Tuyet Lan. Ma soprattutto la vita di un guerrigliero fedele alla sua sposa. Vi sono sere, sai, in cui sarei tentato di rispondere a un sorriso, a un invito. E mi dico: sarebbe tradire? E poi subito dopo mi dico: sì, sarebbe tradire! Non saprei mai, non potrei, Tuyet Lan. Oh, a volte invidio quelli che ne sono capaci, anche se poi mi vergogno di averli invidiati. Ti amo tanto, Tuyet Lan. Ti amo quando il primo uccello cinguetta al mattino e quando il tramonto fa arrossire il sole. Ti amo quando mi sento sveglio e coraggioso e quando mi sento esausto e vigliacco. Ti amo quando c'è il vento e quando c'è la rugiada, quando sono solo e quando sono in mezzo alla gente. Il suono di un flauto basta a riportarmi laggiù in riva al fiume, alle barche che solcano la corrente con le vele spiegate, a te e alle fossette che adornano le tue belle guance. Se non vuoi combattere, Tuyet Lan, non farlo. Non me ne importa nulla, mi importa solo che tu resti viva e che tu mi aspetti e che tu mi sia fedele. Perché se dovesse succedere qualcosa a te, mi getterei contro il fuoco della prima mitragliatrice.

Sono sciocco, amor mio, Tuyet Lan? Ho scritto una poesia anche per te. Gli altri guerriglieri mi prendono in giro quando mi vedono chino sui fogli. Dicono: scrive una poesia, scrive un'altra poesia! Ma io li lascio dire e fo e disfò finché son sodisfatto di ciò che rileggo. Sono sodisfatto di questa, infatti l'ho copiata senza una correzione. Eccola, Tuyet Lan. Parla di te e del nostro villaggio. In fondo siete la medesima cosa.

È a Quang Binh, il mio villaggio amato,
che i fiumi scorrono meglio,
che gli alberi di cocco gettano le ombre più lunghe,
che i pini marini regalano i pinoli più grossi
con piccoli tonfi educati.
È a Quang Binh che il verde è più verde
e il vento porta un profumo di riso sbocciato
e gli aironi coprono i campi con le loro ali bianche
e la sabbia ti scivola addosso come una carezza.
Perché a Quang Binh ci sei tu.
Io torno con la memoria a Quang Binh
e ricordo una ragazza del Nord,
ricordo i giorni vissuti con lei
dividendo dolcezze e amarezze.
La via della Rivoluzione è lunga, penosa,
ma la vittoria verrà, ragazza del Nord.
Libereremo questo nostro paese,
lo riunificheremo per non perderlo più.
Ritornerò a Quang Binh, sparirà il mio dolore,
il risentimento che le bombe hanno messo
nella nostra memoria, Tuyet Lan,
col fumo degli incendi, con le esplosioni.
Finirà tutto questo, Tuyet Lan, te lo giuro.
E le barche solcheranno ancora il mare aperto,
i campi di riso si faranno ancora baciare dal vento,
mentre si spargon le note di un flauto melanconico.
Fucili in spalla, i soldati vanno a combattere
gli americani per questo. Cioè per te, Tuyet Lan.

Non ci credo, Tuyet Lan. Non è vero, Tuyet Lan. Sono venuti
e mi hanno detto che sei morta, Tuyet Lan. Mi hanno detto che
sei morta come mia madre. Sotto un bombardamento. Non ci
credo, Tuyet Lan. Questo è troppo, Tuyet Lan. Questo non riesco a sopportarlo, Tuyet Lan, Dev'esserci un errore, Tuyet Lan.
Se non c'è io impazzisco. Sei viva, Tuyet Lan, e stai bene e mi
aspetti. Ci ritroveremo, Tuyet Lan, e cammineremo di nuovo

sulle rive del Lago del Cigno, o nel Golfo della Stella Gialla dove c'è sempre un poco di brezza. Quella brezza che a te piace tanto e ti scompiglia i capelli, Tuyet Lan. E ci guarderemo negli occhi, Tuyet Lan, le tue mani nelle mie mani, Tuyet Lan, e non ci lasceremo mai più. Non ci saranno altri addii sul fiume, Tuyet Lan. Tuyet Lan, Tuyet Lan, Tuyet Lan! Sto sognando, Tuyet Lan. Tu sei morta, Tuyet Lan. Ci rivedremo, sì, ma in un altro mondo: se c'è. Quando sarò morto anch'io. Perché ormai non mi resta più nulla, Tuyet Lan. Non m'importa più nulla di nulla, Tuyet Lan. Mi hanno chiesto di andare in pattuglia e ci vado. A morire.

* * *

21 febbraio. Barry Zorthian non avrebbe dovuto invitarmi a colazione proprio in questi giorni, anzi oggi. Invece l'ha fatto, onde informarmi di aver ricevuto un rapporto sugli articoli che ho scritto in Vietnam e annunciarmi, con la maggior delicatezza possibile, che tali articoli non gli sono piaciuti. La colazione era a casa sua e, a sottolineare la cordialità dell'invito, non si svolgeva in sala da pranzo bensì nella terrazza a vetri della sua camera da letto. Qui non c'eravamo che io e lui, come due fidanzati: per un folle momento ho quasi temuto che i miei articoli fossero un pretesto e che Zorthian si fosse improvvisamente innamorato di me. Ma il timore è scomparso quando ha posto la prima domanda che è scoppiata come un colpo di fucile sopra la tovaglia di trina, i bicchieri di cristallo, le posate d'argento.

« Darling, sei comunista? »

« No, Barry. »

« Molti dicono di no e invece lo sono. »

Era una stupenda giornata. Il cielo era terso e, contro l'azzurro accecante, struggente, si stagliava l'albero del suo giardino: un gran sicomoro dai fiori rossi. Ho pensato a Tuyet Lan cui piacevano i fiori rossi, poi, con calma, ho risposto a Zorthian che se fossi comunista non avrei alcuna difficoltà ad ammetterlo. Anche considerando che appartengo a un paese dove, in sostanza, è più comodo essere comunisti che non esserlo.

« La solita storia, vero Barry? Chi non è con voi è contro di voi. E chi non è con voi è iscritto al Partito. »

« Sei con noi o no? »

« No, Barry. Non sono con voi. Lo ero, molti anni fa, quando vi amavo. Ora non vi amo più. »

« Darling, cosa c'è di sbagliato in te? »

Ha detto proprio così. What's wrong with you. Neanche fossi malata, non so, o avessi dato segno di squilibrio mentale.

« Niente, Barry, ch'io sappia. Almeno lo spero. »

« Lo so che sei una brava ragazza. A good girl. »

« Molti non lo sanno. E spesso neanch'io. »

« Non fare la prepotente. »

« Non vedo nulla di prepotente nel dire che non sono una brava ragazza. »

M'ha fissato con bonaria indulgenza ed ha aggrottato la fronte, quasi avesse trovato la chiave di un mistero insolubile.

« Non sarai pacifista per caso? »

Ma ha pronunciato la parola pacifista nel medesimo tono in cui aveva pronunciato la parola comunista. Cioè come se fosse una bestemmia.

« Se vuoi. Non mi piace la guerra. »

« Quale guerra? »

« La guerra. Tutte le guerre. »

« Ah! Credevo questa guerra. »

« Questa, Barry, meno delle altre. »

« E allora perché ci vieni? »

« Perché, Barry... vediamo perché. Potrei dire perché credo nel mio mestiere, nell'aspetto morale del mio mestiere. Sarebbe una risposta, e in fondo lo è. Potrei dire perché voglio spiegare la guerra a quelli che non la conoscono. Sarebbe un'altra risposta, e in fondo lo è. Ma la ragione ultima è una ragione egoista: sono alla guerra perché voglio capirla. Si è sempre attratti dalle cose o dalle persone che non si capiscono. »

« Cosa non capisci? »

« Gli orrori, ad esempio. Gli orrori di cui la guerra si nutre. »

« Quali orrori? »

L'intera faccenda aveva qualcosa di assurdo, e di inutile.

Da una parte quell'albero coi fiori rossi che mi facevan pensare a Tuyet Lan, e dall'altra lui, col suo grande naso, il suo pericoloso prestigio, la sua melliflua indulgenza. Nel mezzo io, e una vecchia cameriera vietnamita che serviva in silenzio umile: trattenendo perfino il fiato. Ma ognitanto lanciava occhiate così intense che facevano quasi rumore.

« Via, Barry. Uccidere non è forse un orrore? Uccidere e farsi uccidere? »

« No, se la causa è giusta. »

« Anche se la causa è giusta. Del resto bisogna vedere se è davvero giusta, e la vostra non lo è. Vedi, Barry, io non vo in chiesa e non prego. Ma quel certo comandamento che dice "Non Uccidere", ecco: mi sta proprio bene. »

« Darling! Non sarai mica cristiana? »

« Non so. Però mi piacerebbe. »

Ha fatto un balzo. Poi s'è schiarito la gola e s'è messo a parlarmi. Con gentilezza, direi con dolcezza. Sembrava, sai, che si rivolgesse a un bambino grullo che ha bisogno d'essere illuminato, e naturalmente egli lo illuminava assai volentieri, perché credeva nella democrazia, nella libertà, perché rispettava tutte le opinioni ed era pronto a correggere le opinioni sbagliate, con la logica, mai con la violenza, in quanto era americano, e intendeva dimostrarmi che gli americani sono tolleranti, generosi, buoni, per via di questo facevan le guerre, sia in Vietnam che in Corea che in Europa, non dimenticassi l'Europa, perché chi era venuto a toglierci dalle grinfie dei nazisti in Europa, chi se non gli americani, e tra di essi lui, Barry Zorthian, anche se a quel tempo era nel Pacifico a giocarsi la pelle per la democrazia e la libertà. Come premessa è stata un po' lunga. E dopo tale premessa egli ha spiegato che dichiararsi pacifisti o cristiani riguardo alla guerra in Vietnam è una specie di tradimento verso gli Stati Uniti d'America che mi permettono di stare in Vietnam, che questo tradimento diviene sconcertante quando la pietà per un Marine ucciso si estende a un vietcong ucciso: in quanto il vietcong è un nemico.

Così gli ho risposto che il suo nemico non era necessariamente il mio nemico, che per me un Marine o un vietcong erano la medesima cosa, cioè un uomo con due braccia e due gambe e un cervello ed un cuore, l'unica differenza era che il vietcong stava a casa sua e il Marine no, che il vietcong difendeva la sua terra e il Marine no. Ma più elementari erano i miei ragionamenti, più ovvii, meno egli li comprendeva. E da ciò è esplosa una specie di rissa durante la quale gli ho chiesto se intendeva espellermi come aveva espulso Mazure, e lui ha replicato che le espulsioni dipendevano dalle autorità vietnamite non americane. Vedremo. Tutto è possibile qui. Oggi abbiamo saputo che il generale Loan ha arrestato il Venerabile Tri Quang. Senza nessuna accusa. Lo ha arrestato e basta.

Darei non so cosa per sapere cosa ne pensa François su questo nuovo gesto di Loan. Quando gliel'ho chiesto, è rimasto muto.

Capitolo sesto

Non si parlava più di Loan. Se il suo nome veniva pronunciato, per caso, François restava zitto e gli altri non raccoglievano. A volte per rispetto verso di lui e il disprezzo che ostentava, silenziosamente, nei riguardi dell'uomo che aveva stimato. A volte, invece, per pura indifferenza: ciò che accadeva intorno a noi era tanto più grave del colpo sparato nella testa di un vietcong da Nguyen Ngoc Loan. La morte ci inondava come una pioggia, ci inseguiva come un'ombra, ovunque andassimo qualsiasi cosa facessimo: ed era così incollata ai nostri sentimenti ai nostri pensieri che un assassinio singolo non contava più, nessuno ci faceva più caso. La battaglia infuriava a Hué, e la distruggeva pietra per pietra. L'assedio stringeva in una morsa Khe San e la massacrava metro per metro. Visto in tale tempesta Loan diventava un bruscolo insignificante che neanch'io scorgevo. Così, succhiata dentro il ciclone, confusa da avvenimenti troppo grandi per me, mi dibattevo in domande cui gli altri non potevano dare risposta: fuorché François i cui dubbi, ormai ne ero certa, erano i miei stessi dubbi. Ma in quei giorni non discutevo molto con lui, perché in quei giorni non stavo molto a Saigon, e così la mia tremenda fatica, capire cosa fosse la morte e cosa fosse la vita, cosa significasse essere uomini, si svolgeva in un solitario distacco che ora mi riempie di incredulità.

Sai, quando rileggo i quaderni dove scrivevo il mio diario, mi prende un assorto stupore. Sono quaderni neri, con le pagine a righe o a quadretti, e la calligrafia che li riempie è una calligrafia che non mi appartiene: fitta, precisa, studiata. Perfino se riferisco le cose più atroci, incredibili. Ma dove trovavo la forza di sopportare da sola quella imposizione di angoscia, orrori, disagi? Giorno per giorno, settimana per settimana, senza tregua, senza respiro? A volte mi chiedo se non navigassi in una specie di follia. Allo stesso modo e nella stessa misura di tutti, del resto. Hai mai pensato che la guerra è un manicomio, che alla guerra si è pazzi? Un uomo e una donna normali, dimmi, come fanno a svegliarsi la mattina sapendo che fra un'ora o un minuto possono non esserci più? Come fanno a camminare fra mucchi di cadaveri decomposti e poi sedersi a tavola o mangiare tranquillamente un panino? Come fanno a sfidare rischi da incubo e poi vergognarsi d'un momento di panico? L'alba in cui fuggii dall'aeroporto dove aspettavo un mezzo che mi conducesse a Khe San, per esempio. Oggi mi congratulo per tale saggezza. Ma allora non la chiamavo mica saggezza, la chiamavo vigliaccheria. E mi disprezzavo. Ero pazza.

* * *

22 febbraio. Chino sulla macchina da scrivere come un corridore sul volante dell'automobile, François compone a gran velocità l'editoriale del giorno e fa volare foglio per foglio verso il vietnamita della telescrivente che rapido copia. La telescrivente batte, il nastro di carta si snoda, sale, ricade in morbide pieghe rotonde.

« Reservam Reserveurs / AFP / Saigon to Paris / Urgent / FP / Attaccheranno stasera, si ripete per la terza sera di seguito a Saigon. Un clima di paura è riapparso nella città inondata di voci e di manifestini vietcong. Niente viene risparmiato per mantenere questa atmosfera che paralizza sempre di più una popolazione chiusa nell'attesa della seconda offensiva generale. Lo stato d'allerta è stato dichiarato martedì per tutte le forze che difendono la capitale. I rotoli di filo spinato che trasformano Saigon in un labirinto sono stati raddoppiati. Al centro, escluse alcune grandi arterie come rue Tu Do, la circolazione è impossibile a causa dei camion militari. In un raschiare di freni le jeep degli MP si arrestano per non urtare contro uno sbarramento che ieri non c'era: le sentinelle fischiano, sparano. Saigon è di nuovo la capitale della paura. Perfino le informazioni dei servizi specializzati coincidono con quelle voci, e gli astrologi che studiano i giorni fausti ed infausti del calendario lunare prevedono le medesime cose annunciate dai militari. Ma stasera i militari sono più pessimisti degli astrologi. A loro parere, la seconda fase dell'offensiva non è stata ancora lanciata e i bombardamenti di domenica mattina non sono che un preludio di attacchi massicci da parte della fanteria vietcong. Da fonte americana si afferma che ben tre divisioni si trovano a una sola notte di marcia da Saigon: la 7ª Divisione nordvietnamita, la 5ª e la 9ª Divisione vietcong. Cioè da dieci a quindicimila uomini, buona parte dei quali hanno già preso parte all'offensiva del 31 gennaio. Da tre giorni, col buio, un battaglione nordvietnamita attacca il ponte di Binh Loi dove fino ad un mese fa i saigonesi andavano a mangiare i granchi col sale e col pepe. È la prima volta che i soldati di Hanoi si battono in unità omogenee alle porte di Saigon. E intanto le sanpan cariche di razzi scendono dalla frontiera con la Cambogia dirette verso Est, verso la capitale della paura.

« Saigon vive la prova più terribile e sconcertante dei suoi vent'anni di guerra. Molti vietcong di Kien Hoa, il capoluogo a settanta chilometri, entrarono in città la notte del 31 gennaio e probabilmente vi sono ancora nascosti in attesa di ordini, col compito di far circolare le voci e gli opuscoli. Gli opuscoli non sono mai stati così numerosi. Uno dice: "Evacuate il quartiere del mercato centrale, lo bombarderemo stanotte". Un altro dice: "Se avete parenti o amici a Saigon, fateli evacuare. Raseremo la città al suolo". Altri rivelan perfino la data del prossimo attacco, da oggi alla fine del mese, affermando che esso prenderà di mira solo gli americani: le truppe del governo fantoccio non saranno toccate. Sicché, chiusi nelle loro case dopo le sei del pomeriggio, i saigonesi si apprestano ad affrontar come ciechi una nuova notte di agonia e passeranno tredici ore nell'interrogativo su quel che li aspetta. Le esplosioni riempiono la notte, nessuna si assomiglia. Sotto un cielo coperto, un colpo di cannone manda in frantumi i vetri delle finestre. Lo si scambia per lo scoppio di un mortaio e si attende il razzo da 122 millimetri. Aerei ed elicotteri sorvolano incessantemente i quartieri, le raffiche si aggiungono ai bombardamenti, non si osa affacciarsi ma dalle stanze dove neanche le imposte esistono più si scorge il balenare dei lampi rossastri laggiù all'orizzonte, e si trattiene il fiato. Dopo tre settimane di assedio, la stanchezza e lo scoraggiamento invadono una popolazione che era abituata all'indifferenza. Bisogna che l'incubo cessi, quando cesserà? Le piogge dei monsoni verranno fra due mesi e solo allora, forse, si rallenterà questa potente offensiva dove l'effetto psicologico ha superato l'aspetto militare. Esso colpisce anche i soldati americani. Lo raccontano i loro volti coperti di polvere da un pattugliamento nelle risaie prive d'acqua, la polvere è incollata dal sudore e copre di un'unica patina grigia la pelle, le giacche antischegge, i pantaloni, le scarpe. E così attraversano la città: senza sguardo, immobili dietro le mitragliatrici delle loro autoblinde. »

Non so aggiungere altro, non c'è altro da aggiungere: ogni sera è la medesima sera. Dopo la conferenza stampa al Juspao, arrivano Claude e Felix e François e Marcel e ad uno ad uno ripetono: « Vedrai che è stanotte ». La notte passa in un nervosismo teso come un elastico: dormi con un occhio chiuso e uno aperto, sobbalzi ad ogni minimo scoppio. All'alba ti svegli esausto, non hai voglia di fare nulla, e poi cosa vorresti fare fuorché metterti in cerca di piccoli combattimenti alla periferia? L'unica cosa sarebbe recarsi al Nord, anzi a Hué. Però, se l'attacco avviene, l'aeroporto di Than Son Nhut è il primo ad essere preso: ti trovi tagliato via da Saigon. Così nessuno si muove e anche per questo, forse, siamo sempre stizzosi, sgarbati: diresti che un'improvvisa reciproca ostilità sia scesa fra noi. Da essa si salva solo Derek Wilson, l'inglese che è venuto a sostituire Mazure: un trentasettenne lungo, dinoccolato, dai gesti lenti e molli. Ti accende la sigaretta, ti offre la sedia: che tipo! Quanto tempo impiegherà a brutalizzarsi come noi? Dovresti vederlo quando mangia la razione C. Mica la mangia nella scatoletta: la rovescia delicatamente su un piatto, si apparecchia con le posate e il bicchiere, la carta igienica per salvietta, e dal modo in cui pilucca i fagioli diresti che non sono fagioli ma ostriche appena pescate o caviale. Io ci sto facendo amicizia, anche considerato che parla la mia lingua. Prima di fare il giornalista insegnava letteratura italiana ad Oxford, dedicandosi particolarmente ai Minori del Seicento, e ascoltarlo mi diverte in modo pazzo. Dice augelli invece di uccelli, pargoli invece di ragazzi, donzelle invece di ragazze, cirri invece di nubi. Abita nel mio alberghino.

23 febbraio. Il signor Lang è tutto rannicchiato su se stesso e fissa la porta come se da un momento all'altro la polizia irrompesse per portarlo via. Non ha torto. Stanotte la polizia è piombata nell'alberghino e ha frugato tutte le stanze in cerca di vietcong. Sulla serratura delle stanze libere ha incollato foglietti firmati da Loan: così, se un fuggiasco tenta di entrarci, lo beccano subito. L'irruzione ci ha tolto ogni desiderio di sonno e, anziché tornare a dormire, io e Derek abbiamo trascorso il resto della notte seduti sul marciapiede di rue Pasteur. Il sorger del sole ci ha colto lì, a chiacchierare con le spalle appoggiate al muro.

« Derek, e tu perché sei venuto in Vietnam? »

« Nessun motivo nobile, credimi. Dopo la guerra di Israele ero tornato a Parigi. E a Parigi mi annoiavo, ecco tutto. »

« Stai dicendo che rischiare la vita ti fa sentire più vivo? »

« In sostanza sì. Mi piace il pericolo. E più mi fa paura, più mi piace. Non è lo stesso per tutti noi? »

« In fondo sì. Ma è brutto. »

« Brutto? »

« Squallido. Ci ho pensato molto, Derek, e ho deciso che è squallido. Voglio dire: un uomo che rischia la vita per qualcosa in cui crede, ad esempio un vietcong o un Marine, è un uomo da ammirare. Ma un uomo o una donna che rischiano la vita per non annoiarsi, ecco: non meritano alcuna simpatia. »

« Perché? »

« Perché evidentemente sono un uomo o una donna con ben poco dentro. O meno di quanto si illudano. »

« Forse, mia cara, sono semplicemente un uomo o una donna soli. »

« Forse. »

« Soli e infelici. »

« Deve ben esserci un altro modo, Derek, per combattere l'infelicità. »

« Dipende dalla dose di infelicità. Se è troppa, non hai più voglia di combatterla. Solo di scordarla per un attimo, con un brivido. Chi ha detto quella terribile sentenza: capita a volte a chi ha perso tutto di perdere anche se stesso? »

« Non ricordo. Mi pare di averla letta, figurati, a proposito dei pazzi. »

Ha riso in un modo strano, anzi doloroso.

« Mia cara, forse non siamo anche noi un poco pazzi? Per il semplice fatto di attendere l'alba seduti su un marciapiede a Saigon. »

Poi m'ha detto che vuole andare a Hué, senza curarsi di restar tagliato fuori se il secondo attacco avverrà. Non posso dargli torto. Non ha senso vegetare qui con gli orecchi ritti e la lingua ciondoloni: quel che accade laggiù è troppo importante. Da ventiquattro giorni la bandiera gialla rossa e blu sventola sulla cittadella di Hué, assediata dagli americani e dai sudvietnamiti: non è più una battaglia, è un'epopea di quelle che finiscono sui libri di scuola. Americani e sudvietnamiti hanno ricevuto l'ordine di riprendere la cittadella a ogni costo, Westmoreland ha affidato l'incarico allo stesso generale Abrams, tonnellate di napalm e razzi si abbattono senza sosta insieme alle bombe dell'artiglieria che spara da terra e dal mare, ma i trecento uomini asserragliati dentro le antiche mura non cedono. Anzi, si difendono così bene che nelle ultime due settimane sono morti cinquecento Marines. Come facciano, nessuno lo capisce. Alcuni dicono che si tratta delle solite squadre suicide, ormai ridotte all'estremo. Altri che si tratta di regolari battaglioni nordvietnamiti in grado di resistere a lungo: i sotterranei del palazzo imperiale sbucano in aperta campagna, forse in un bosco, e attraverso quelli è facile rifornire la cittadella con le armi o i soldati che il 31 gennaio infiltrarono dal 17° parallelo. Di sicuro c'è soltanto questo: che Hué se ne va: sbriciolata in calcinacci.

La bella Hué. La più bella città del Vietnam. La chiamavano la Firenze dell'Asia. Situata sul mare e baciata dal Fiume dei Profumi, attraeva studiosi e turisti. Capitale al tempo degli imperatori, per secoli essi l'avevano impreziosita con templi, ponti, monumenti, giardini. E su quei templi quei ponti quei monumenti quei giardini piomba ora il fuoco del generale Abrams. Ieri abbiamo chiesto a Zorthian: « Cosa fanno gli americani per salvare le vestigia artistiche e storiche di Hué? ». E Zorthian ha risposto: « Gli ufficiali americani e sudvietnamiti si sono sforzati di salvare le vestigia storiche e per tale ragione non hanno lanciato un'offensiva più massiccia. Ma, poiché il nemico utilizza le vestigia storiche come rifugio, gli ufficiali americani e sudvietnamiti sono stati costretti a bombardare anche quelle ». Ovvio, Zorthian. Giustissimo, Zorthian. Avvenne lo stesso a Firenze, a Cassino, a Coventry, a Stalingrado, a Varsavia, ovunque dacché lasciammo le caverne con una clava in mano. Alla guerra è tradimento sentirsi cristiani ed è tradimento amare la bellezza, la cultura. Ci faremo tanti supermarket a Hué, e tanti grattacieli per gli alberghi del signor Hilton, e tanti posteggi per le automobili del signor Ford, e che altro? Sì, certo: scuole, ospedali, musei come i musei di Hiroscima...

24 febbraio. Domani vo a Hué. Sembra che andarci sia davvero un grosso problema perché i voli militari non hanno più orari, a volte partono e a volte no. Inoltre è un viaggio lungo: da Saigon devi raggiungere Danang, poi Phu Bai, a Phu Bai devi prendere un elicottero o un convoglio che ti conduca sulla riva sud, da questa devi passare il fiume e solo allora sei in marcia per la cittadella. Pazienza. Con un po' di fortuna posso trovarmi di nuovo a Danang lunedì sera e trasmetter l'articolo entro il tempo limite di martedì. Forse, perfino assistere alla fase finale dell'epopea: la cittadella sta per cadere. I Marines vi sono penetrati ed ora cingon d'assedio il palazzo imperiale. Ho le farfalle addosso e non sono farfalle piacevoli. Assomigliano a quelle che mi pungevano prima di Dak To, o dell'avventura sull'A37.

« Questi guerrieri alla vigilia della battaglia » mi deride affettuosamente François.

« Perché? Non ci tieni a vivere, tu? »

« Certo che ci tengo. Non ho nessuna voglia di morire. Ho solo quarantatré anni, e godo ottima salute, e ho ancora tante cose da fare, e la vita mi piace. Ma se dovessi morire domani, o fra un minuto, non mi arrabbierei. Penserei semplicemente, e ammesso che ne avessi il tempo: c'est fini, è andata male. »

« Non siamo tutti uguali, François. »

« No, ma tu pensi troppo alla morte. Sei venuta qui con quell'idea in testa, e non la cacci via. Perché associ l'idea della guerra all'idea della morte. »

« La guerra è morte, François! »

« No. È una sfida alla morte. O meglio, la morte in guerra non è come la morte in tempo di pace. Non può essere giudicata con lo stesso metro di misura. In tempo di pace la piangi, lì ne hai il tempo. In pace si piange per ogni sciocchezza: per un matrimonio, per un funerale. Nella pace un morto è un morto. Alla guerra invece un morto è una cosa. E magari c'è un'altra cosa che attrae più attenzione di lui. »

« Per esempio? »

« Un elmetto. Ti ho raccontato di quando seguivo il battaglione francese in Corea, e ci fu quel combattimento che incominciò alle sei del mattino e finì alle sei del pomeriggio, e cadde quel colpo in mezzo ai soldati che avevo appena intervistato: no? Fa lo stesso, te lo racconto ora. Sicché cadde quel colpo e i corpi schizzarono via, a pezzi. Una testa qua, un piede là. E mentre pensavo, senza piangere, ecco una testa ecco un piede, la mia attenzione venne catturata da un elmetto che volava più alto delle teste e dei piedi. Su, sempre più su, finché rimase quasi fermo, e fece una giravolta, venne giù a spirale, giù, sempre più giù, toccò terra, e suonò: bang! Capisci? Nemmeno ora la mia memoria si ferma sui soldati morti. Si ferma sull'elmetto che sale e che scende e che fa: bang! »

Un'alzata di spalle, un sorriso amaro.

« E ti ho raccontato invece del giorno in cui dovemmo raccattare i cadaveri e comporli dentro le bare? Faceva un freddo insopportabile, artico, e i cadaveri erano statue di ghiaccio cristallizzate nelle posizioni più assurde: non riuscivi a stenderli e chiuderli dentro le bare. Dovevi pigiarli finché si rompevano come un bicchiere, crak, poi montare sopra il coperchio e pigiare di nuovo finché si rompevano come dieci bicchieri, crak, crak, crak! Una fatica. Il sudore ci colava giù dalle tempie, colando si solidificava in una specie di neve. Ma c'era un soldatino che non sudava perché non durava fatica. Infatti lui non tentava neppure di stender le braccia, le gambe: ci tirava una bastonata e le stendeva così. E tirando bastonate cantava: "Monna Lisa, when you smile! Monna Lisa, I love you!". »

Ascolto in silenzio, chiedendomi cosa vuol dimostrare, a cosa mi vuol preparare, perché lui non racconta mai le sue storie per il gusto di raccontarle e basta. Diresti che lo fa sempre per prepararti a qualcosa, e comunque v'è sempre un momento in cui tornano a galla o t'accorgi che voleva dimostrarti qualcosa.

Sera. Sono stata a cena all'ambasciata da Vincenzo Tornetta. C'era un'atmosfera affettuosa e serena, Tornetta sa essere un tale amico, la sua casa è un'oasi dentro l'inferno. Ma quel ritornello non mi usciva dalla mente: Monna Lisa when you smile, Monna Lisa, I love you. Voleva forse dirmi François, che alla guerra si perde ogni senso di umanità? Non ci credo. Perché malgrado tutto quello che ho visto, che vedo, io credo all'uomo. Voglio credere all'uomo. Però anche lui ci crede e, malgrado ciò, non fa che mettermi in guardia, scoraggiarmi direi. Perché? Ora preparo lo zaino. Il figlio maggiore di Tornetta, dieci anni, mi ha prestato il suo golf dicendo: « Non me lo sporcare di sangue, eh? ». È un golf verde, pesante. Farà freddo a Hué.

26 febbraio. Un giorno intero aspettai sulla pista di Than Son Nhut. Dalle sette del mattino alle sette di sera, bestemmiando. Poi fui costretta a rientrare in città. All'alba del giorno seguente tornai. E le bestemmie ripresero fino al pomeriggio, quando la partenza di un cargo per Danang fu finalmente annunciata.

Era il medesimo cargo con cui aveva viaggiato all'ingiù Catherine, reduce da Hué. La intravidi da un camion: sporca, esausta, stracciata. Agitò una mano, gridò: « Attenzione laggiù! È brutta! ». Giunsi a Danang verso mezzanotte. E qui seppi che, mentre perdevo le ore e i giorni all'aeroporto di Than Son Nhut, la battaglia finale di Hué era avvenuta. L'epopea, conclusa. Gli ultimi nordvietnamiti erano scappati dai sotterranei del palazzo imperiale, a Hué ormai non v'erano che i francotiratori vietcong. La guerra è fatta anche di questo: di tempo sprecato, di delusioni, di rabbia. Ho potuto raggiungere Phu Bai soltanto stamani, con un aereo trovato per caso.

Avevo l'assurda speranza di arrivare alla cittadella prima di mezzogiorno e così rientrare a Phu Bai prima di buio, trasmetter l'articolo nel tempo limite. Ma l'unico mezzo era un convoglio che doveva partire alle dieci e che alle due non s'era nemmeno allineato. I carri armati stavano da una parte, i camion dall'altra, i soldati erano sparsi qua e là, degli ufficiali nessuna notizia. E pioveva. Una pioggia fitta come la nebbia, gettata a raffiche da un vento ghiaccio. La strada era tutta un pantano nel quale affondavi fino ai ginocchi, e il fango che non raccattavi per terra te lo buttavano addosso le jeep. Ciaf! Come uno schiaffo. E lo schiaffo ti insozzava dalla testa ai piedi, entrandoti perfino nella bocca. D'un tratto m'è presa un'ira sorda. Ho voltato le spalle a ogni cosa e, a piedi, rabbrividendo, sono tornata a Phu Bai. Dove l'ho incontrato.

Procedeva a passi cauti e incerti, cercando la strada dentro la sua cecità, e un altro soldato lo guidava: affettuosamente. Non pago però si aggrappava a lui con la mano sinistra e tendeva la mano destra in avanti: a prevenire ostacoli che le pupille non vedevano più. Era negro, avrà avuto all'incirca vent'anni. Era bello, e il suo viso era intatto. Non una benda, solo gli occhiali neri. Al suo passaggio i soldati si scostavano rispettosi e pietosi. Alcuni si fermavano a guardarlo. S'è fermato anche un colonnello dai capelli bianchi e la bocca severa.

« Come ti chiami, soldato? »

« Sanford Collins, signore. »

« Puoi vederci un poco, soldato? »

« No, niente, signore. »

« Dov'è successo, soldato? »

« A Hué, signore. »

Il colonnello s'è portato le dita al berretto, s'è irrigidito in posizione di attenti.

« Fai onore al nostro paese, soldato. Ti ringrazio a nome del nostro paese, soldato. »

« Non merito tanto, signore. »

Saliva su un aereo diretto a Danang. Son riuscita a salirci anch'io. Sull'aereo tutti i militari volevano aiutarlo a sedersi, ad allacciar la cintura, a procurarsi il paracadute. Uno gli ha offerto un chewingum che ha rifiutato. Ma garbatamente. V'era in lui qualcosa che superava la rassegnazione, direi la dignità e la fierezza. Con quale fierezza alzava il viso a cercare la luce. Con quale dignità abbandonava le mani sopra i ginocchi, le palme rovesciate verso l'alto: anch'esse a cercare la luce. Ti intimidiva al punto che non osavi chiedergli nulla. È stato lui a parlare per primo, dopo il decollo. Gli sedevo accanto.

« Sei una donna? »

« Sì. »

« Avvicinati, per cortesia. »

Mi sono avvicinata. Le sue mani hanno incominciato a tastarmi l'uniforme, poi il viso: scivolando leggere sul naso, sugli occhi, sui capelli.

« Oh, sì. Sei una donna. E hai i capelli lunghi legati in due bande con l'elastico. E la tua uniforme è piena di fango. Cosa ci fai qui all'inferno? »

« Lavoro, Sanford, scrivo. E mi piacerebbe scrivere la tua storia. Vuoi raccontarmela, Sanford? »

« Sì, certo. »

Aveva una voce fresca, sonora. Veniva dall'Alabama. Era giunto in Vietnam solo tre mesi fa, coi Marines. Era stato mandato a Hué subito dopo l'offensiva del Tet, ci aveva combattuto per venti giorni. Prima sulla riva sud, poi sulla riva nord, poi sotto le mura della cittadella. E qui era successo, verso le due del mattino.

« Com'è successo, Sanford? »

« Stavo dormendo. Mi svegliò quel bagliore. Prima ci fu il bagliore e poi il tonfo. Ma il bagliore fu più forte del tonfo. Fu come se tutta la luce del sole si fosse accesa su me. L'ultima cosa che ho visto è stata quella luce, m'ha accecato la luce. Però non me ne accorsi lì per lì. Era notte e credevo di vedere il buio per via della notte. Me ne accorsi all'alba. Tutti dicevano che era l'alba ma io non la trovavo. Mi portarono all'ospedaletto da campo, quello vicino alla postazione di artiglieria. Il dottore mi disse: "Cosa vuoi che ti faccia, si sarà bruciata l'iride, mettiti lì". Non potevano evacuarmi perché i viet sparavano sugli elicotteri. »

« E ora, Sanford? »

« Resterò qualche giorno all'ospedale di Danang e poi tornerò a casa. A casa facevo il tipografo. Dovrò trovarmi un altro lavoro. Un lavoro da cieco. Ma non me la prendo, sai. Quando penso ai miei compagni morti. Mi dico: sei stato fortunato, Sanford. La guerra è finita per te. »

« E a casa chi hai, Sanford? »

« La nonna e basta. Mio padre morì nel Pacifico durante la Seconda Guerra Mondiale, e mia madre morì due mesi dopo di crepacuore. Non mangiò più e morì. Mi resta la nonna e basta. Però è vecchia e non può lavorare, mi spiego? »

« Sì, Sanford. Sei un ragazzo coraggioso, Sanford. »

« Sono un tipo con la testa sulle spalle, ecco tutto. So che la vita è bella anche da ciechi. A Hué, per esempio, quando il dottore m'ha detto cosa vuoi che ti faccia, soldato, si sarà bruciata l'iride, io non ho mica pianto. »

« Anzi! Avrebbe dovuto vederlo! » è intervenuto l'altro. « Tentava di rendersi utile, di tener su il morale degli altri. Mai visto un ragazzo così. È straordinario. »

L'altro era un biondastro dall'aria mite. Si chiamava Dennis Medjesky e completava bene la storia. Era una grossa storia per me. Potevo trasmetterla da Danang a Saigon la sera stessa. Mi risolveva un mucchio di problemi.

« Dennis, vorrei seguirvi fino all'ospedale. Posso? »

« Oh, sì! Certo! Vero, Sanford? »

All'aeroporto di Danang lo aspettava un ufficiale. S'è portato le dita al berretto, come il colonnello, e ha fatto un discorsino spiegando che l'eroismo di Sanford simboleggiava l'eroismo di tutti i Marines eccetera. Poi ci ha fatto accomodare su una camionetta e ha tentato di buttar la faccenda sullo scherzo.

« Già la stampa dietro, Collins! Congratulazioni, Collins! »

Collins però era diventato un po' silenzioso, direi chiuso in qualche preoccupazione. Per tutto il viaggio, ha mosso solo una volta le labbra.

« Il sole c'è? »

« Sì, Sanford. Ha smesso di piovere e c'è il sole. »

« Bello pulito? »

« Sì, Sanford. Bello pulito. »

« Mi pareva di sentirlo sugli occhi, come un tepore. »

« Sì, Sanford. »

« Com'è brutta l'oscurità. »

All'ospedale lo abbiamo guidato verso la Sezione Oftalmica. Medjesky lo reggeva perché non inciampasse ma lui ha inciampato lo stesso, due volte. Poi il dottor Barnett, oculista, lo ha preso in consegna. Io e Medjesky siamo rimasti ad attendere nel corridoio.

« Che pena, signora. »

« Eh, sì, Medjesky. »

« Io non ce la fo a stare qui, fermo. Vado a bere un caffè. Viene anche lei? »

« No, no. Vai pure, Medjesky. »

S'era appena allontanato che la porta della Sezione Oftalmica s'è spalancata, è apparso il dottor Barnett.

« Dov'è quel Medjesky? »

« A bere un caffè, dottore. »

« E lei chi è, cosa c'entra? È una parente, un'amica? »

« No, una giornalista, dottore. Ho incontrato Collins a Phu Bai. Sto scrivendo una storia su lui. »

« Bene! » Il dottore ha sorriso in modo strano. « Allora suppongo che le interesserà conoscere anche il finale. »

« Come, prego? »

« È un finale allegro. Ci vuole, ognitanto. Tira su il morale. »

« Non capisco... »

« Capirà molto presto. Si accomodi. »

Sono entrata nell'ufficio del dottor Barnett e qui Sanford Collins sedeva stravaccato su una poltrona, masticando chewingum. Il dottor Barnett si è messo davanti a lui ed ha alzato l'indice e il medio.

« Da bravo, Collins. Fai vedere alla giornalista come conti bene. Quante dita sono queste? »

« Uffa, Doc. Sono due. »

« E quali sono, Collins? »

« Uffa, Doc. L'indice e il medio. »

« E queste, Collins? »

Il dottor Barnett ha spalancato la mano.

« Uffa, Doc. Sono cinque, Doc. L'intera mano. »

« Scommetto che sai contare fino a venti: vero, Collins? »

« Perché venti, Doc? »

« Perché fra venti minuti, Collins, arriva un elicottero. E con questo elicottero ti mando a Phu Bai. E da Phu Bai ti rimando a Hué dove c'è tanto bisogno di occhi sani come i tuoi per stanare i vietcong che ancora ci sparano. Intesi? »

Collins non gli ha risposto ma ha sputato nel muro il chewingum e s'è tolto gli occhiali: fissandomi con aria insolente.

Ora tento di raggiungere Hué, da sola. Mi sento così sola perché Sanford Collins mi ha ricordato che gli uomini sono brutti.

27 febbraio. Tra Phu Bai e Hué ci sono quindici chilometri di strada. La strada è diritta, in parte asfaltata, e passa fra campi di riso, capanne di paglia, vecchi cimiteri al di là dei quali si alzano monti e colline. Nascosti sui monti, sulle colline, nei cimiteri, nelle capanne, nei campi, stanno i vietcong. E sparano a qualsiasi cosa si muova lungo la strada. Se non sparano, piazzano mine. Malgrado questo, l'unico modo per recarsi da Phu Bai a Hué o viceversa è percorrere quei quindici chilometri di sfida alla morte. E l'unico modo per percorrerli è un convoglio militare. Di convogli ne partono tre al giorno. Ma poiché ogni volta la strada dev'esser sminata, essi non hanno orario e capita di dover attendere cinque o sei interminabili ore. Così accadde ieri e così accade oggi. Siamo qui dalle dieci ed è l'una del pomeriggio. Fa freddo. Sotto un cielo plumbeo, scalognatore, si stende un paesaggio di mota rossa. E non un albero, non un ciuffo di erba. Dieci camion di soldati, quattro carri armati, un'autocisterna piena di benzina, alcune jeep attendono in fila che sia dato il via-libera. Pare che all'ottavo chilometro ci siano alcune mine Clymore. Infine il via-libera è urlato ma il tenente che guida il convoglio è scomparso. Quando riappare, un bambolotto coi capelli gialli e la faccia a mela, tiene in mano una scatoletta di pollo ed annuncia di volerla aprire. Gli do il mio coltello. Risponde che il coltello non va mica bene: l'apriscatole è meglio. Gliel'apro con il coltello, pensando al via-libera che di solito dura non più di mezz'ora. Dice che così ghiaccia non la può affatto mangiare: chi ha un quadratino di magnesio con cui fare il fuoco? Ce l'ha il caporale, glielo porge con occhi carichi di disprezzo.

« C'è il via-libera, signor tenente. »

« Lo so da me che c'è il via-libera, capito? Io ho diritto di mangiare, capito? Io ti faccio rapporto, capito? »

« Signorsì, signor tenente. »

Si dà fuoco al magnesio, dentro un bussolottino. Il tenente ci appoggia la scatoletta di pollo e l'operazione riscaldamento prende dieci minuti. Scaduti quelli però il tenente si accorge che il pollo brucia troppo e bisogna aspettare altri dieci minuti perché si intepidisca. Intepidito il pollo, il tenente si decide a mangiarlo e lo fa con tale lentezza che il mio sospetto si materializza: se la fa addosso dal terrore, costui, e quindi cerca di non partire. Dieci, venti, venticinque minuti: l'intero convoglio pende dalla bocca del tenente che mastica lento. Infine il tenente getta via la scatoletta vuota e si asciuga delicatamente le labbra.

« Ancora via-libera? »

« Signorsì, signor tenente. »

« Ah! »

Sembra deluso. Sospira, brontola, sale sulla jeep come pentito: i vietcong sono veloci a rimetter le mine. Io raggiungo il mio camion, mi ci arrampico sopra augurandomi che se una mina è stata rimessa gli scoppi sotto il sedere.

Il mio camion segue l'autocisterna. A parte il soldato chino sulla mitraglia, vi sono sei soldati con la carabina e due telefonisti in contatto continuo col resto del convoglio. Accanto a loro, un Marine che appartiene a una chiatta da sbarco ancorata sulla riva nord del Fiume dei Profumi. Si chiama Johnny, ha ventiquattr'anni e un visuccio coperto di pustole, due pupille in cui trema una paura che porta solo paura.

« Che, lei è tranquilla, signora? »

« Boh! »

« Non dovrebbe mica esser tranquilla. La mezz'ora è scaduta. »

« Mah! »

« Io non capisco perché siamo partiti dal momento che la mezz'ora è scaduta. »

« Uhm! »

« Prima se l'è presa calma e poi è saltato su come se gli bruciassero i piedi. »

« Uhm. »

V'è qualcosa in lui che lo renderebbe antipatico anche se stesse zitto. Forse le pustole. Così grosse, gonfie, infiammate. Però se stesse zitto lo potrei sopportare, se chiacchiera non ce la fo. Specialmente ora che corriamo a velocità pazza lungo il tratto più pericoloso, e sembra di sentirci addosso gli occhi dei vietcong, i loro fucili puntati. C'è troppa calma sopra quelle risaie, dentro quei cimiteri, e le capanne son troppo deserte: neanche un bambino che s'affacci a una finestra. Ricordi i film coi partigiani che aspettano fermi i convogli tedeschi e la prima fucilata che frantuma il silenzio?

« Capisce, per pulita magari la strada è pulita, non ci succede come al mio amico Harry che saltò su una mina Clymore tre giorni fa: a mezza strada con Hué. Ma... »

« Sta' zitto, Johnny. »

« Zitto, come zitto? Non vede dove ci hanno messo? Proprio dietro la cisterna del petrolio, signora. Non so se mi spiego:

una fucilata in quella cisterna e forse gli altri si salvano, ma noi si va in fumo! »

« Sta' zitto, Johnny. »

Il convoglio corre. I due soldati al telefono parlano, parlano, girando occhiate di inquietudine. E lui non si cheta.

« Io, che vuol farci, ho l'incubo delle esplosioni. Mio zio saltò in aria con una fornace. Vivo nel terrore di far la medesima fine. Lo sa che la mia chiatta sul fiume è carica di esplosivo? »

Non lo so e non lo voglio sapere e non me ne importa perché ho abbastanza paura senza suo zio, senza la sua chiatta da sbarco, il tratto pericoloso non finisce mai, e questo dannato convoglio corre in un paesaggio sempre più deserto, sempre più minaccioso, se i vietcong ci sparano speriamo che non sparino nella cisterna, e lui non si cheta, e d'un tratto perdo la pazienza.

« Shut up, will you? Vuoi chiudere il becco? »

Ma neanche ciò lo induce al silenzio.

« Oh! Non è mica gentile lei, signora, sa? Proprio no. Ma che modo di rispondere è questo, ma scusi! Non ho mica detto niente di male. Ho detto che la mia chiatta è carica di esplosivo e che ci hanno messo la cisterna e che non mi piace né una cosa né l'altra... »

Il tormento finisce solo quando arriviamo a Hué, sobbalzando sopra i calcinacci, percorrendo strade che non sono più strade, e il convoglio si ferma sulla riva destra del fiume, e Johnny salta giù.

« Be', ce l'abbiamo fatta. È ancora arrabbiata con me? »

« No, no. Ciao, Johnny. »

« Perché ecco mi dispiacerebbe lasciarla sapendo che è ancora arrabbiata con me, forse sono stato noioso, lo ammetto, io sono un fifone e... »

« Ciao, Johnny. Devo andarmene, scusa. »

« Ciao, eh? Grazie e good-bye. »

Si avvia verso una barca, ci sale. La barca solca il fiume immobile, largo, e si avvicina sempre di più alla chiatta da sbarco: visibilissima sotto un ciuffo di alberi dell'altra riva. Lui agita un braccio, insistente, per suggellar l'amicizia. Infine sale a bordo e scompare. Io mi dirigo in direzione del ponte, respirando sollievo, e nello stesso momento una gigantesca esplosione ci abbaglia, uno schiaffo apocalittico ci scaraventa per terra, quasi ci strappa le uniformi di dosso. Mentre i timpani dolgono, dolgono.

« Che è successo? » grido appena riesco a rialzarmi. Ma nessuno risponde, tutti corrono urlando.

« La chiatta! La chiatta da sbarco! La chiatta! »

Alzo gli occhi e la chiatta non c'è più. È volatizzata. Al suo posto c'è una nuvola nera che sale verso il cielo, e ha la forma di un fungo.

« I vietcong hanno sparato un colpo di mortaio sulla chiatta! Si è disintegrata! »

Sulle acque di nuovo lisce non galleggia neppure un pezzo di legno. In compenso le fiamme si sono propagate agli alberi e, portato dal vento, il gas sta giungendo a noi. Ci buca il naso e la gola, ci acceca, ci soffoca.

« Il gas! Il gas! »

Un soldato mi getta una maschera, un ufficiale grida.

« C'erano quindici uomini a bordo! »

Quindici. E il quindicesimo era appena arrivato. Si chiamava Johnny, era pustoloso, noioso, aveva paura di morir come è morto, e invece di fargli coraggio sono stata sgarbata con lui.

Ma non c'è tempo di piangerci su, Monna Lisa. Ho questa maschera che mi chiude la faccia e, appena la tolgo, devo passare il ponte. E vedere cosa è rimasto di Hué.

Sera. Non è rimasto nulla. Solo macerie divise da un fiume. Il ponte che conduceva alla cittadella vi affonda ad angolo retto, come una nave tagliata in due. Per passare da una riva all'altra, i sopravvissuti hanno teso un nastro di corde e bambù che percorrono in fila indiana: una volta in su e una volta in giù. Il nastro oscilla perché non ha punti di appoggio, i sopravvissuti avanzano con cautela esasperante: centimetro per centimetro. Ciascuno si porta addosso qualcosa: un materasso, una bicicletta, un bambino. Il timore di precipitare rende inutili i brontolii «fate presto», l'attesa del proprio turno è una vera agonia. Infine esso viene, aggrappata alle corde raggiungo la riva nord, e ciò che vedo mi fa dimenticare i bei templi distrutti, i bei musei sbriciolati. Passano becchini che reggono lenzuoli di plastica gonfi di membra umane, soldati che trascinan cadaveri legati a grappoli, carrette di corpi ammucchiati nelle pose più assurde: uno è seduto e uno sembra stia facendo una capriola. Non è una città morta, questa: è una morgue. D'un tratto arriva una donna con una vanga ed un sacco. Sui vent'anni, bellina, piccina. Sotto il cappello a pagoda i lunghi capelli sono raccolti in una treccia col fiocco. Va dritta verso una specie di tumulo, posa il sacco e, tranquilla, si mette a scavare. Scava per dieci minuti, ciò che cerca è quasi a fior di terra. Quando lo trova, lascia andare la vanga e si inginocchia a guardarlo. Lo riconosce, ma non muta espressione. Con dita tranquille gli toglie la terra dal viso, con mani tranquille lo afferra sotto le braccia e lo tira fuori. Poi prende il sacco, si accinge a infilarcelo dentro. È una impresa quasi impossibile per una donna piccina così, e si direbbe che lui non voglia, che vi si opponga come se fosse ancora vivo. Insistendo, sudando, lei ci riesce ugualmente. Quindi sfila il fiocco della sua treccia, ci lega il sacco, raccatta la vanga, e se lo porta via: in un fetore che avvampa. Io mi appoggio a una lamiera e vomito vomito, finché una voce mi viene in aiuto.

«Sta male, Madame? Posso fare qualcosa, Madame?»

È un prete francese. Ha un pallido volto gentile e una tonaca ridotta a uno straccio.

«Grazie, mon Père. Ora va meglio.»

«È appena arrivata, Madame?»

«Sì, mon Père.»

«Sola?»

«Sì.»

«Le consiglio di non andare lontano, Madame.»

«Perché?»

«Senza scorta, con quell'uniforme. I francotiratori vietcong non amano le uniformi americane. Non ha un altro indumento con sé?»

« Un golf. Però è verde. »

« Sarà sempre meglio di una camicia grigioverde. Lo infili. »
Lo infilo, ubbidiente.

« Ecco, ora assomiglia un po' meno a un soldato. Comunque
preferirei accompagnarla, Madame. »

Perché no? I francesi sono i meglio informati in Vietnam.
Così ce ne andiamo, io e il prete, nell'incubo sempre uguale di
calcinacci, di ferri contorti, di buchi, cadaveri che dopo un poco non ti commuovono più. Sono tutti uguali anche loro, cento
o mille non fa differenza, e « non puoi giudicare la morte, alla
guerra, con lo stesso metro di misura che usi in tempo di pace ». Giusto, François. Quella storia dell'elmetto... Però quanti
ve ne sono, mon Père? Il prete allarga le braccia: cinquemila,
ottomila, chissà. Da ringraziarci insieme americani e vietcong.
Infatti sarebbe difficile stabilire se hanno causato più vittime
gli americani con le cannonate, i mitragliamenti, il napalm,
oppure i vietcong con le esecuzioni in massa. Negli ultimi giorni avevano perso la testa: non pensavano che a far rappresa-
glie, eliminare, punire. Tenevano liste di sospetti e accanto al
nome di ognuno c'era una croce che corrispondeva a un'accusa: se le croci diventavano due, costui era spacciato. Capitava
inoltre che il sospettato non fosse una sola persona ma un'intera famiglia: in tal caso, i vietcong marcavano con la ver-
nice rossa la casa e massacravano l'intera famiglia di notte.
Le esecuzioni avvenivano generalmente di notte, mai per gruppi ridotti, né i nordvietnamiti avevano il tempo o la voglia
di opporsi. Eccoci nel quartiere Be Dau: in una fossa, novan-
tacinque con le mani legate dietro la schiena. Uccisi perché
giudicati rei di aver collaborato con gli americani. Eccoci nel
quartiere An Cuu: sotto il muro di una caserma, quarantotto
con un colpo alla nuca o una raffica in petto. Uccisi perché
si rifiutavano di sparare sugli elicotteri americani. Sembra di
riguardare Mathausen, Dachau, le Fosse Ardeatine: il mondo
non cambia, François, né gli uomini. Qualunque sia il colore
della loro pelle, della loro bandiera.

Infatti, conclude il prete, ora sono i governativi a regalarci
il carnaio. Dopo la ''liberazione'', almeno duecento fra sospetti

vietcong o presunti collaborazionisti vietcong sono stati ammazzati dai sudvietnamiti. Senza un processo sommario, senza un'accusa precisa. Una raffica e via. La strage ebbe inizio non appena i Marines conquistarono il palazzo imperiale e solo di quei duecento si son ritrovati i corpi. Le persone scomparse sono millecento. In massima parte studenti, professori dell'università, bonzi. Gli intellettuali e i religiosi, a Hué, non hanno mai nascosto la loro simpatia per l'FLN.

« Lei che vive nel resto del mondo, Madame, mi dica: la gente, nel resto del mondo, ci pensa? »

« Non credo, mon Père. »

« Non si rende conto? »

« No, non si rende conto. »

« Già. Quando siamo felici, pare impossibile che gli altri possano essere infelici. Allo stesso modo in cui, quando siamo infelici, pare impossibile che gli altri siano felici. Se calcolo che in questo momento, a Parigi... Che ora è a Parigi? »

« Le nove del mattino, mon Père... Qui sono le cinque del pomeriggio. »

« Le nove... E i bambini vanno a scuola, gli impiegati in ufficio, e le strade son piene di autobus, di automobili intatte. E in una chiesa elegante si sta celebrando il funerale di un signore morto nel sonno a novant'anni. Possibile? »

« Sì, mon Père. »

« E in un ospedale bene attrezzato un chirurgo sta salvando la vita di una persona molto ammalata che passerà il resto dei suoi giorni in un letto. Medici e infermiere son intorno a lui, e apparecchi complicatissimi, e cervelli elettronici. Tutto per un'unica persona... Possibile? »

« Sì, mon Père. »

« E s'è staccato un pezzetto di intonaco dal soffitto dell'Opéra e squadre di tecnici, di operai, di architetti lo esaminano preoccupati. Il miglior restauratore di Francia è convocato... Possibile? »

« Sì. »

« Ma che senso ha salvare un pezzetto di intonaco, una persona che passerà il resto dei suoi giorni in un letto, quando si lascia distruggere tutta una città, assassinare tutta una generazione? Gli uomini sono pazzi, Madame! Pazzi! »

Siamo giunti a un'aiola rotonda intorno alla quale sono disposti, a raggera, venti cadaveri in pigiama. Vittime dei vietcong? Degli americani? Dei sudvietnamiti? Di certo v'è solo che furono colti nel sonno e che nessun medico, nessuna infermiera, nessun cervello elettronico si curò di loro. Sono letteralmente coperti di sangue essiccato. Un becchino col volto protetto dalla garza li rinvolta ad uno ad uno in lenzuoli di plastica, poi li lega alle caviglie allo stomaco al collo: trasformandoli in pacchi. Un altro becchino scava la fossa in mezzo all'aiola ed entrambi procedono a rapidità straordinaria: presto la fossa è pronta e i pacchi composti. Allora il primo becchino chiama il secondo becchino, insieme sollevano pacco per pacco, lo dondolano un poco a destra un poco a sinistra, e paf! lo scaraventano dentro la fossa. A guardare vi sono alcuni bambini fra i cinque e i sei anni. Ritti sulla montagnola di terra, le manine sul naso per non sentire il puzzo, ridono divertiti. E al dondolar di ogni pacco strillano in coro: « Un-due, paf! Un-due, paf! ». Dopo ogni tonfo sordo si lasciano il naso e applaudono felicemente.

I miei occhi cercano quelli del prete. Sul suo pallido viso c'è una espressione triste, indulgente.

« Madame, è il loro unico divertimento. I morti sono i loro balocchi. »

E la mia merce da vendere: voglio fotografare la scena "Monna Lisa, when you smile! Monna Lisa, I love you!" Andrà bene, con questa luce, 8 e 125? O forse è meglio 5,6 e 60? Con la pellicola Tri X posso tenere il 125, credo. "Monna Lisa, when you smile!" Vorrei adottare uno di questi bambini. Vorrei fare qualcosa che mi tolga di dosso questa vergogna. L'idea di appartenere al genere umano mi dà come una vergogna. Quando penso che mi esaltavo perché andremo sulla Luna. Ma che senso ha andar sulla Luna quando sulla Terra facciamo quello che ho visto oggi a Hué? Passano i secoli, i millenni, diventiamo sempre più bravi a inventare le macchine, a volare più lontano e più alto, eppure restiamo le squallide bestie che non sapevano accendere nemmeno un fuoco, rotolare una ruota. Tutto quello spreco di ingegno per sbarcar sulla Luna, perché? E se ne usassimo un poco, di quel grande ingegno, per non ammazzarci, per non distruggere le nostre città? Elisabetta vuole sapere la vita cos'è. Ormai mi chiedo se la vita non sia ciò che si stende sotto i miei occhi, cioè morte. E tuttavia, tuttavia... Come scriveva Le Vanh Minh a Tuyet Lan? « Se non combattessi, che uomo sarei? Non sarei nemmeno un uomo, sarei solo un coso intirizzito e bagnato. » Non capisco più nulla. Mi sento così sola, così impreparata. Vorrei che François fosse qui ad aiutarmi, spiegarmi. All'improvviso mi ha colto una paura che non è paura di morire. È paura di vivere.

28 febbraio. Il golf verde non ha funzionato, da lontano ha lo stesso colore dell'uniforme. Così il vietcong ha atteso che fossi a tiro ed ha mirato due volte. Un colpo m'è passato di striscio sopra la testa, un altro m'ha sfiorato la manica. Mi son buttata giù mentre una voce irosa gridava: « Dove crede d'essere, in Central Park? ». Poi è esplosa la sparatoria. I Marines erano molti, il vietcong era solo. Ora giace bocconi e dal naso gli esce un rivolo lungo di sangue. Dai pantaloni neri i piedi gli spuntano scalzi. Un vento leggero gli muove i capelli setosi. Addio, fratello. Uno di noi due, stasera, doveva giacere morto: o me o te. È toccato a te, ed è ingiusto come se fosse toccato a me, ma perché è toccato a te? Il tuo compagno nordvietnamita si chiedeva in quel diario quali leggi misteriose regolano l'esistenza e la sopravvivenza di un uomo: « Se la mia testa fosse stata spostata quattro centimetri più in là, ora sarei morto: possibile che tutto accada per caso? ». Me lo chiedo anch'io insieme a tante altre cose. Questo Marine, ad esempio, che m'ha salvato la vita prendendo la tua: chi è, da dove viene, perché era qui stasera, proprio qui, all'incrocio del nostro destino? Se non ci fosse stato lui, sarei morta al tuo posto. Devo essergli grata? Sì, certo. Ma allora devo ringraziarlo d'averti ucciso. Devo? Uccidere è il suo mestiere, non ha fatto che il suo mestiere. Ma cosa può indurre un uomo a scegliere il mestiere di soldato?

Il Marine mi sta accanto. Siamo seduti per terra, in un

giardino del palazzo imperiale, e incomincia a far buio. Sotto di noi è la città sgretolata, ma il palazzo imperiale non è molto distrutto: ritirandosi i nordvietnamiti lo hanno praticamente salvato. Col tempo sarà possibile restaurarlo come l'intonaco dell'Opéra a Parigi e portarci di nuovo i turisti insieme alla guida che parla inglese francese tedesco. « Ecco il trono dove sedette fino al 1885 l'imperatore Ham Nghi. Ecco le sale dove si rifugiarono i soldati di Hanoi durante l'assedio del 1968. Quando gli americani vi entrarono i giardini eran pieni di retroguardie suicide e per molti giorni la guerra continuò nei giardini. » Un turista si fermerà sbadigliando nel punto in cui sono io, ma le pietre saranno di nuovo pulite: via questi obici vuoti, queste bende, queste macchie, questo bivacco di americani stanchi. In una lattina vuota il Marine ha versato caffè fatto con l'acqua sterilizzata, e me lo porge. Gran vantaggio l'acqua sterilizzata: si sono già verificati sessanta casi di peste a Hué.

« Con lo zucchero o senza zucchero? »

Si chiama Teanek, tenente Teanek. Ha una larga faccia di pellerossa misto a chissà quale altra razza: zigomi alti, naso sottile, occhi asiatici. Infatti mi spiegherà che suo padre era un indiano dell'Oklahoma, sua madre una filippina. Lo misero al mondo trentaquattro anni fa, e volevano che facesse il maestro di scuola. Invece divenne un Marine.

« Tenente, io mi chiedo spesso cosa induca un uomo a scegliere il mestiere di soldato. »

« A volte, i suoi diciassett'anni. I film di guerra. John Wayne. Ha mai pensato quanti ragazzi sono morti per colpa dei film di guerra, di John Wayne? »

« Sì. Ma se non muoiono, perché continuano un tale mestiere? »

« Perché sono deboli. Ad esempio perché hanno bisogno di dimostrare a se stessi la loro virilità, e credono che un fucile in mano sia simbolo di virilità. Ad esempio perché nell'esercito non devono prendere decisioni. Nell'esercito c'è sempre qualcuno che le prende per te, tu non hai che accettarle. Dal cibo al vestito, dal letto in cui dormi alla strada che infili. È comodo, in fondo. »

« Per questo lei è diventato un Marine? »

« Il mio caso è più semplice. È proprio il caso di un diciassettenne che ha visto John Wayne al cinematografo. Per questo hai voluto diventare un Marine e ora sei in un campo dove un sergente ti maltratta. Ti rasa a zero, ti toglie l'abito civile, ti butta sotto una doccia dalla quale esci nudo e lavato di ogni ricordo: della stessa illusione d'essere qualcuno. Allora incomincia il processo per farti sentire qualcuno. Ma chi? Un uomo con un nome e un cognome? No. Una recluta con un numero, e con un bel po' di angoscia. L'angoscia d'essere giudicato e punito, oppure di non farcela. Poi passano tre settimane e t'accorgi di farcela. Ti avvolge una specie di orgoglio, la certezza che diventare un Marine sia bellissimo. E intanto loro ti distillano addosso la fede: goccia a goccia, come con un ago ipodermico. Esasperano il tuo patriottismo, ti rivoltano nella bandiera, ti impongono una religione. Finché tale religione diventa incrollabile. E non sei più un uomo, sei un Marine. A me accadde così. Subii un indottrinamento. Allo stesso modo di un vietcong. »

« E non se ne accorse in tempo? »

« Sì, me ne accorsi. Infatti giurai a me stesso che, se non fossi morto in Corea, sarei tornato alla vita civile. Ma lessi quel libro, *L'ammutinamento del Caine*. Mi fregò. Ricorda il processo che il comandante subisce dinanzi alla Corte Marziale, quando lo fanno a pezzi e dimostrano che è un uomo mediocre? Be', vinto il processo, il suo accusatore si ubriaca e dice qualcosa. Dice: d'accordo, era un uomo mediocre, non valeva Proust, però al momento in cui dovemmo andar contro Hitler ci servimmo di questi mediocri: non di Proust. E questi mediocri sconfissero Hitler, non lo sconfisse Proust. E io mi dissi: giusto, resto coi mediocri. Anche se non sono un mediocre, e chi ha detto che un soldato debba essere un uomo mediocre. E lo proverò. E lo provai. »

« In che modo, tenente? »

« Rispondendo alle domande di voi liberali: perché un uomo intelligente sceglie la vita militare? Sopravvivendo al vostro disprezzo, specialmente negli anni di pace. Ci furon quegli anni di pace fra la Corea ed il Vietnam, e voi mi prendevate in giro. "Cosa fai, Teanek, di mestiere? Dimenticavo, il Marine. Sei molto impegnato, vero Teanek?" Avrei potuto cedere mille volte. »

« E non ha mai ceduto? »

« Ci sono andato vicino. Troppe cose m'hanno deluso e non creda che mi piaccia l'immagine del Brutto Americano, The Ugly American, spesso imposta dai Marines. »

« Dice che c'erano molti "brutti americani" oggi a Hué, tenente. Avevan trovato due negozi intatti e rubavano. Macchine fotografiche, registratori, orologi. Un operatore della televisione ha ripreso la scena. »

« Lo so. Sono le cose che rischiano di farmi cedere. Ma se cedessi mi sentirei come un prete spretato. Preferisco essere un prete che non crede più e continua a celebrare la Messa per coloro che credono. »

« Tenente, sta dicendomi d'essersi finalmente accorto che l'essenza della guerra è stupida, illogica, ingiusta? »

« Diciamo ridicola. Ma non più di quanto lo sia l'uomo. A pensarci bene, l'uomo è un animale abbastanza ridicolo. Così intelligente, continua a risolvere tutto con la violenza. Va sulla Luna e poi combatte in Vietnam. Però... »

« Però? »

« Però è sempre successo così. Il Rinascimento non fu un'età violenta? E l'Impero Romano? E il Periodo d'Oro dei greci? Mao Tze Tung mi fa sorridere quando afferma: "La guerra può essere abolita solo con la guerra, chi non vuole il fucile deve prendere il fucile". Perché lo afferma con l'aria di aver scoperto qualcosa. Sono millenni che l'uomo ripete quella frase e, con la scusa di abolire le guerre, insanguina i momenti più alti della sua civiltà. »

« Non è un buon motivo per continuare a farlo. »

« Teoricamente ha ragione, praticamente dice una grossa sciocchezza. Come quando si illude, scommetto, che descrivere la morte alla guerra aiuti ad abolire la guerra. Al contrario. Più morte vedi alla guerra, più sei spinto a fare la guerra: è un mistero dell'anima umana. Se non è un mistero, mi spieghi per-

197

ché nei paesi dove ai ladri viene tagliata la mano vi sono più ladri che altrove. E anche questo è sempre successo: l'uomo non cambia. »

« L'ho detto anch'io, ieri, quando ho rivisto le Fosse Ardeatine e Dachau e Mathausen: l'ùomo-bestia. Ma vorrei che non fosse vero e forse non è vero. »

« Non è vero nella misura in cui l'uomo diventa più intelligente. Ma diventare più intelligenti non significa diventare migliori perché l'intelligenza non esclude la crudeltà, anzi se ne nutre. Intelligenza e crudeltà si eguagliano come il polo positivo e il polo negativo nell'elettricità: più cresce l'una più cresce l'altra. E così da una parte produci cose splendide, da una parte le distruggi. E più sono splendide più le distruggi. »

Era ormai buio e le fucilate avevan ripreso: sobbalzavo ogni volta come a una puntura di vespa. Lui invece restava calmo e, giocando con la lampadina tascabile, si offriva al bersaglio. Un fascio di luce qua, un fascio di luce là: neanche volesse sfidare i fantasmi.

« Forse è come ha detto, tenente. »

« Temo proprio di sì. Crede che non abbia mai meditato su certi problemi? Per anni ci ho meditato: fino a farmi scoppiare la testa, fino a rischiare il manicomio. Ma ora basta, son stufo, non ci penso più. A che serve? A lusingare la buona coscienza di voi liberali? Non amo offender nessuno ma la conosco la vostra buona coscienza e non mi piace. È facile ammirare i vietcong quando si sta a Roma o a New York, e non si è un loro bersaglio. È facile anche quando si viene qui per fare i giornalisti. D'accordo: vi prendete le fucilate anche voi: come lei poco fa. Ci lasciate ognitanto la buccia, però... »

« Però? »

« Be', l'ho letto da qualche parte: una cosa è rischiare col biglietto di ritorno in tasca, una cosa è rischiare col solo biglietto di andata. Come me. No, il fatto d'essere alla guerra non vi autorizza a disprezzare noi e rispettare loro. Perché quando ve la cavate, come lei oggi, lo dovete soltanto a noi mediocri. A noi "brutti". A noi che spariamo per voi: onde salvarvi la vita e la buona coscienza. »

« Non l'ho ancora ringraziato per oggi: vero tenente? »

« Non lo dico per essere ringraziato. Dico che per lei è stato semplice: l'uomo che voleva ucciderla è morto ma non l'ha ammazzato lei. L'abbiamo ammazzato noi. Che ci piacesse o no. »

Ha mosso la lampadina tascabile e ha gettato un fascio di luce sopra il vietcong.

« Eccolo lì. Non l'hanno ancora rimosso, imbecilli. Portate via quel Charlie!.»

Sono corsi due soldati e hanno portato via quel Charlie. In America, Charlie è un nomignolo spregiativo, e i Marines chiamano Charlie i vietcong. Perfino i Marines come il tenente Teanek. Eppure, se utilizzerò il biglietto di ritorno, lo dovrò anche a lui. Dio, com'è difficile giudicare, capire dove sta il bene e dove sta il male. Sbagliavo dunque scegliendo di piangere solo su Le Vanh Minh e Tuyet Lan? Mi sembra d'essermi cacciata in un vicolo cieco, a venire quaggiù.

E Teanek dice che questo è nulla, dovrei provare Khe San.

1° marzo. Il posto si chiama Khe San ed era una base ai confini col Laos. Oggi è la trappola più pericolosa del Vietnam. Seimila Marines vi sono rinchiusi, quarantamila nordvietnamiti la assediano con una pioggia di fuoco che dura da un mese e mezzo. Geograficamente è lo stesso caso di Dak To: una pista circondata di colline, gli americani sulla pista e i nordvietnamiti sulle colline. Strategicamente è l'inverso perché a Dak To gli americani attaccavano, a Khe San non osano abbandonare i bunker: uscirne senza esser colpiti è quasi come tuffarsi in acqua senza bagnarsi. I rifornimenti arrivano solo per via aerea. Se si tratta di materiale leggero, ad esempio i viveri, il sistema è semplice. I pacchi vengon gettati coi paracadute sul campo e qui li raccolgon di notte squadre di volontari. Se si tratta di materiale pesante, ad esempio le longarine di ferro che servono alla costruzione dei bunker, il sistema è complicato. L'aereo, di solito un C130, atterra senza fermarsi e senza fermarsi spalanca lo sportello: durante la corsa e fino al momento del decollo le longarine vengon seminate lungo la pista. Solo in casi eccezionali il C130 si arresta per un minuto, ma è un minuto in cui le probabilità di prendersi un colpo di mortaio toccano l'ottantacinque per cento. Il campo è un cimitero di aerei, elicotteri. Alcuni, precipitati mentre scendevano. Altri, mentre salivano: non esiste un punto che offra riparo e quelli che ripartono intatti possono ringraziare solo il caso o la fortuna.

Le pattuglie che oltrepassano il filo spinato non tornano quasi mai indietro. Le ultime due ci provarono la settimana scorsa. La prima era di trenta uomini: ventiquattro rimasero uccisi dopo dieci metri. La seconda era di venti uomini e andava a recuperare i sei superstiti: fu massacrata insieme a quei sei. Per sopravvivere a Khe San insomma non v'è altro modo che quello di restar tappati nei bunker: ma per quanto? Non paghi di bombardare giorno e notte, i nordvietnamiti stanno scavando tunnel per invadere il campo di dentro: uno dei tunnel si arresta a neanche cento metri dal filo spinato. Il paragone con Dien Bien Phu è inevitabile. Non a caso l'artefice della gran trappola è il generale Giap, vincitore di Dien Bien Phu. I seimila Marines lo sanno e il loro morale è basso. Ieri un C130 riuscì a fermarsi sulla pista di Khe San per ben quattro minuti, poi a ripartirne colpito solo da una raffica. Tra le lettere che scagliarono a bordo c'era un fogliolino diretto a nessuno: la poesia di un Marine. Un pezzetto di chewingum lo teneva attaccato a una busta. La poesia diceva così:

> La notte li sento scavare
> come tarli in un legno
> che strisciano verso di me.
> A colpi di vanga, dentro la terra.
> Sotto le longarine d'acciaio,
> sotto i sacchi di rena li ascolto
> come un topo nel buio.
> Siamo topi del buio.
> Il comandante ci ha dato il permesso
> di suonar la chitarra. Dice che fa bene,
> che ci solleva il morale.
> Non voglio suonar la chitarra,

voglio uscire da questa tomba,
da questa attesa crudele.
E se esco mi ammazzano.
Ieri hanno ammazzato il mio amico,
s'è visto col cannocchiale.
Dio, sono stanco. Ed ero così fiero.
Mi avevano detto che servo la pace.
Ma perché tocca a me, proprio a me,
difender la pace? Sottoterra,
quasi fossi già morto,
mentre a casa essi inventano leggi
per farmi morire?

Ciò spiega perché Khe San sia diventato un test di noi giornalisti, la prova di chi ha coraggio e chi non ce l'ha, o di chi
ne ha più e chi ne ha meno. La faccenda è abbastanza stupida,
anche considerato che nessuno ci chiede di fare gli eroi, che
non siamo qui per questo: ma evitare tale psicosi è impossibile.
Gli americani accettano richieste di passaggi sui C130, molti
sono già in lista, e al Press Camp di Danang non si fa che discutere chi è in lista e chi non c'è. Io e Derek non ci siamo.
Ho trovato Derek tornando da Hué. È tentato di andare a Khe
San e io lo stesso, sebbene un cablo del giornale mi informi che
il direttore non vuole. Ma le ore passano e non sappiamo prendere una decisione. Vegetiamo nell'ozio, dalle cuccette al bar,
dal bar alle cuccette, e ogni volta che ci incontriamo i nostri
sguardi si chiedono: "Allora, sì o no?". Quando se ne parla è
per ripeterci cose che sappiamo benissimo e per ritrovarci al
punto di partenza.

« Tu sei stata a Dak To, il tuo caso è diverso. »

« E tu sei stato invece nella battaglia finale di Hué. È il medesimo caso, Derek. »

« Sai, ogni sera mi sembra d'avere deciso. Prima di addor-
mentarmi penso: domani mi aggiungo alla lista. Oppure: no,
non mi ci aggiungo. La mattina però mi sveglio e, puntualmen-
te, ho cambiato idea. »

« Potremmo sempre metterci in lista e poi rinunciare. Gli altri lo fanno. Senza contare che prima del nostro turno le cose potrebbero migliorare un poco. »

« No, questo no. È due volte vile. »

« Lo so, Derek. »

« Perché vedi, il mestiere non c'entra. Io mi rendo conto che a Khe San non si trova nulla di nuovo: quel che c'era da scrivere è già stato scritto. La solita intervista col comandante, le solite conversazioni coi soldati, qualche pennellata umana: ma non è per gli articoli. È per me stesso, capisci? »

« Lo so. »

« È per orgoglio, per vanità, se preferisci. È perché alcuni degli altri ci vanno. O ci sono già stati. »

« Lo so. »

« Io sono stato in posti forse più brutti di Khe San. O almeno brutti quanto Khe San. La guerra di Israele ad esempio non era comoda. E nemmeno Hué era comoda. Ma se non andassi a Khe San penserei sempre: non sono stato a Khe San. Altri sì e io no. »

« Lo so. »

« Diventerebbe un incubo. Bisogna uscire dall'incubo. Bisogna poter dire a noi stessi, un giorno: io c'ero. »

« Se ci lasciamo la pelle, non lo diciamo. »

« Nessuno ancora ci ha lasciato la pelle. »

« Quindi qualcuno ce la lascerà. Forse noi due se ci andiamo, Derek. »

« E forse no. Ho fatto i calcoli, ho preso informazioni. Dal momento in cui si salta sulla pista al momento in cui ci buttiamo in un bunker passano cinquanta secondi. Bisogna far tutto in cinquanta secondi. È un buon margine. Abbastanza lungo per scappare e abbastanza breve per essere colpiti. »

« Lo so. »

« L'importante è partire leggeri, senza bagaglio inutile. E correre bene, senza cascare. Poi, da bunker a bunker, ci si sposta di notte. Sai cosa? Ho deciso di andare. »

« Quando, Derek? »

« In questo momento. Tu no? »

« No, Derek. »

« Be', forse neanch'io. Se ne riparla domani. »

« È meglio, Derek. »

Inoltre, mezz'ora fa, s'è saputo che tre corrispondenti sono rimasti feriti. Erano usciti dal bunker per respirare, un mortaio è scoppiato a pochi metri da loro. Uno di loro era Eurate, la ragazza che incontrai a Dak To. Dunque Eurate c'era, mi dico, e ciò raddoppia la mia incertezza, anche quella di Derek. D'accordo, non siamo cavalieri impegnati in un torneo alla corte di re Artù. D'accordo, il giornale non vuole che vada e anzi me lo proibisce. D'accordo, non troverei nulla di diverso da Dak To. Ma...

2 marzo. Per spiegare la storia di oggi devo tornare indietro di quattro giorni, al mattino cioè in cui cercai un elicottero che mi portasse a Phu Bai, e mi capitò quel CH46 con quel maggiore Brown: piccolo, biondo, roseo di pelle. Sembrava un angioletto rinascimentale, vestito chissà perché da comandante pilota. Baldanzoso entrò nella Red Room dove si controllano arrivi e partenze, baldanzoso chiese la missione del giorno. Ma, quando gliela dissero, si piegò in due come un fiore appassito.

« Phu Bai e Khe San, maggiore. »

« Khe San? »

« Sì, maggiore. »

« Ma è sicuro? »

« Sicurissimo, maggiore. »

« E cosa dovrei fare a Khe San? »

« Un recupero, maggiore. »

Il CH46 è un elicottero gigante, spesso usato per il recupero degli altri elicotteri. Aggancia l'apparecchio abbattuto con un cavo che termina a uncino, lo solleva e lo porta via. In circostanze normali è una impresa da nulla, in un posto come Khe San è un suicidio.

« Non si potrebbe domani? »

« Oggi, maggiore. »

« Il tempo è cattivo. »

« Purtroppo, maggiore. »

« Ma perché proprio io? »

« Il fatto è che qualcuno deve andarci, maggiore. »

Seguì un colloquio che non riuscii a comprendere perché parlavano a voce molto bassa. Poi il maggiore sedette dinanzi a una mappa e si mise a studiarla. Poi si distese sopra una panca e si mise a pensare. Poi si alzò, andò in cerca del suo comandante in seconda, e tornò col suo comandante in seconda. Un tipo placido, dal sorriso furbo.

« È lei che cerca un passaggio per Phu Bai? »

« Sissignore. »

« Andiamo. »

Salimmo a bordo, lo sportello posteriore si chiuse. I due mitraglieri si piazzarono alle mitraglie. I motori presero a rombare. Il maggiore Brown li fermò, si affacciò al suo finestrino.

« Ma è revisionato questo apparecchio? »

« Sì, maggiore. Revisionatissimo, maggiore. »

« Sarà bene darci un'altra occhiata. »

« Come vuole, maggiore. »

« Le pale. Le pale non funzionano mica. »

« Prima hanno funzionato, maggiore. »

« Lo dici tu. Chiama i meccanici. »

I meccanici vennero: portando pinze, cacciaviti, chiavi. Salirono sul tetto dell'elicottero. Ridiscesero sostenendo che le pale erano a posto, mai visto pale così a posto.

« Be', ora son più tranquillo. »

« Allora pronto, maggiore? »

« Pronto. »

Di nuovo salimmo a bordo, di nuovo lo sportello posteriore si chiuse. Di nuovo i due mitraglieri si piazzarono alle mitraglie. Di nuovo i motori presero a rombare. L'elicottero si sollevò. E si riabbassò subito.

« Questi comandi non funzionano mica! »

« Hanno funzionato, maggiore! »

« Lo dici tu. Richiama i meccanici. »

E quando i meccanici vennero, ancora una volta, portando

pinze, cacciaviti, chiavi, il maggiore disse che se la prendessero pure con calma: tanto il volo era annullato. Allontanandosi col comandante in seconda, il maggiore rideva. Rideva...

Be', oggi arriva Derek e mi spiega che deve chiamare Saigon perché ha una notizia. Poco importante, però meglio che nulla. Lo seguo ai telefoni e la notizia è questa. « Tre giorni fa un CH46 in servizio alla base di Danang è stato abbattuto dai nordvietnamiti a diciassette chilometri da Khe San. L'apparecchio è stato colpito da una granata durante il recupero di un altro elicottero. Il comandante ha cercato di prendere quota sganciando l'altro elicottero ma le pale erano danneggiate e il CH46 è precipitato schiantandosi. Tutti i militari a bordo sono morti. »

« Derek, » gli chiedo « vuoi cercar di sapere se il comandante si chiamava Brown? »

« Non me lo diranno mai » risponde Derek. « Perché vuoi saperlo? »

« Poi te lo racconto. Provaci, Derek. »

Derek ha un gesto di noia poi mi accontenta. Parla con un mucchio di gente, infine con il centro degli elicotteri. Discute, insiste, ascolta, ringrazia.

« Dice che non lo sanno e se lo sapessero non potrebbero dirlo. Però sanno che il maggiore Brown partì tre giorni fa per un recupero presso Khe San. Era un recupero che do~ ·· ? fare il giorno avanti ma s'era guastato il motore. »

« Lo sapevo. »

« Come lo sapevi? »

« L'aveva guastato lui. Non voleva andarci a Khe San. »

« A quanto pare non siamo i soli. »

« Allora che facciamo, Derek? »

« Mah! Forse mi metterò in lista. E tu? »

« Mah! M'è venuta un'idea. Ma è solo un'idea. Te ne parlerò. »

Non è solo un'idea. E non gliene parlerò. Se lo facessi mi scoraggerebbe e invece ho deciso. Domattina vo alla base degli elicotteri e cerco un passaggio per Khe San. Basta con questo dubbio di metterti o no sulla lista. È come quando vuoi buttarti in piscina sapendo che l'acqua è ghiaccia, e ci infili un piede, poi un altro piede, poi scendi la scaletta e ti bagni le gambe, poi lo stomaco: senti più freddo e rinunci. Per farcela devi tuffarti di colpo, a capo ingiù.

3 marzo. Devo scriverlo anche se mi costa umiliazione, vergogna. Forse mi servirà a capire come è successo. Ci sono andata. All'alba. Ho chiesto se c'era un mezzo per raggiungere Khe San. M'hanno guardato in modo strano e m'hanno risposto che per essere c'era: prima di mezzogiorno partiva un CH46, con un carico di munizioni. E atterrava? Sì, purtroppo, atterrava. E il comandante m'avrebbe accettato? Questo dipendeva dal comandante, qualche probabilità ce l'avevo, ma avevo così fretta di arrivare a Khe San? Sì, molta fretta, bisognava che ci sbarcassi in giornata per un certo reportage. Be', allora si metta lì. Mi sono messa lì. Sulla stessa panca dove s'era disteso il maggiore Brown. Ero calma, liberata da ogni dubbio, quasi felice. Se mi avessero chiamato subito me la sarei cavata benissimo. Ma è incominciata la solita attesa, in quell'ozio che ti dà tutto il tempo di ragionare, di calcolare, ed è successo: ad ondate. Prima l'ondata di impazienza. Poi l'ondata di nervosismo. Poi l'ondata di pentimento. Mi sono messa a pensare al maggiore Brown. E al fatto che questo elicottero era peggio del suo perché era carico di munizioni, cioè di esplosivo. E ho rivisto Johnny, la chiatta di Johnny. E m'ha preso il terrore. Se riuscissi a spiegar quel terrore. Non un terrore da adulta, il terrore di quand'ero bambina e mi spaventavo a tirar lo sciacquone. C'era la macchina della coca-cola lì a destra, sai quelle che infili la moneta e viene giù la bottiglia. È arrivato uno, ci ha messo la moneta, ed è esploso lo sciacquone. E ho visto la bambina scappare, bianca, senza chiuder la porta, mentre la mamma le grida: ma sciocca, che scappi, chiudi la porta! E l'ho vista rifugiarsi nel salone dei libri, ansimando, qui ricomporsi e appoggiare la fronte sui vetri, guardare gli alberi del giardino. Ma qui non c'era il salone dei libri, e non c'erano gli alberi del giardino, c'era questo tipo che veniva verso di me, lo stesso cui avevo chiesto il passaggio, e ho creduto che venisse ad annunciarmi il volo per Khe San, e di nuovo ho udito lo sciacquone, e ho fissato le sue labbra con occhi sbarrati, e m'ha detto: « Gradisce un caffè? Glielo porto ». Ho risposto sì grazie e quando è tornato col caffè io non c'ero più. Stavo correndo fra i capannoni, i quadrati di ferro, gli elicotteri fermi, fino al vialetto che porta all'uscita dove passava una jeep. Mi son quasi buttata sulla jeep: « Può accompagnarmi al Press Camp? ». Mi ci ha accompagnato. E qui ho trovato Derek. E gli ho raccontato ogni cosa, arrossendo.

Derek dice che non devo prendermela. Dice che succede a tanti anche se non lo raccontano. Succede ai soldati, è sempre successo e succederà sempre finché la terra gira. Dice che il terrore ha origini misteriose, che l'istinto di sopravvivenza è incontrollabile, che se ciò può consolarmi nemmeno lui va a Khe San. Non mi consola affatto. L'umiliazione mi copre come un sudore vischioso appiccicandomi gli occhi e i pensieri. È duro sentirsi sconfitti dagli altri ma sapersi sconfitti proprio da se stessi, ecco, è spaventoso, è intollerabile. Ho perso, Derek. Ho scoperto d'essere vigliacca, di non poter dire come quel vietcong « mi consolo pensando che la volontà umana arriva sempre dove vuole, sconfiggendo le distanze e le sanguisughe e un corpo che duole ». Torno a Saigon.

5 marzo. Odio le attese negli aeroporti, fra i sacchi di rena, i soldati stanchi ed ostili, le scritte « In caso d'attacco di mortai non lasciatevi prender dal panico, non correte, stendetevi a terra ». Odio il puzzo di sudore, le occhiate che ti frugano perché sei una donna, il tempo che passa vuoto. Sono a Cam Ranh Bay, dove ho deviato in cerca di un volo per Saigon, è notte, viaggio da ieri pomeriggio, e posso considerarmi fortunata se all'alba riuscirò a salire sul cargo che va a Than Son Nhut. Vogliono salirci tutti, anche il vietnamita che porge un foglio pieno di timbri mentre il vecchio Marine lo insulta.

« Stupida scimmia, che me ne frega se tua moglie crepa a Saigon? Che crepi! E tu con lei, muso giallo! »

Il vietnamita è gentile, educato, e la disperazione lo schiaccia impedendogli un gesto di orgoglio. O di odio.

« Ma signore! Mi ascolti, signore! Questo foglio mi autorizza a salire sul cargo! »

« Lo autorizza, sentilo! Avanza pretese, il muso giallo! Sono io che autorizzo, capitoooo? Dove credi d'essere, Charlie? A casa tua? Neanche avesse pagato il biglietto, quel Charlie! Combattiamo per loro, sprechiamo miliardi per loro, e poi avanzan pretese! »

« Ma signore! »

« Lo sai che ti dico? Tu a Saigon non ci vai! Fattici portar dai vietcong, muso giallo! »

« Signore, la supplico... »

Ma il vecchio Marine ha l'anima fasciata di grasso come la sua pancia. Da almeno vent'anni porta l'uniforme e distribuisce la sua prepotenza di bianco. Nel volto porcino non c'è la minima traccia di pietà umana, di civiltà. E, abbattendo sul vietnamita una manaccia pelosa, lo spinge indietro.

Odio star qui.

E poi ci sono quelle tre reclute che vorrei proprio evitare. Jimmy, Harry, e Don. Li ho incontrati a Danang e, se li rivedo, non rivedo nemmeno Saigon. E dire che al primo sguardo sembrano innocui: Don è un bel ragazzo simpatico, Jimmy è un gigante tutto sorrisi, solo Harry a guardarlo bene ha l'aria di scalognatore, con quel visuccio verde, gli occhiali da miope. Io più che penso a ierisera, al dialogo che abbiamo avuto, a ciò che è successo dopo...

« Vieni da Hué? » chiede Harry col tono di voler attaccare discorso.

« Sì, e voi? »

« Noi veniamo da ogni posto e da nessuno. »

« Bravi. E dove andate? »

« Non si sa. Dove ci prendono. »

« Come sarebbe a dire? »

« Sarebbe a dire » interviene Don « che non lo sappiamo mica. Noi si va dove ci dicono che è il nostro battaglione, cioè il 135° Genio Guastatori. Ammesso che esista. Vero, ragazzi? »

« Vero. »

« A San Francisco, quando siamo partiti per il Vietnam, ci

hanno detto che esiste » sorride Jimmy « e così a Cam Ranh Bay. Ora le racconto. »

« Lascia raccontare a Don » interrompe Harry. « Lui lo fa meglio. »

« Ecco, » dice Don « arriviamo a Cam Ranh Bay, freschi da San Francisco, e chiediamo dov'è il 135° Genio Guastatori. Segue un certo smarrimento, una dozzina di telefonate, e poi ci rispondono: Pleiku, ragazzi. Noi prendiamo un aereo e andiamo a Pleiku dove hanno tutta l'aria di attenderci e appena ci vedono ci cacciano via: no, ragazzi, no, il 135° Guastatori qui non c'è, provate a Chu Lai. Noi prendiamo un aereo, andiamo a Chu Lai, e anche qui hanno l'aria di aspettarci, eccome, ma non ci vogliono e ci cacciano via: no, ragazzi, no, provate a Natrang. Noi andiamo a Natrang e si ripete la medesima storia e ci dicono: provate a Danang. E qui ci dicono: provate a Hué. Ma a Hué manca poco che un ufficiale ci spara. E ci rimanda a Danang ed eccoci qui. »

« Ma come è possibile, » dico « ci sarà un errore. Perché dovrebbero cacciarvi ogni volta così? »

Interviene Harry: « Don, tu non la racconti giusta. O si dice tutto o non si dice nulla ».

E Don: « Chiudi il becco ».

« No, che non lo chiudo, perché non è onesto. Tu fai passare da fesso l'intero esercito americano e non spieghi perché in ogni posto ci mandano via. Ci mandano via perché credono che si porti scalogna, e si passan la voce e quando arriviamo in un posto si son già passati la voce: mandateli via perché portan scalogna. »

« Scalogna? Tutti e tre?!? »

« Certo che no! » grida Jimmy. « Lo sostengono loro! Per questo ci hanno messo insieme, fin da San Francisco. Per questo ci hanno mandato in Vietnam. Per toglierci di torno. Sa cosa disse il sergente quando gli partì quel colpo per sbaglio e ferì il maggiore alla spalla? »

« No, non lo so. »

« Be', questo sergente giocava sempre con la pistola. Si credeva un cowboy, si credeva. Così un giorno esclamai: "Senta, sergente, va a finire che ci parte un colpo da quella pistola". E l'avevo appena esclamato che il colpo partì. E si ficcò dentro il maggiore. Che andò giù come una pera. E manca poco che il sergente finisce dinanzi alla Corte Marziale. Se lo stesso maggiore non intervenisse spiegando che fu una disgrazia. Ma il sergente se la piglia con me e poi con Don e con Harry che mi difendono, e dice: "Andate! Andate insieme voi tre! E non tornate più! Tanto, portate scalogna!". »

« Ascoltami bene, Jimmy, » interviene Harry « scalogna no. Però bisogna ammettere che abbiamo disgrazia. Quando si arriva noi succede sempre qualcosa, neanche a farlo apposta. E non è mai qualcosa di buono. Riconoscilo, Jimmy. »

« E chiudi il becco! »

« No, che non lo chiudo. Ma scusa! Non ti ricordi che accadde a San Francisco? Si piglia il cargo e va a fuoco il motore. E sull'aereo diretto a Pleiku? Un mitragliamento che ne ferì quattro. E sull'aereo diretto a Chu Lai? Un mortaio che ci piombò quasi addosso. E l'altra notte a Phu Bai? Un razzo dentro il capannone dove si dormiva: due morti e sette feriti. E al campo di Natrang? Scoppia il tubo dell'acqua calda e si brucia il tenente. E a... »

Intendiamoci: sono superstiziosa. Però non abbastanza da non distinguere tre buontemponi da tre scalognatori. Perciò, convinta che volessero divertirsi, ho continuato a stare con loro. Mi sono sentita un po' inquieta, lo ammetto, quando ho visto che salivano sul mio stesso aereo: diretto a Cam Ranh Bay. Ma ho respinto l'idea e mi sono limitata a sedermi lontano. Un minuto dopo, rieccoli.

« Ci son quattro posti là in coda. »

« No, no. Andate pure. »

« Venga! È più comodo. »

« Non importa, vi dico. »

« Ehi, non crederà anche lei che si porti scalogna! »

Sono andata con loro. Abbiamo allacciato le cinture. Il comandante in seconda ci ha spiegato il funzionamento dei paracadute. Ed ecco che quei dannati incominciano.

« Che Dio ce la mandi buona. »

« Vedrai se non succede qualcosa. »

« Questa è l'ora dei mortai. »

« Ti do tempo trenta secondi. »

Avevano detto trenta secondi. E dal momento in cui l'avevano detto eran passati all'incirca dieci secondi. Ho abbassato lo sguardo sul mio cronometro. Mancavano ancora venti secondi, lo giuro.

Di nuovo ho respinto l'idea. Ma guardando il cronometro.

Meno dieci, meno nove, meno otto, meno sette, meno sei, cinque, quattro, tre, due, uno, bang! L'esplosione ha squassato l'aereo. Siamo rimasti lì, intontiti, e poi s'è affacciato il comandante in seconda. Ci ha detto di restare calmi, un razzo vietcong era caduto in mezzo alla pista, ma solo alcune schegge ci avevan colpito: una al serbatoio, una all'elica, quattro alla coda. Spiacente, doveva farci scendere e cambiare d'aereo.

Ora stanno qui. A quanto pare, diretti a Saigon. Non credo che il vecchio Marine li metta sul mio cargo. Ma, per ogni evenienza, è bene che li tenga alla larga. Dio, che manicomio. La guerra è un manicomio.

Capitolo settimo

Tu sai che questo diario vuol essere solo il documento di una esperienza, e non pretende di spiegare la sanguinosa follia della guerra in Vietnam. Tu sai che il Vietnam fu per me lo strumento di una ricerca che, in fondo, avrei potuto svolgere altrove: anche altrove il mondo bruciava e gli uomini ammazzavano gli uomini in nome di un dovere o di un sogno. Io lo scelsi perché la sua tragedia era un simbolo e perché tale simbolo era entrato nella nostra esistenza quotidiana: si diceva Vietnam per dire guerra, per dire morte. Però non era entrato nella nostra comprensione, ecco il punto. Lo soffrivamo, ci vivevamo insieme, senza davvero conoscerlo: tutt'al più interpretandolo sulla base di facili romanticismi, ovvii preconcetti. Così, vedi, il preconcetto maggiormente diffuso era che l'anima del Vietnam fosse rappresentata dai vietcong e basta, che dalla parte opposta della barricata ci fossero sempre i fantocci che la propaganda di Hanoi sosteneva. E allo stesso modo in cui Nguyen Ngoc Loan era considerato un turpe assassino dietro il quale nessuno avrebbe mai creduto di scoprire una creatura, così il generale Cao Ky era considerato un bieco dittatore dietro il quale nessuno si sarebbe sognato di sorprendere un uomo. Io per prima. Giunta a Saigon col bagaglio dei sentito dire, convinta dalla pessima reputazione che lo circondava, m'ero ben guardata dall'avvicinarlo: sorda ai consigli di François che ripeteva ti sbagli, egli interpreta il Vietnam più di quanto tu creda, è vicino ai vietcong più di quanto tu pensi, se avesse un po' di cultura resterebbe nella storia. L'indipendenza ideologica, a volte, portava François al paradosso o a quel che a me sembrava paradosso: in certi casi non volevo ascoltarlo. Capitolai, infine, quando il giornale mi chiese l'intervista.

Ciò avvenne al mio ritorno da Danang, nei giorni in cui Saigon era tornata nelle mani degli americani e dei governativi. Erano giorni tranquilli, in me appena turbati dalla vergogna di non essere stata a Khe San. Sciolta dai nodi della guerra, non cercavo più rischi o avventure: l'unica cosa che mi interessasse, in quei giorni, era adottare un bimbo vietnamita. Idea nata a Hué, ricordi. Quasi che nel buio di quei cadaveri offesi si fosse accesa una luce e, attraverso una vita appena sbocciata, volessi scordare l'orgia di morte cui avevo assistito. Assurdo, lo so. Infatti l'idea si esaurì con una delusione crudele e, allorché la luce si spense, di colpo come se l'elettricità fosse venuta a mancare, non ci pensai più. Finché durò, tuttavia, mi regalò una specie di rilassamento, un distacco a me sconosciuto, e in tal stato d'animo conobbi Cao Ky: per rendermi conto che non v'era alcun paradosso nel giudizio di François, che del Vietnam non sapevamo un bel nulla. E insieme a Cao Ky rividi Loan: alla svelta, per caso. E anche quello fu un incontro rivelatore, un annuncio di ciò che avrei capito più tardi, nel terzo viaggio, quando François mi avrebbe buttato dinanzi Pascal e il suo discorso sugli uomini. Insomma fu attraverso quei due generali brutti infangati odiati che cominciai a comprendere quanto sia difficile stabilire dove sia il giusto e l'ingiusto, che né l'uno né l'altro hanno l'esclusiva del bene e del male. Ma anche ciò non faceva parte della mia ricerca, della domanda postami dalla mia sorellina un ormai lontano novembre?

* * *

7 marzo. La calma è tornata a Saigon e io ci sguazzo dentro. È come se quell'attimo di vigliaccheria m'avesse tolto ogni voglia di fare le cose, e un periodo di me stessa si fosse concluso. Inutilmente Derek che è rientrato da Danang senza andare a Khe San mi consola: « Vedi, io non ci provai nemmeno ». All'improvviso la mia anima è stanca e sogno di partire. Resto solo perché il giornale m'ha chiesto un'intervista col generale Ky.

e perché mi trattiene un'idea che prese a bucarmi il cervello quando vidi i bambini di Hué divertirsi coi morti. Vorrei adottare un orfano vietnamita. Ne ho parlato anche con François.

« Enfin, une chose intelligente. Infine, una cosa intelligente » ha esclamato.

8 marzo. Si chiama Tran Thi An. Ha un grazioso viso d'avorio ingiallito, una fabbrica di prodotti chimici, una casa colma di porcellane e di serve. Si occupa di adozioni e assomiglia alle dame della Croce Rossa che credono di pagarsi il paradiso coi tè di beneficienza. Sono stata a trovarla per via del bambino. M'ha subito chiesto quanto guadagnassi, cosa possedessi, e se fossi una buona cattolica o no. Quando le ho risposto di non esser né l'una né l'altra, ha avuto un moto di stizza. Però quando ho aggiunto che nella mia casa di campagna c'è una cappella, m'è parsa assai soddisfatta: neanche concludesse che chi ha una cappella è automaticamente in grazia degli angeli.

« Una cappella consacrata, suppongo. »

« Sì, Madame. »

« E lei ci va spesso, suppongo. »

« No, Madame. Ma può andarci chi vuole. »

« Certo lei saprà che i vietnamiti amano molto i loro bambini e non li danno via volentieri. »

« Sì, Madame. »

« Soprattutto a stranieri. »

« Sì, Madame. »

« Il nostro governo condivide tale atteggiamento ed io sono una delle poche persone che possono favorir la consegna. Però rispettando un punto su cui il nostro governo è irremovibile. »

« Quale, Madame? »

« Il nostro governo non si oppone alla adozione delle femminucce, si oppone invece a quella dei maschietti. Perché i maschietti dovranno difendere il loro paese, e il governo ritiene che non si debba privare il paese di futuri soldati. »

« Ma un bambino appena nato, Madame... »

« Noi siamo sempre in guerra, Mademoiselle. »

« Capisco, Madame. »

« Quindi posso aiutarla a scegliere una bambina. Mai un bambino. »

« Una bambina andrà bene, Madame. »

Mi dispiace, ecco, non strappare al governo un po' di carne da cannone: ma una bambina andrà bene. Sono belle le bambine vietnamite, e quasi sempre diventano donne bellissime, e la bellezza non scomoda mai nella vita: fa perdonare perfino l'intelligenza. L'orfanotrofio di Tran Thi An è a Go Vap, domattina vo a cercarvi mia figlia. La riconoscerò? Mi riconoscerà? Non penso che a questo mentre François e Felix si raccontano che il comando americano ha posto Johnson dinanzi al dilemma: difendere le città o le campagne?

« Il capo di stato maggiore Earl Wheeler è ripartito per Washington portandosi dietro il problema: difendere allo stesso tempo le città e le campagne sembra infatti impossibile. Westmoreland non ha gli uomini sufficienti. »

« Seicentomila americani non sono sufficienti? Questa sì che è una notizia, François. »

« Sicuro. Possiamo farci l'editoriale. Capisci, il dilemma dovrà esser risolto in base a un ragionamento politico, non militare. I nordvietnamiti seguono la teoria leninista per cui la rivoluzione esplode nelle città, oppure seguono la teoria maoista per cui la rivoluzione si muove dalle campagne per entrare nelle città? »

Non me ne importa nulla. Stasera mi importa solo di lei. Con lei non avrò bisogno di farmi sparare addosso per sentirmi più viva. Con lei non avrò tentazioni di recarmi a Khe San o in luoghi come Khe San. Con lei non mi vergognerò per esser fuggita da un aeroporto dove aspettavo un elicottero carico di esplosivo. E le insegnerò...

Le voci di François e di Felix si incrociano, si sovrappongono, si confondono.

« Qu'est-ce que tu penses, François? Tu crois qu'ils vont choisir la théorie léniniste ou la théorie maoiste? »

« La théorie maoiste, je dirais. »

« Oui, mais enfin: la théorie léniniste a été bien appliquée ici, n'est-ce pas? »

« Et toi? Qu'est-ce que tu penses, toi? »

Penso, ecco, penso che le insegnerò a non fare i balocchi coi cadaveri. Penso, ecco, penso che le insegnerò a dimenticare quei morti. Fucilati in nome della teoria leninista, maoista, capitalista...

9 marzo. C'era questa stradina sporca, tutta macerie, con la gente che ci guardava male perché eravamo vestite bene, e poi c'era questo cancellino verde: chiuso con un lucchetto. La signora ricca che mi accompagnava per conto di Tran Thi An ha suonato il campanello ed è apparsa una monaca vietnamita: vecchia, grassa, ostile. Si son dette qualcosa e subito la monaca ha aperto il lucchetto, spalancando il cancellino verde. Poi m'ha fatto passare in una stanza dove ha preso ad interrogarmi. Così.

« Di che età la preferisce? »

« Be', vorrei che non fosse troppo piccola. Dovrebbe fare un viaggio assai lungo, sorella. »

« Tre mesi, va bene? »

« Oh, no! Non saprei allevare una bambina appena nata. »

« Sei mesi allora? »

« No, sorella, no. Almeno un anno, un anno e mezzo. Che incominci a mangiare da sé. »

« Si accomodi, prego. »

Sembrava che mi portasse a comprare un cane o un vitello. Aveva il piglio del commerciante cui non importa molto di vendere ma, se paghi bene, può anche decidersi a vendere. Con quel piglio ci ha preceduto lungo una scala che conduceva a una terrazza dov'era una fila di luride culle. Poi s'è fermata in fondo alla fila e s'è messa a percorrerla velocemente, battendo la mano sopra ogni culla.

« Questo? Questo? Questo? »

In ogni culla stava un minuscolo essere ignudo, immancabilmente corroso da una malattia purulenta o da ustioni. Provocate dal napalm.

« Questo? Questo? Questo? »

A metà fila la monaca ha avuto un gesto di impazienza. Ha sollevato un piccolo mostro dall'enorme testa coperta di pustole e piaghe e me l'ha buttato in braccio, come un fagotto.

« Questo va bene? »

L'aiutante di Tran Thi An è intervenuta.

« Trop petit, trop petit. »

Sbuffando la monaca lo ha restituito alla culla e ci ha condotto da un'altra parte. Qui c'era un tugurio, poco più grande di un gabinetto. In mezzo al tugurio c'era una ciotola di riso bollito. E, intorno alla ciotola, c'erano dieci bambini di un anno o due. Accucciati per terra mangiavano il riso pescandolo con le dita unite a cucchiaio, e sembravano meno malati, meno bruciati, però non li avresti detti bambini bensì vecchi che un sortilegio diabolico aveva ridotto a dimensioni infantili: sulle manucce rugose le vene si disegnavano gonfie, dalle guance la pelle cadeva come a ottant'anni. Mi sono chinata fra loro. Due occhi a mandorla, tristi, m'hanno fissato. Due polpastrelli vuoti m'hanno accarezzato un ginocchio. E nella confusione ho sentito che avrebbe potuto essere lui.

« Sei tu? » ho detto.

Gli occhi tristi hanno sorriso.

« Vuoi essere tu? Vieni qui. »

Ma nello stesso momento due mani adirate l'hanno strappato via, una voce irritata è esplosa contro i miei orecchi.

« È un maschio, non vede? C'est un garçon! Un garçon! »

« Sì, lo vedo. »

« E allora? Deve battersi per la patria, lui! »

Quasi avesse capito, il bambino ha cacciato un urlo. Ma un urlo così forte, così sproporzionato al suo povero minuscolo corpo, che l'aiutante di Tran Thi An è arrossita. E dopo quell'urlo ne ha cacciato un secondo, e un terzo, e un quarto, sicché gli altri lo hanno infine imitato, e si son messi a urlare con lui, o a piangere, o a battere i piedi, in una disperazione tanto profonda da apparire cosciente, e più la monaca tentava di calmarli più la disperazione cresceva, saliva, gonfiava come una nuvola. E la nuvola è uscita dal tugurio e ha avvolto la terrazza dove i neonati hanno aggiunto lamenti, singhiozzi, e dalla terrazza è scesa giù per le scale, ha invaso il cortile dove trenta quaranta gole si sono unite al concerto, anzi alla protesta. È passata mezz'ora prima che tornasse il silenzio e io potessi continuar la ricerca. Ma era una ricerca inutile, ormai. Non li vedevo più. Perché erano tanti, come i morti di Hué, e tutti uguali anche se eran diversi, come i morti di Hué, e distinguere lei sarebbe stato lo stesso che distinguere un colore nel buio.

« Andiamo, la prego » ho detto alla mia accompagnatrice.

« Digià? »

« Torneremo domani, la prego. »

E l'ho portata via. E, mentre la portavo via, i miei occhi hanno distinto di nuovo i colori. E tra i colori v'era un faccino rotondo che mi osservava con ostinato interesse.

« Non stavamo andando via, Mademoiselle? »

Sotto il faccino v'era un gran fiocco, e sotto il fiocco un grembiule a quadretti: con le maniche lunghe. Sedeva su un sasso, le spalle appoggiate al muro. Avrà avuto all'incirca tre anni. E da lei partiva un misterioso richiamo.

« Andiamo, Mademoiselle! Ho fermato un taxi! »

Partiva anzitutto dalle pupille: lucide, nere, severe. Poi dalla bocca: minuscola, chiusa, orgogliosa. Infine dal suo atteggiamento: composto in una dignità abbastanza assurda per una bambina. Il modo in cui rizzava il collo, ad esempio. O il modo in cui univa le gambe. O il modo in cui si teneva staccata dagli altri.

« Mademoiselle, il taxi non può attendere. »

« Vengo. »

Aveva l'aria di non chiedere nulla e di non aspettare nulla. Era diversa, ecco. E avrei giurato che durante il concerto di singhiozzi e di urli lei non aveva pianto.

« Mademoiselle, possiamo lasciare andare il taxi se vuole. »

« No, eccomi. »

Mentre salivo sul taxi s'è mossa, impercettibilmente. E per un momento ho creduto quasi che si alzasse, che mi corresse dietro. Invece s'è limitata ad appoggiarsi meglio sul muro, senza spostare le braccia. E di lì ha continuato a osservarmi: dischiudendo appena le labbra.

« Se vuole restare, però... Vero, Madre? »

« Oui, oui » ha risposto la monaca.

Col suo intuito di commerciante essa aveva capito che stava accadendo un miracolo e che l'affare poteva ancora concludersi. Ciò la rendeva gentile.

« Avez-vous trouvé quelque chose qui vous plaît? Ha trovato *qualcosa* che le piace? »

Forse è stata quella frase a frenarmi, quel tono da bottegaia. O forse la bambina stessa, non so. Fatto sta che sono rimasta inchiodata al sedile, con la mano sullo sportello semiaperto. Voglio dire: volevo scendere e il corpo non mi ha obbedito. Allora ho chiuso lo sportello, il taxi è scivolato in avanti e lei è sfuggita dal finestrino. Come una visione.

Era circa mezzogiorno. Ora sono le cinque e continuo a pensarci. Vorrei tornare laggiù ma il coprifuoco in Go Vap incomincia alle cinque. E se usassi il tesserino che mi consente di girare fino alle otto? No, sarebbe ridicolo e rischierei di farmi arrestare da Loan. Tornerò ed è meglio così: quella bambina mi fa paura. Sai la stessa paura che si prova all'inizio di un amore, quando l'intuito ci annuncia le sofferenze che esso ci costerà, e la prudenza ci induce a girarvi intorno senza accostarcisi troppo, ma è un girarvi a spirale, più vicino sempre più vicino, e sai bene che finirai per caderci dentro: a pagare ogni istante di gioia con mille dolori.

Notte. Domani non potrò tornarci, François m'ha fissato l'intervista col generale Ky. L'appuntamento è alle undici e la faccenda si annuncia interessante: raccogliendo notizie, stasera, ne ho sapute di cotte e di crude su Ky. Chi avrebbe mai immaginato che l'uomo più famoso del Vietnam del Sud, colui che gli americani investirono d'ogni potere, fosse in realtà un ex playboy da operetta? Fino a tre anni fa, mi raccontano, era noto soltanto per le donne che aveva, il whisky che beveva, i night club che frequentava: sempre abbigliato con quell'uniforme non grigioverde ma nera, e intorno al collo una sciarpa di seta rosa. Dice che è superstizioso, crede agli oroscopi con isteria, e va pazzo pei combattimenti dei galli: nella sua casa di Than Son Nhut ne alleva un centinaio e per godersi anche altrove quel crudele piacere è capace di attraversare mezzo Vietnam in aeroplano, inoltrarsi senza scorta nelle zone vietcong. Ben pochi ne parlano bene e, se lo fanno, è per dirti che si abbandona a certe sciocchezze per l'infelicità accumulata con la prima moglie che era francese e lo tradiva e lo abbandonò con quattro bambini, sicché lui dovette affidarli a quella entreneuse con la quale andò a vivere, però e malgrado tutto è un buon padre, ha sposato la seconda moglie per dare una mamma ai suoi figli eccetera. Particolari che ti consolano poco quando vieni a sapere che i suoi film preferiti sono quelli di James Bond, i soli dischi che ascolta sono le canzoni dei Beatles, Brahms lo adopra per addormentarsi, e che infine non ha mai letto un libro serio: la sua biblioteca è composta esclusivamente di racconti polizieschi. Un giorno François andò a trovarlo nel suo ufficio al palazzo dell'Indipendenza e, fra due polizieschi posati sulla scrivania, sorprese una Bibbia. « Congratulazioni, vedo che ti sei dato alle buone letture » gli disse. E lui rispose: « Me l'ha appena portata un prete ». Poi la prese e la buttò nel cestino.

Eppure François lo difende. Continua a dire che rappresenta il Vietnam più di quanto si creda, che è vicino ai vietcong più di quanto si pensi. « Non a caso teme d'essere ucciso dalla sua gente e non dai vietcong. La frase che ripete è: "lo so che qualcuno tenterà di uccidermi ma questo qualcuno non sarà un comunista". Avrai molte sorprese a parlarci: nella sua ignoranza è un vero socialista ed a un Vietnam indipendente ci crede quanto quelli del Fronte. » Mah! Dev'essere uno dei suoi paradossi, e comunque François ha dimenticato di dirmi che il più caro amico di Cao Ky è Nguyen Ngoc Loan.

10 marzo. Più ci penso e più mi sembra impossibile. E più mi sembra impossibile più mi dico che non si può prevedere mai nulla, neanche le nostre reazioni. Tutto avrei immaginato fuorché di stringergli nuovamente la mano. È andata così. Ero nell'anticamera di Cao Ky, al secondo piano del palazzo governativo, e aspettavo da circa due ore che egli si decidesse a ricevermi. Per vincer la noia camminavo nervosa lungo il corridoio, lo sguardo fisso alla porta, e d'un tratto la porta si spalanca: ne esce un gruppo di ufficiali vietnamiti. Fra loro, un omino in borghese: giacca e pantaloni grigi, camicia senza cravatta. Lo osservo con particolare attenzione poiché è raro incontrare un borghese là dentro, e chi è? Proprio lui, il generale Loan. Mi irrigidisco e fo il gesto di allontanarmi. Ma lui mi ha già visto e, spalancando l'orrida bocca in qualcosa che vuole assomigliare a un sorriso, viene verso di me a braccia tese. Ed esclama, festoso: « Bonjour! Ça va? ».

François, cui sto raccontando la storia, ha il diavolo in corpo. Salta da una scrivania all'altra, vi si appoggia e se ne stacca d'un balzo, scuote la testa, mi ascolta serio, sghignazza. Ed è la terza volta che mi pone le stesse domande.

« E tu cosa hai fatto? »

« Te l'ho detto. Nulla. Cosa potevo fare? Sputargli addosso? Gridare aiuto? Ero nella tana del... »

« Potevi voltargli le spalle. »

« Be', non l'ho fatto. Son rimasta lì ferma, a guardarlo. Sorpresa. Non tanto di vederlo in borghese, è così buffo in borghese, quanto di vederlo festoso, cordiale. E ho risposto: "Ça va". »

« Uhm! E poi? »

« Te l'ho detto, François. E poi mi ha quasi abbracciato. E poi mi ha porto la mano. »

« E tu l'hai presa! »

« No. Non l'ho presa. È stato lui che ha preso la mia, ti ripeto. Ha cercato la mia destra, l'ha tirata su, e l'ha stretta. Così. »

« E tu gliel'hai lasciata stringere. Come a un amicone. »

« Gliel'ho lasciata stringere e basta. In silenzio. Ero sbalordita. Non sembrava il Loan che conosci. Era quasi simpatico. »

« Ah! »

« Te lo giuro. La mia freddezza era abbastanza offensiva ma lui non ci ha badato. E mi ha chiesto scusa per il ritardo di Ky. E mi ha spiegato che c'era una riunione imprevista, importante, coi generali. »

« E tu, commossa, non gli hai chiesto perché ammazzò un uomo con le mani legate. Bella giornalista! Che ci voleva? Era lì, eri lì. Dovevi chiedergli: perché ammazzasti un uomo con le mani legate? »

« Volevo. Non ci sono riuscita. »

« Ma perché? »

Perché, ecco... François non vuole capire. Perché, ecco, perché m'ha preso come una pietà. Sarebbe stato semplice, no, fargli quella domanda. Ne avevo tutto il tempo, e nessuno ascoltava. Ma era così indifeso, così bisognoso di qualcuno che non gli sputasse addosso. Sembrava, ecco, che non ce la facesse più a starsene solo, o con gli altri lupi. Sembrava, ecco... Una volta lessi la storia di un lupo zoppo che gli altri lupi non volevano più. E allora, la notte, lui andava in cerca dei cani. Ma non per sbranarli, per starci insieme. E i cani ci stavano insieme. Non si mettevano né ad abbaiare né nulla.

« Insomma, François, era come quel lupo zoppo. »

« Letteratura. Idiozie. Le gambe ce l'ha tutte e due. E dovrebbe perderne almeno una, ti giuro, ma perderla bene, perché io mi lasciassi di nuovo stringere la mano da lui. Hai fatto male. »

Forse ho fatto male. Ma allora perché lui continua a cercare il motivo di quell'uccisione? Quando si rifiuta qualcuno, non si tenta neppure di spiegar le sue colpe. È quando non lo si rifiuta che ci si domanda perché le ha commesse.

Devo rimettermi in sesto prima di scrivere quel che è successo dopo, con Ky.

Sera. È successo che, lasciato Loan, sono entrata in questo salone arredato con due divani, un vaso di fiori, una bandiera, e una scrivania colma di telefoni. Cao Ky era in piedi, presso la finestra, e mi volgeva le spalle. Al rumore dei passi s'è girato e m'è venuto incontro: ma senza un sorriso, senza il minimo gesto di cordialità. Con distacco m'ha porto la destra, con freddezza m'ha invitato a sedere. Poi s'è seduto anche lui, sul divano, e s'è messo a fissarmi. L'ho fissato anch'io, per qualche secondo, e devo dire che non m'ha provocato emozioni: a colpo d'occhio è un vietnamita come tanti altri, né alto né basso, né forte né fragile, fisicamente si distingue dagli altri solo pei baffi che spiccano neri sul volto color ambra scura. Il volto è antipatico, chiuso a chiave dentro un'espressione triste e arrogante, lo sguardo è fermo e allo stesso tempo gonfio di una malinconia cupa. Lo sguardo direi di chi si aspetta ad ogni momento un pugnale nel cuore, ed è pronto a difendersi, ma ci è rassegnato. Per questo, credo, ho rotto il silenzio ponendogli subito quella domanda: « Generale Ky, si raccontano cose sconcertanti su lei ma la più sconcertante è senza dubbio una frase detta da lei. "Lo so che qualcuno tenterà di uccidermi ma questo qualcuno non sarà un comunista" ».

Non ha battuto ciglio.

« Esatto. Sarà qualcuno da questa parte della barricata e per cui sono assai più scomodo di quanto lo sia per i comunisti. Perché sono il solo, da questa parte della barricata, a riconoscere di appartenere a un regime inefficiente, incapace, corrotto, e che di democrazia ha esclusivamente il nome. Sono il solo a dire che gli americani non sono qui per difenderci ma per difendere i loro interessi, per instaurare un nuovo colonialismo. Gli americani fanno sempre così: arrivano con la scusa di aiutare e poi restano a fare i padroni, i colonialisti. Il governo che essi hanno voluto nel Vietnam del Sud e di cui fo parte, non rappresenta il mio popolo. Le elezioni che gli americani hanno imposto e grazie alle quali io sono diventato il vicepresidente hanno costituito una beffa: il popolo ci ha votato per paura, per ignoranza. Che senso ha parlare di potere esecutivo, potere legislativo, libertà di parola, quando il primo bisogno è una ciotola di riso per sopravvivere? Qui vai nelle campagne, dici il verbo votare, e ti rispondono col verbo mangiare. Parli di democrazia e ti rispondono chiedendo giustizia... »

Malgrado François m'avesse avvertito, non credevo ai miei orecchi e a un certo punto m'ha colto perfino il sospetto d'esser presa in giro. Ho dovuto fare un certo sforzo per convincermi che credeva in ciò che diceva e quasi balbettare: « Ma questi, generale, sono discorsi da rivoluzionario ».

Di nuovo non ha battuto ciglio.

« Certo che lo sono. Ciò di cui ha bisogno il Vietnam del Sud è una grossa rivoluzione da contrapporre alla rivoluzione avvenuta nel Vietnam del Nord. Io non ho paura della parola socialismo, sono gli americani che la pronunciano come se fosse una parolaccia e contrapponendola alla parola libertà. Libertà di cosa? Oggi in Vietnam c'è bisogno di una sola libertà, cioè la libertà dal bisogno, e la libertà di cui parlate nel vostro mondo è un lusso che per ora non ci interessa. Lasciateci costruire un paese dove non si muore di fame e poi parleremo di libertà di espressione, libertà di parola e via dicendo. Ma questo è marxismo, mi si risponde. Chi è Marx? Marx, Engels... non li conosco. Non ho mai letto quello che hanno scritto e non ho alcuna intenzione di leggerlo. I loro libri sono libri di bianchi, scritti laggiù in Europa, e io sono un giallo: io appartengo al Vietnam. Ciò che va bene per loro non può andar bene per me, e poi loro sono teorici: io non ho tempo da perdere con le teorie. Oppure Kant, chi è questo Kant? Dice che è venuto prima di Engels che è venuto prima di Marx e insieme hanno scoperto che i poveri non devono essere poveri. Dice che avrei dovuto leggere anche lui. Quando? Io a scuola ci sono andato fino a diciotto anni, cioè fino a quando i francesi mi hanno mandato alla guerra. A scuola, di questo Kant non mi hanno detto nulla e dopo non ho avuto tempo di scoprirlo perché mi hanno insegnato a guidare gli aerei e ho dovuto guidare gli aerei. E con ciò? Una volta il mio paese era diviso come lo è oggi, e a unificarlo fu un contadino ignorante. »

Allora gli ho risposto che forse aveva ragione, però restava il fatto che se avesse letto quei libri si sarebbe accorto di parlare come i vietcong cui faceva la guerra, e gli ho chiesto: « Generale, perché combatte i comunisti? ».

Un lungo silenzio. Poi la risposta.

« Be', a questo punto suppongo che si debba citare quella parola libertà. Però non so come spiegarmi... Così, forse: a me i cattolici non piacciono e i comunisti assomigliano talmente ai cattolici. Appartengono al partito ciecamente, fanaticamente, come se il partito fosse una chiesa: a costo di distruggere gli individui, gli affetti. Io non so che farmene di una società dove l'uomo deve diventare per forza uno strumento del partito, o della chiesa, ed è questo che rimprovero ai comunisti: non la distribuzione della ricchezza. Io sono d'accordo coi comunisti quando tolgono la terra a un ricco e la danno al contadino che il ricco sfruttava. E sono anche d'accordo quando al contadino gli danno un fucile, gli dicono: vai e combatti per una vita migliore... »

« Generale » ho esclamato « ma si rende conto che Ho Ci Min dice proprio questo? Ma è proprio sicuro di non trovarsi dalla parte sbagliata? Generale, ma perché sta in questo governo che riconosce abusivo e corrotto? »

E lui: « Ecco... vede... Può anche darsi che se dieci o venti anni fa io avessi incontrato Ho Ci Min e mi fossi messo a leggere quei libri... voglio dire... oggi forse mi troverei dalla sua parte. Però cosa sarei? Un piccolo funzionario ubbidiente e perduto nei quadri del partito comunista, come migliaia di altri. Zittito da loro, fagocitato da loro. E non combinerei nulla. Trovandomi da questa parte, invece, sono Nguyen Cao Ky, cioè un leader, e posso fare qualcosa. O tentare. Perché se è vero che una rondine non fa primavera, come diciamo in Vietnam, è anche vero che una rondine annuncia la primavera. Certo... dall'altra parte della barricata tutto sarebbe stato più facile per me. Probabilmente sarei anche stato meno infelice. Però non avrei potuto sognare la mia rivoluzione e se mi chiede quanto mi piacerebbe parlare con Ho Ci Min... le rispondo non molto. Perché egli non mi interessa, in fondo: appartiene a un'altra generazione. Sì, senza dubbio è un buon capo. Ma è vecchio. Ha più di settant'anni e io ne ho trentasette: cosa potremmo dirci? Non è che io disprezzi i vecchi: sono nato in un paese che tiene in gran conto la venerabilità e si inchina sempre dinanzi ai padri e ai nonni e agli zii. Ma quando si parla di rivoluzione, di giustizia sociale, di futuro, non credo che i vecchi abbiano più nulla da insegnarci: quando si tratta di costruire una nazione, i vecchi non vanno ascoltati. Altrimenti si ripetono i loro errori ».

A questo punto è arrivato un subalterno e gli ha detto qualcosa e Ky s'è alzato e m'ha congedato spiegando che era costretto a interrompersi: l'avrei rivisto uno dei prossimi giorni. Lo spero. E in tal speranza mi dico che non abbiamo capito nulla del Vietnam, né a destra né a sinistra né al centro, e la buona coscienza di noi liberali ha capito ancor meno. Non si odiano fra loro sebbene si scannino: odiano noi che li inducemmo a scannarsi in nome della nostra pelle bianca, dei nostri sporchi interessi, e, in nome di una civiltà che si definisce superiore perché costruisce bombe più grosse, invademmo le loro risaie, corrompemmo le loro coscienze, distruggemmo le loro città, infine li tagliammo in due: il Nord a te e il Sud a me. Senza accorgerci che lo stesso vento investiva Nord e Sud, gli stessi sogni di indipendenza e di libertà e di giustizia, senza ricordarci che non si può andare contro la storia più di quanto si possa andare contro la natura. Non è davvero stupido questo Cao Ky: da questa parte della barricata, e malgrado le sue sciarpe di seta rosa, i suoi romanzi polizieschi, il suo analfabetismo, è l'unico che valga la pena ascoltare. Devo proprio rivederlo.

11 marzo. Ho perso la giornata a cercar di fissare un secondo appuntamento con Ky e così nemmeno oggi ho avuto il tempo di recarmi a Go Vap. Ma gli occhi di quella bambina non mi abbandonavano mai e v'eran momenti in cui si sovrapponevano, assurdamente, agli occhi di Ky. E poi a quelli di Loan. Tutti e tre così lucidi, neri, senza gioia. Sono gli occhi del Vietnam.

12 marzo. Non ho ancora ottenuto un altro appuntamento con Ky ma ho conosciuto sua moglie. Mi ha offerto il tè nella villa di rue Cong Ly dove essi alloggiano da quando sono stati costretti ad abbandonare la casa di Than Son Nhut, semidistrutta dai mortai e praticamente in zona vietcong. La villa è circondata da un altissimo muro, protetta da decine di mitragliatrici, ma neanche ciò è sufficiente in caso di attacchi notturni e così, ogni sera, la famiglia si trasferisce al palazzo dell'Indipendenza dove dorme su materassi distesi per terra. « Viviamo come soldati, » essa dice « vedesse come hanno imparato bene, i bambini, a nascondersi sotto i materassi al primo colpo di rivoltella. Non si spaventano neanche più. »

La signora Ky è una splendida ragazza di ventisett'anni,

dal volto di porcellana e dal corpo di giunco. Veste all'europea, da Cardin, ed è sempre pettinata profumata truccata come se stesse per recarsi a teatro. Ex studentessa di matematica all'università di Natrang, lavorava da hostess sulle linee dell'Air Vietnam e il suo incontro con Ky avvenne su un aereo diretto a Bangkok. « Mi invitò subito a cena, gli risposi che avrei accettato se estendeva l'invito all'intero equipaggio. La cosa gli piacque perché in certe cose è un uomo all'antica, e dopo quella cena volle che conoscessi i suoi figli. Mi spiegò molto presto che oltre a una moglie cercava una madre pei suoi figli e che non mi avrebbe sposato se non fossi stata capace di amarli come figli miei. Ora abbiamo anche una bambina, Duyen, e chi lo crede cattivo dovrebbe vederlo in famiglia. Oh, lo so bene che un uomo cattivo può essere un buon marito e un buon padre, ma la vera natura di un uomo non è forse quella che egli rivela a casa sua? Il potere, la guerra, ne distorcono sempre l'immagine. » Pronuncia queste parole con grande dolcezza e ad ascoltarla ti chiedi se non vi sia del vero nel ritratto che essa fa del marito. Anche Nguyen Van Sam il terrorista era buono. Amava sua moglie, suo figlio, si commuoveva a ascoltare una ninnananna, e poi fabbricava le Clymore, le riempiva con tanti piccoli pezzi di ferro e ammazzava la gente a decine per volta.

14 marzo. L'ho rivisto. Ieri pomeriggio, dopo mezza giornata d'attesa, in quella villa di rue Cong Ly. È arrivato con la scorta armata, è corso ad abbracciare i bambini, poi s'è buttato sopra un divano dicendo: « Sono così stanco ». Più che stanco tuttavia appariva affranto: era scomparsa da lui ogni arroganza, ogni durezza. Parlando teneva in collo Duyen e lasciava che lei gli ficcasse i ditini nel naso, negli occhi. Mi sentivo quasi colpevole di rubargli quell'attimo di riposo, di tenerezza. Ecco il colloquio così come è avvenuto.

« Generale Ky, se un giorno lei fosse deluso nelle sue speranze, se un giorno lei si accorgesse di non poter fare la sua rivoluzione, il suo socialismo, se in altre parole comprendesse di aver scelto la parte sbagliata, sarebbe pronto a ricominciare da capo con i suoi attuali nemici? »

Ha risposto senza esitare.

« No. Quando un uomo sceglie un ideale, anzi una via per realizzare il suo ideale, deve percorrerla fino in fondo. Io, se mi accorgessi di aver scelto la via sbagliata, preferirei morire. So benissimo che la mia scelta non è pratica e anzi è molto penosa. So benissimo che io e i comunisti abbiamo sogni in comune, obiettivi in comune, scopi in comune. E so che c'è molto più sudicio fra noi che fra loro. Ma il loro sistema non è quello giusto, ed io li combatto perché il loro sistema non è quello giusto: quindi che senso avrebbe andare fra loro? Preferirei uccidermi. Vede... in Vietnam c'è un proverbio: se vinci diventi re, se perdi ti taglian la testa. Se mi taglieranno la testa, pazienza: avrò tentato di diventare re. Ma non è detto che me la taglino perché i poveri, i contadini, sono con me. Ed è su loro che devo contare: non sui borghesi, non sugli intellettuali. »

« Generale Ky, non parliamo di sistemi e di idee: parliamo degli uomini. Questi vietcong di cui usa il linguaggio e che tuttavia combatte... riesce a considerarli fratelli? »

« Un fratello è un uomo che mi è vicino quando sono triste e quando sono felice. Un fratello è un uomo che la pensa come me. E i vietcong non la pensano come me. Parlano la mia lingua, hanno il mio stesso sangue, però mi sparano come io gli sparo. So che un giorno non mi spareranno più, e che io non sparerò più a loro, e quel giorno verrà: il giorno in cui il Vietnam sarà riunito. Però fino a quel giorno non mi chieda di amarli o di pianger per loro: lascio questo privilegio a voi europei che siete così invaghiti dei vietcong. Tutto quello che fanno va bene, per voi. E tutto quello che facciamo è sbagliato, per voi. Loro sono i buoni e noi siamo i cattivi, per voi: come nei film western. Non ho ancora capito se il vostro è semplice romanticismo o pura stupidaggine. »

« È rispetto, generale. Per il loro coraggio, per la loro fede. Ammetterà che ci vuole molta fede, molto coraggio, per gettarsi scalzi contro i carri armati. »

« E chi nega che abbiano coraggio? Certo che ne hanno: sono vietnamiti. I miei soldati non hanno forse coraggio? Io non ho forse coraggio? Anch'io so combattere come un vietcong, e l'ho dimostrato. Anch'io non ho paura di morire: nessun vietnamita ha paura di morire. Noi accettiamo la morte come la vita, come il fatto stesso d'essere nati: siamo così nel Vietnam. Durante l'offensiva del Tet i sudvietnamiti se la son cavata tutt'altro che male, e se quell'offensiva è fallita... I vietcong hanno perduto perché hanno creduto a voi bianchi che da anni ci date di conigli e soltanto a loro attribuite la patente di leoni. S'eran convinti che le città si potessero conquistare con nulla, che i nostri soldati non avrebbero reagito. E poi hanno perduto perché si illudevano che la popolazione passasse dalla loro parte, e non hanno capito che la popolazione non sta né con me né con Ho Ci Min, sta solo con la sua tazza di riso. »

« Solo per questo, generale? »

« No. Anche perché i loro capi sono vecchi e fanno le rivoluzioni da vecchi: fidandosi di libri scritti cent'anni fa da due bianchi chiamati Engels e Marx. Perché i loro capi fanno i calcoli sulle teorie anziché sul cuore della gente, perché credono al partito anziché agli individui, perché ragionano come gli americani quando interrogano i computer anziché il buonsenso. Dicono di guidare il popolo e non conoscono il popolo: quando il popolo si rivolta, non c'è bomba atomica che lo possa fermare. Ma perché ciò avvenga bisogna risvegliarne la coscienza, e per risvegliarne la coscienza bisogna riconoscergli il diritto a quella tazza di riso: cioè farlo combattere per quella tazza di riso. »

« Generale Ky, sa bene che i vietcong attaccheranno di nuovo. E se la prossima volta vincessero? »

« Vorrebbe dire che il popolo è con loro, e che mi sono sbagliato: che non c'è bisogno della mia rivoluzione. Non accadrà. Sicché non vinceranno, e si troveranno ad armi pari con noi. Hanno più esperienza di noi, certo, più disciplina, più allenamento: è dal 1954 che si organizzano. Noi abbiamo incominciato solo quattro anni fa. Ma alla guerra ci siamo abituati come loro perché non abbiamo visto altro dacché siamo nati. Non abbiamo mai conosciuto la pace, la felicità, la differenza fra la vita e la morte... Voi bianchi credete che i vietnamiti siano stanchi della guerra: al Nord come al Sud. Non ne siamo affatto stanchi: la guerra per noi è un'abitudine, e non ci fa orrore. Prenda il mio esempio: non ricordo nemmeno il mio incontro con la guerra: ero un bambino quando fummo invasi dai giapponesi. E dopo i giapponesi vennero i cinesi, dopo i cinesi vennero i francesi, dopo i francesi... tutto ciò che c'è oggi... Per me ogni giorno è il giorno in cui potrei morire. Mi sveglio e penso: sarà oggi? Pazienza, mia moglie avrà cura dei bambini. Siamo asiatici, la sofferenza per noi è consuetudine: ecco ciò che voi bianchi non potrete mai capire. Voi date troppa importanza alla vita, alla lunghezza della vita, alle comodità della vita: e ben di rado sapete rinunciarvi per un dovere od un sogno. Siete materialisti, egoisti... »

« Ci odia molto: vero, generale Ky? »

« Sono troppo orgoglioso per amarvi: troppo orgoglioso d'essere un vietnamita, un asiatico, un giallo. Non ho mai pensato che la razza bianca fosse una razza superiore, al contrario. Perché il futuro è qui da noi, non da voi. L'Europa è vecchia, stanca, e quell'America che ancora chiamano il Nuovo Mondo dovrebb'esser chiamata anche lei Vecchio Mondo. Sì, il vostro tempo di bianchi è finito. E anche per questo non accetterò mai le vostre critiche, i vostri insulti: tutta quell'indignazione ad esempio per il generale Loan... Lo condanno anch'io per ciò che ha fatto, però lo comprendo... Il gesto di un uomo che non riesce più a controllarsi dopo aver visto morire tanti suoi compagni... E anche se non lo comprendessi... il verdetto spetta a me, non a voi. Voglio giudicare io, vietnamita, il gesto di un vietnamita che uccide un altro vietnamita: a voi non concedo neanche il permesso di aprire bocca. Perché io sono il figlio di Budda, il figlio di Dio. Io sono l'uomo, il Budda, che Dio ha mandato a questo paese per riunificarlo e salvarlo. L'uomo del destino... »

La collera ora gli incrinava la voce e lo scuoteva in un tremito che controllava a fatica, mentre il sudore gli bagnava il viso. Ha lasciato andare Duyen, « Vas-y chérie. Vas-y », e per qualche secondo è calato fra noi un imbarazzato silenzio. Poi ha ricominciato a parlare da sé, in un sussurro doloroso.

« Lei non crede al destino? Io sì, ciecamente. Ricordo il giorno in cui mi fecero primo ministro: un mestiere che non ho mai cercato, che non mi è mai piaciuto. In quel periodo nessun governo resisteva per più di cinque o sei mesi, era il caos. Ci trovammo intorno a quel tavolo, noi militari, e ci mettemmo a cercare un militare che si assumesse la responsabilità di un governo. Rifiutavano tutti. E quando una voce disse "Cao Ky, sarai tu il primo ministro" io provai... provai un grande stupore, poi una grande rassegnazione: come se il destino si fosse abbattuto improvvisamente su me. Non si può andare contro il destino. E sebbene il mio sogno non fosse di fare il militare e il politico... »

« Qual era il suo sogno, generale? »

« Fare il contadino. Quando avevo diciotto anni volevo fare il contadino e nient'altro. Volevo comprarmi un poca di terra e coltivare il riso e allevare i bufali. Se i francesi non mi avessero chiamato alle armi ci sarei riuscito. Sto bene con i contadini, loro non parlano di Marx e di Engels. Prima del Tet, quando organizzavo i combattimenti dei galli nella mia casa di Than Son Nhut, i contadini venivano dai villaggi più lontani per assistervi. E in mezzo a loro ero felice. Così felice... I miei contadini, i miei galli... » Una pausa lunga. « Posseggo un centinaio di galli e sono tutto ciò che posseggo perché non sono ricco e non sono mai stato ricco e non ci ho mai tenuto ad essere ricco. Ma ai galli ci tengo perché sono coraggiosi. Un gallo si batte fino alla morte e perfino quando il suo avversario è il doppio di lui o lo acceca alla prima beccata. Rispetto i galli, perché hanno coraggio e niente conta per me quanto il coraggio. Né l'amore né la cultura... »

« Davvero non le è mai successo di desiderare la cultura che non ha? »

« Davvero. Non ho mai desiderato essere colto, ed essere ignorante non mi ha mai dato alcun complesso o senso di vuoto. Gli uomini di cultura sono raramente uomini d'azione e ancor più raramente sono umani. Tutto in loro passa al vaglio del ragionamento e dell'erudizione... Non sono mai galli. »

Quando l'ho lasciato era buio e mi sono accorta che eravamo rimasti lì per quasi tre ore. Mi ha accompagnato al cancello, continuando a parlare, diceva quanto sia tragico essere vietnamiti, trovarsi nel mezzo della lotta fra i tre giganti, Russia America Cina, e diceva quanto sia impossibile trovare un punto di contatto con le civiltà da loro proposte, ed era scomparsa da lui ogni arroganza ogni presunzione. Sul cancello s'è fermato, ha esclamato: « Grazie. È stato un buon pomeriggio. Grazie d'avermi ascoltato, mi capita così raramente di parlar con qualcuno, trovare qualcuno che ascolti. Sono un uomo solo, così solo. E oggi, parlando, mi sòn sentito un po' meno solo ».

Io invece mi sono sentita più sola. Perché vedi: alla gente come me le bandiere non dicono molto, la gente come me assomiglia ai ragazzi che sono cresciuti in collegio e hanno perso l'affetto pei genitori, è il prodotto di un mondo senza più confini di paesaggio o di lingua. Ma è gente cui manca qualcosa, cioè quello che hanno i Cao Ky e i vietcong e forse i Loan. Sì, sono davvero i due lati del medesimo foglio, François. Si stanno ammazzando per nulla.

15 marzo. Ho appena spedito al giornale l'intervista con Ky. È una giornata di sole e stamani non c'è stato neanche un combattimento a Saigon. Prendo un taxi e vado a Go Vap, a cercarla. Mi riconoscerà? È trascorsa una settimana, i bambini dimentican presto. Speriamo che mi venga incontro, che mi sorrida, che mi riconosca.

Sera. Appena oltrepassato il cancellino verde sono andata dritta verso il cortile, e nel cortile non c'era. Così sono andata nei dormitori e ho guardato i bambini ad uno ad uno, e neanche lì c'era. Sulla terrazza mi ha raggiunto la monaca, assai infastidita. Dal modo in cui agitava le mani ho compreso che voleva sapere perché non ci fosse l'accompagnatrice con me. Le ho spiegato di non avere avuto il tempo di chiamare Madame Tran Thi An ma lei non capiva il francese e s'è dovuto aspettare un'altra monaca che parlasse francese. Finalmente questa è venuta. Piccola, vecchia, gentile.

« Oui. Posso aiutarla, oui? »

« Ecco, sorella, otto giorni fa io venni e... »

« Oui, sappiamo, sappiamo. »

« E nel cortile c'era una bambina... »

« Vi sono molte bambine. »

« Sì, ecco, ma questa... »

« Come si chiama? »

« Non lo so. »

Mi ha guardato sorpresa.

« Può descriverla, allora? »

« Sì, certo. Aveva un grembiule con le maniche lunghe. E circa tre anni. E non era malata, e... »

« Vi sono molte bambine qui di circa tre anni, non malate, e col grembiule dalle maniche lunghe. Non può descriverla meglio? »

« Ecco, aveva un visetto rotondo e se ne stava lì ferma in cortile ed era seduta su un sasso e... »

« Può descriverla meglio? »

« No, sorella. Non so descriverla meglio. Ma saprei riconoscerla. E so che lei saprebbe riconoscere me. La prego, mi aiuti a cercarla. »

« Oui. Proviamo, oui. »

Abbiamo ricominciato. Prima nel cortile e poi in ogni dormitorio ogni stanza. È stata una cosa crudele perché volendo consolarmi, la monaca continuava ad offrirmi altre bambine e ce n'era una su cui insisteva per via dei capelli castani e gli occhi nocciola. Diceva quanto fosse raro trovare una vietnamita coi capelli castani e gli occhi nocciola, ne decantava le doti come se fosse un cavallo che è bene comprare perché ha i garetti forti e vincerà molte corse. La bambina dai capelli castani e gli occhi nocciola mi fissava con l'aria di chiedere: perché non mi prendi, perché?

Ma io volevo lei. E stavo ormai uscendo, decisa a rinviar quella pena, quando la monaca s'è ricordata che una settimana fa sei bambini erano stati trasferiti a un altro orfanotrofio in Gia Dinh. Perché eran bambini particolarmente malati. E ha detto, sì ha detto: « Oui, ora che ci penso, oui, c'era una bambina che assomigliava alla sua. Ma se non mi sbaglio, era cieca. Proprio cieca, Madame ».

E io sono rimasta un attimo zitta, un attimo ferma, poi ho

233

ringraziato la monaca, e mi sono avviata verso il cancellino, e sono uscita, e ho chiamato un taxi, e il taxi s'è fermato, e ci sono salita, e me ne sono andata, senza aggiungere una sola parola, senza dire « quale orfanotrofio a Gia Dinh? ». E ora darei mille paure come quella che ebbi per Khe San, e mille fucilate come quella che mi mancò a Hué, e mille disagi e rischi ed orrori come quelli che ho vissuto in Vietnam, io darei non so cosa per aver detto una frase, una sola: « Quale orfanotrofio a Gia Dinh? ».

Ma non l'ho detta.

E sono qui senza averla detta, china su un tavolino, impietrita dentro una notte che non passa mai.

A una cosa serve la guerra: a rivelarci a noi stessi.

19 marzo. Ecco il telegramma del giornale. « Intervista con Cao Ky conclude benissimo serie Vietnam congratulazioni stop inutile restare se non accade nulla di nuovo quindi rientra New York per seguire sommosse negri et contattaci arrivo per accordare questo reportage stop grazie buon viaggio cordialità. » È arrivato stamani rovesciandomi addosso il sollievo. Anche se volessi rivederla, accertarmi, convincermi che non sarebbe giusto scegliere una bambina cieca, non ne avrei più il tempo. Il volo per Hong Kong-Tokio-Seattle-New York parte fra ventiquattr'ore.

Meglio così.

Ora vo a salutare tutti quelli del Juspao e poi incomincio a prepararmi. Dai miei amici, praticamente, mi son già congedata. A mezzogiorno, quando m'hanno portato a mangiare. C'erano tutti. Derek appariva commosso, diceva menomale che presto arriverà suo cugino sennò gli mancherei troppo. Felix ripeteva « Torni, eh? Sì che torni! ». Marcel mi squittiva negli orecchi « Ci annoieremo senza di te ». Solo François parlava delle solite cose, bucandomi però con le sue occhiate cui non sfugge nulla e ti leggono fin dentro il cervello. E mentre tornavamo in ufficio m'ha battuto sopra una spalla, col solito affetto burbero.

« Non te la prendere. Lo sai bene che è meglio così. T'era

preso un capriccio. Nobile quanto vuoi ma un capriccio. »

« Non è vero. »

« Pensaci bene, ti accorgerai che ho ragione. Ti sentivi smarrita dopo Hué e cercavi di aggrapparti a qualcosa. Ma un bambino non è qualcosa, è un bambino. »

« No, ero in buona fede. »

« Si dice sempre così, in buona fede. »

« Forse dovrei cercarla, controllare, capire che effetto ha su di me. Forse dovrei... »

« Sarebbe una crudeltà inutile. Per te, non per lei. Lei non sa nemmeno che esisti. Ti guardava e non ti vedeva. »

« È atroce, François. »

« È la vita. A volte credi che due occhi ti guardino e invece non ti vedon neanche. A volte credi d'aver trovato qualcuno che cercavi e invece non hai trovato nessuno. Succede. E se non succede, è un miracolo. Ma i miracoli non durano mai. »

« Tornerò. »

Stavolta so che tornerò: tutti parlano della seconda offensiva e dicono che accadrà molto presto, prima che venga la stagione dei monsoni. Ma i monsoni non sono già arrivati? Su Saigon sta cadendo una pioggia fitta. Cieca come i suoi occhi, gli occhi di Cao Ky e di Nguyen Ngoc Loan, gli occhi della mia confusione, della mia delusione, del mio inutile rincorrere una verità che non riesco a trovare ed è qui. Io lo so che è qui, dentro il pozzo. Che per trovarla si debba toccare il fondo del pozzo, la fine?

Capitolo ottavo

Poi, ricordi, si incominciò a parlare di pace. E sugli schermi della televisione apparve il potente vecchio, con la sua voce da nonno affettuoso che considera il mondo al livello di un suo nipotino. Era il 31 marzo, ricordi, ero appena tornata in America. Avevo ancora negli occhi gli occhi della bambina cieca, nel naso il puzzo dei cadaveri marci di Hué. Guardare il volto del vecchio, le sue rughe cattive intorno alla boccuccia cattiva, fu come guardare il volto della morte che si fa beffe di te. Perché quella notte, proprio quella notte, lo sai, decollarono verso Khe San quattrocentonovanta elicotteri armati di cannoncini che sparavano tremila colpi al minuto. E con gli elicotteri decine di B52 che portavano ottantamila tonnellate di bombe, più di tutte le bombe sganciate sul Giappone durante la Seconda Guerra Mondiale. E dalle colline i corpi dei nordvietnamiti schizzarono a brandelli nel campo dei Marines, dal campo dei Marines i corpi degli americani schizzarono a brandelli sulle colline. E ovunque da Quang Tri a Vinh Loi la guerra si intensificò, quasi per sortilegio raddoppiò la tragedia. In una settimana, quattrocento KIA, cinquecento KIA, seicento KIA. Si legge ki-ai-e. Vuol dire *killed-in-action*. Ucciso in azione.

Ma in quei giorni la parola pace era il passaporto di chiunque cercasse il potere e volesse prendere il posto del vecchio, era una merce che si vendeva bene per ottenere il voto. Annunciando di aver sospeso i bombardamenti sul Nord Vietnam, di voler intavolare trattative con Hanoi, Johnson aveva infatti abdicato: si avvicinavano le elezioni, ricordi. E proprio in quei giorni, era il 4 aprile 1968, si celebrò la grande menzogna ammazzando un uomo che di pace aveva parlato per l'intera sua vita: Martin Luther King. E i suoi negri si abbandonarono per vendetta ad incendi, a violenze, e i carri armati apparvero dinanzi alla Casa Bianca, e il paese che invocava la pace sembrò sull'orlo della guerra civile. E dovetti andare a Memphis, ad Atlanta, a Washington, seguir quella bara, i roghi, i saccheggi, scrivere chili di carta su quest'altra prova della bestialità umana, ma lo feci con tale distacco: ciò che un anno avanti mi avrebbe scosso di indignazione ora non mi turbava più. Perché dimmi: che differenza c'è fra un uomo ammazzato a un balcone e un uomo ammazzato in trincea? È giusto, dimmi, che per il primo si dia fuoco alle città e per il secondo non si accenda neanche un fiammifero? È logico, dimmi, mandare alla sedia elettrica l'assassino che sparò due colpi e poi dedicar francobolli a coloro che senza sporcarsi le mani spararono milioni di colpi? È sempre stato così, d'accordo, perché la storia è sempre stata fatta dai vincitori, d'accordo. E con questo? Io voglio una storia dove un uomo conta perché è un uomo e non un vincitore. Una storia dove le creature non sono numeri, non sono carne da macello, sono persone la cui morte, ogni morte, merita furia e dolore e incendi e saccheggi. Una storia, ecco, che piange sul cervello offeso di Pip. Chi è Pip? Solo Pip. Il sergente, ricordi, della collina 1383.

Pip era stato ferito. Lo seppi da una lettera del suo commilitone Sam Kasten: « Devo informarti che il nostro Pip è all'ospedale. Sembra che il suo elicottero sia stato abbattuto. Le schegge al ginocchio non gli hanno provocato gran danno ma il colpo alla testa sì: non ricorda più nulla. Perciò lo rimandano negli Stati Uniti e forse quando mi leggerai sarà già in Pennsylvania. Ti do l'indirizzo: perché non provi a cercarlo? ». Lo cercai e lo trovai. Presto venne a trovarmi. Entrò zoppicando, con una scatola di fotografie. Sedette in silenzio, mi piantò addosso due occhi azzurri confusi.

« Guardale. »

Le guardai.

« Sono della collina 1383, Pip. »

« OK. Dice che le ho fatte io. »

« E non le hai fatte tu, Pip? »

« Io non me ne rammento. Io non mi rammento di essere stato in Vietnam. »

« Ma ti rammenti di me, Pip. »

« Certo. Di te e di Sam Kasten e del capitano Scher. Ma di loro due vedo la faccia e basta. Di te invece vedo anche le scarpe che non eran scarponi. Arrivasti con un mazzo di fiori. »

« Non sono mai arrivata con un mazzo di fiori, Pip. Tenevo in mano il ramoscello di un albero e lo misi per scherzo dentro un obice vuoto. »

« Dove? »

« Sulla collina 1383. »

« Lì io non c'ero. »

« Sì che c'eri, Pip. Mi ci accompagnasti tu. »

« Non ricordo. »

« E la battaglia la ricordi, Pip? »

« Che battaglia? »

« La battaglia sulla collina. »

« Io non ricordo nessuna battaglia. »

« Cosa ricordi, Pip? »

« Ricordo le foglie. Tante foglie che ci venivano addosso. »

« Addosso a chi? »

« A me e agli altri. »

« Chi erano gli altri? »

« Non lo so. »

« Sono morti? »

« Non lo so. » E poi, disperato: « Ti prego, se torni laggiù, chiedi di me. Cerca di sapere cosa mi è successo. Io divento matto a pensarci ».

« Ma ne vale la pena, Pip? »

« Oh, sì. Perché la gente mi guarda come se non fossi più lo stesso, e la mia fidanzata mi ha abbandonato. Dovevamo sposarci questo mese, erano stampate anche le partecipazioni. Poi mi ha rivisto e ha detto che è troppo giovane per metter su famiglia e prima vuol conoscere il mondo. Ma io lo so che non è per quello. È per la mia testa. »

Così mi venne in mente che il capitano Scher avrebbe potuto aiutarlo. Scher aveva lasciato il Vietnam a Natale, cioè prima che Pip venisse ferito, però era rimasto ufficiale di carriera: al Training Center di Fort Dix, nel New Jersey. Gli telefonai. Mi rispose con voce festosa che lo avevano promosso maggiore e mi invitò a colazione per la domenica dopo. Ci andai insieme a Pip. Non appena lo vide, Pip divenne pallido pallido e lo aggredì: « Maggiore, lei sa cosa mi è successo, maggiore? ». Scher non sapeva e sembrò non darvi importanza. Era cordiale, ingrassato, e distratto dal sincero piacere di incontrarci. Mangiando polemizzammo sul Vietnam, sulla sua intenzione di tornarci come consigliere, sulla sua certezza che tale guerra fosse una guerra santa. Il discorso non cadde mai su Pip che ascoltava in silenzio e ogni tanto ci interrompeva dicendo: « Se qualcuno mi aiutasse a ricordare. Litigate su cose che a me pare di aver letto sui giornali e basta ». E ogni volta che lo diceva ero colta dal desiderio di tornare laggiù, cercargli il brandello di memoria che aveva perduto, né mi chiedevo se ciò fosse un pretesto per ritrovar quel Vietnam dove avevo trascorso i mesi più intensi della mia vita, dove avevo scoperto il mio bene e il mio male, iniziato quella ricerca non ancora conclusa e forse destinata a fallire. Tu sai di cosa parlo.

Parlo delle cose che ci raccontano a scuola o in chiesa o in famiglia quando siamo bambini, e su cui si basa o si dovrebbe basare la nostra morale di adulti. Parlo dell'amore, dell'odio, della giustizia, della pietà, del coraggio, di ciò che alla guerra non è più un concetto astratto ma una realtà da affrontare e risolvere: spesso a prezzo della vita. Con queste cose, prima del Vietnam, ci avevo scherzato come si fa con l'acqua in piscina. Laggiù invece mi ci ero immersa come si fa in un mare profondo. E, lontano dalla superficie dove galleggiavan le chiacchiere udite a scuola in chiesa in famiglia, avevo intravisto l'unica religione possibile: la religione dell'uomo. L'uomo al posto di Dio. L'uomo Pip, l'uomo Loan, l'uomo Nguyen Van Sam, l'uomo da studiare condannare salvare sulla terra e non nel Regno dei Cieli. L'uomo coi suoi pregi sublimi e i suoi difetti infami, sacri ambedue perché gli appartengono. L'uomo per cui soffri e ti entusiasmi e ti arrabbi senza chiederti se vale o non vale la pena perché guai a stabilire valori: giustifichi immediatamente il macello. Quindi perfino il cervello di Pip era importante quanto lo era stato quello del reverendo Martin Luther King: se fossi rientrata a Saigon, mi dicevo, sarei tornata a Dak To per sapere e strapparlo al suo buio.

Rientrai, ricordi, all'inizio di maggio: dall'India. Ero andata in India per un reportage: ma ormai viaggiavo col visto per il Vietnam, anche professionalmente Saigon continuava ad offrire troppi richiami. Le discussioni sulla città da scegliere come sede delle trattative stavano per concludersi ma laggiù tutto continuava come se non fossero mai incominciate: Westmoreland si accingeva a lasciare il posto di comandante in capo a un generale ancor più duro, Greighton Abrams, e correva voce che i vietcong preparassero una seconda offensiva durante la quale sarebbe scorso molto sangue. Così mi spostavo fra Nuova Delhi e Benares, il Punjab e il Kashmyr, con l'orecchio teso a Saigon: quasi insensibile al paesaggio e all'umanità dentro cui mi muovevo. In un'altra stagione della mia vita mi sarei certo lasciata sedurre dall'incanto estetico di un elefante che avanza bardato di tappeti e di fiori, di una donna che incede nel suo sari equilibrando sul capo una bella brocca di rame, di un santone che prega sul Gange mentre il cielo si arrossa di un tramonto infuocato. E mi sarei certo messa a meditare sulla povertà disperata, sulla rassegnazione letargica di un popolo che non si ribella e non lotta. Ora, invece, di quello scenario fantastico coglievo solo l'assurdo, di quell'umanità misteriosa coglievo solo il silenzio: addormentata con loro. Mi svegliai, di colpo, quando seppi che a Saigon il nuovo attacco si era scatenato.

È strano come e dove lo seppi: dall'unica radio di una comunità tibetana perduta ai piedi dell'Himalaya, vicino a Dharamshala, nel Kashmyr. Ero andata lassù per intervistare un ex dio, il Dalai Lama, e la sua saggezza mi aveva impressionato, insieme alla serenità dei suoi monaci, sicché, seduta sotto un albero del sentiero che conduce al villaggio, mi chiedevo se non avessero ragione coloro che non solo optavano per l'assenza di ogni battaglia, di ogni violenza, ma anche di ogni responsabilità. Come gli indiani e quei monaci. Intorno ad essi tutto scorreva con l'armonia di un fiume lento e tranquillo, niente bombe, niente sangue, niente offesa al miracolo d'essere nati. A che serviva dunque partecipare, impegnarsi? Il bosco era calmo, qui, solo un filo di vento muoveva le foglie pulite, e le cime aguzze dell'Himalaya si alzavan lucenti come le canne di un organo. La paura era un sentimento privo di significato, qui, e la parola Dio poteva avere un significato. A malavoglia mi alzai, tornai verso la piazzetta dove avevo lasciato la mia automobile. C'era una specie di scuola nella piazzetta, e dentro la scuola c'era una radio. Trasmetteva notizie in inglese. La formazione del nuovo governo indiano, la possibile scelta di Parigi per la conferenza di pace, e poi questo: « Ieri i vietcong hanno sferrato una massiccia offensiva in tutto il Vietnam del Sud. I guerriglieri hanno attaccato con razzi e mortai vari punti della capitale, compreso l'aeroporto di Than Son Nhut, più altri centoventicinque fra capoluoghi di provincia e basi americane. Quattro giornalisti e un diplomatico tedesco sono stati uccisi a Cholon... ». Avrei dovuto recarmi a Hardwar, quel giorno, la città sacra degli indù. Non ci andai, ricordi? Affrettai il passo verso il mio autista e gli dissi: « Presto, torniamo a Nuova Delhi. Dobbiamo farcela in meno di nove ore ». L'aereo per Saigon partiva alle tre del mattino. Feci in tempo a salirci col mio interrogativo angoscioso « chi saranno quei quattro, mioddio, chi? » e mi sembrava che il volo non finisse mai, che a Saigon non si arrivasse mai. I nomi dei quattro non erano stati dati, o non li avevo uditi, a Nuova Delhi nessuno era stato capace di darmi quell'informazione, e se fra loro ci fosse stato François? O Derek, o Felix, o qualche altro dei miei amici?

Infine arrivai. E così fui in Vietnam per la terza ed ultima volta, a concludere la mia ricerca che fallì in amarezza. Mi sarei accorta ben presto che non si può sostituire con l'uomo l'idea di Dio.

* * *

7 maggio. Saigon bruciava, di nuovo. Si distruggeva, di nuovo, da sola. Lingue di fuoco e colonne di fumo nero si alzavano da tre o quattro punti della periferia, lampi rossastri squarciavano l'orizzonte a sudest dove Skyraider sudvietnamiti e Phantom americani si gettavano in lunghe picchiate e poi risalivano lasciandosi dietro un'altra esplosione, un altro incendio. A Phu To sparava l'artiglieria pesante, i boati si susseguivano con monotonia, ed io, pietrificata in mezzo alla pista di Than Son Nhut, mi ripetevo: non avrei dovuto tornare, non c'è alcun bisogno che riveda questo, l'ho già visto, basta! Poi, fra i camion militari, ho intravisto una testa assurdamente grigia e una maglietta celeste e quel passo giovane svelto: François. E mi son subito sentita meglio.

« Ça va? Ho ricevuto il tuo telegramma. »

Che Dio fosse benedetto: non era lui uno dei quattro.

« Se l'hai ricevuto, la posta funziona. Se la posta funziona, l'offensiva è meno grave di quanto si dica. »

« È grave invece. E durerà molto più a lungo dell'offensiva del Tet. Perché è meno spettacolare e più seria, più solida. Direi anche più astuta. Vogliono dare una prova di forza alla vigilia dei negoziati, sedere al tavolo di Parigi. E ci riusciranno. »

Lungo la strada che conduce in città c'era ben poco traffico: solo camionette e carri armati. Le finestre eran chiuse. Ma non si sparava neanche un colpo: via libera.

« Allora dove stanno, François? »

« Ovunque. Forse meno numerosi che durante il Tet però meglio armati, meglio organizzati, ripeto. Non potevano contare sulla sorpresa, stavolta, quindi non si sono distratti a portare agit-prop e bandiere vietcong. Hanno portato solo fucili e bazooka. Non hanno neanche perso tempo ad attaccare posti come la Posta o l'ambasciata americana e il palazzo governativo: si son preoccupati di penetrare bene in zone come Go Vap, Jardin, Khan Hoi, Bien Hoa. E hanno ripreso praticamente Cholon. È a Cholon che hanno ammazzato Bruce Piggott, Ronald Laramy, Michael Birch, John Cantwell. »

Dunque eran loro. Per più di un giorno e una notte avevo continuato a chiedermi chi saranno mioddio chi saranno, e poi, quando avevo visto lui, non m'ero curata nemmeno di domandargli: chi sono, François? Conoscevo Piggott. Era un giovanottino gentile, timido, che un giorno aveva esclamato: « Cosa vuol dire eroismo? A pensarci bene è un eroe chiunque venga in Vietnam ».

« E quel diplomatico tedesco, Hasso Ruedt von Collenberg. Gli hanno sparato in faccia dopo avergli legato le mani e preso i documenti. Domenica mattina, anche lui » ha continuato François.

Di lui mi aveva parlato una volta il nostro ambasciatore, Vincenzo Tornetta. E mi aveva detto che avrei dovuto incontrarlo: era una persona così perbene. Un liberale e uno studioso.

« E poi Loan è stato gravemente ferito. È all'ospedale. »

Questo non lo sapevo. Questo, né la radio né i giornali di Nuova Delhi l'avevano detto. Ma non è stata la sorpresa a colpirmi, è stato il tono di voce con cui egli ha pronunciato quel nome: Loan.

« Come è successo, quando? »

« Sempre domenica mattina. Vicino al ponte di Bien Hoa. Undici vietcong s'erano installati in una casa presso il canale, con quattro AK50 e due bazooka. Loan è andato a scovarli coi suoi uomini, tre sono stati falciati. Perdevano sangue, nessuno si azzardava a raccoglierli. Così lui s'è fatto avanti da solo e una raffica gli ha trapassato il ginocchio e tagliato l'arteria. È sempre stato coraggioso. »

« Credevo che non ti fosse simpatico. »

Ha avuto uno scatto di insofferenza.

« Non ho mai negato che fosse coraggioso. Anche durante il Tet fu assai coraggioso. »

« Durante il Tet fece qualcosa di non coraggioso. »

Un altro scatto.

« Voglio dire che il capo della polizia nazionale non è obbligato a guidare un pugno di uomini contro un assembramento vietcong. E se lo fa è coraggioso. Voglio dire che il capo della polizia nazionale non è tenuto a coprire chi raccatta i feriti in combattimento. E se lo fa è coraggioso. È rimasto parecchio lì, credevano che morisse. E forse dovranno tagliargli la gamba. »

« Ti sarebbe dispiaciuto se fosse morto? »

È rimasto zitto.

« Ti dispiace se gli taglian la gamba? »

È rimasto zitto. Ed io ho pensato alla terribile sera in cui si fronteggiarono nella piazza della cattedrale e François gli chiese con voce di ghiaccio « Tu vas m'arrêter? Vuoi arrestarmi? » E Loan gli rispose con la sua perfida cantilena « Pour toi, c'est une balle dans la tête ». E poi ho pensato al giorno in cui lo paragonai a un lupo zoppo, e François mi rispose letteratura, idiozie, le gambe ce l'ha tutte e due e dovrebbe perderne una ma perderla bene perché io mi lasciassi di nuovo stringere la mano da lui...

« Sei stato a trovarlo in ospedale, François? »

« Sì, certo. Sono un giornalista, no? »

« E cosa vi siete detti? »

« Cosa vuoi che ci dicessimo? Stava male, era in stato di choc. Ha aperto gli occhi e mi ha guardato. »

« E gli hai stretto la mano? »

« Cosa vuoi stringere a un uomo che sta lì mezzo morto? »

« La mano. Anche se lui non può, tu la prendi e la stringi. Piano piano. Per dirgli: son qui. »

« Quante chiacchiere. »

« Sai, François. Vorrei vederlo anch'io. »

« Non credo che sia possibile. Non lo vede nessuno. »

« Tu sì. Come hai fatto? »

« Uffa. Gli ho mandato a dire che ero lì e lui ha voluto che mi lasciassero entrare. »

Sta' a vedere che quei due diventano amici: che storia. Un giorno vorrei scriverla. Ma se François lo sapesse non aprirebbe più bocca. Anche poco fa ha esclamato guardando questo quaderno: « Ehi, tu! Non mi metterai mica in quel coso? ». E sembrava davvero allarmato.

P.S. A proposito di appunti: dimenticavo di annotare il fatto più importante che egli m'abbia narrato. Gli americani eran del tutto al corrente di questa offensiva. Il 26 aprile i capi delle agenzie e dei quotidiani accreditati a Saigon ricevettero una insolita telefonata: il generale Winnant Sidle, capo dell'ufficio informazioni, li convocava urgentemente per un incontro molto confidenziale. I giornalisti corsero al Juspao, il generale li ricevette con volto grave. Chiuse le porte, raccomandò alla segreteria di non disturbarlo, e poi: « Vi ho chiamato affinché prendiate le necessarie precauzioni per la vostra sicurezza personale e per il vostro lavoro ma è assolutamente indispensabile non raccontare a nessuno ciò che sto per dirvi. Vi prego di non prendere note. Posso fidarmi di voi? ». Uno ad uno i giornalisti annuirono. Allora Sidle continuò: « Aspettiamo il secondo attacco contro Saigon a partire da stasera fino al primo maggio e forse dopo. Sappiamo con certezza che almeno due battaglioni vietcong stanno avanzando verso la capitale e ci prepariamo ad affrontarli ». Non disse di più ma era abbastanza perché alcuni di quei giornalisti pernottassero, dal 26 aprile, alle telescriventi dell'ufficio postale: attenti ad ogni scoppio, ad ogni bisbiglio. Non accadde nulla fino alla notte fra sabato e domenica 4 maggio quando precipitò una gran pioggia. E certo fu durante la pioggia che i vietcong entrarono con le armi in città. All'alba si udirono le prime esplosioni e i giornalisti non ebbero bisogno di chiedersi se si trattava del solito attacco di mortai. Capirono subito che l'offensiva era incominciata.

Notte. È sempre dolce ritrovare gli amici. Naturalmente sono andata alla France Presse ed eccoli là: Felix, Derek, il signor Lang. Non mancava che Claude, trasferito a Bruxelles. In compenso c'era un viso nuovo: un ragazzo italiano, cugino di Derek. Si chiama Ennio, ha una testa piena di riccioli neri e una bocca colma di denti bianchi, dice che cerca di fare carriera come fotografo. Ma io credo che cerchi solo ciò che cercavo io a un certo punto: il fascino della guerra, l'esaudimento di una curiosità. Si stancherà presto. Ci siamo salutati tutti in modo festoso ma senza la commozione di quando venni per il Tet: si fa l'abitudine anche alle partenze e ai ritorni. Poi ho sostato in quelle due stanze come se le avessi lasciate ieri. Non era cambiato nulla: la pila dei fogli lungo la parete del frigorifero, il bordello di bicchieri-pallottole-fogli-bossoli vuoti-giornali sulle scrivanie, il ronzio laborioso che distingue ogni agenzia di stampa e ri-rda un poco l'atmosfera di un'officina. Derek era molto con-per la presenza del cugino cui sembra davvero affezionato, Felix era addirittura felice: in giugno François lascia Saigon ed ha già scritto a Parigi raccomandando che diano a lui l'incarico di direttore. Ci tiene tanto, caro Felix: non fa che spiegarti che in Indocina c'è già stato al tempo dei francesi, quindi il Vietnam lo conosce bene. Dalla France Presse ho anche telefonato all'ambasciatore Tornetta che mi ha risposto con voce allegra, rasserenante: « Benvenuta! L'aspettavamo, sa? ». E, forse a causa di tutto ciò, non ho colto la drammaticità che mi sconvolse lo scorso febbraio.

O son io che ho perso il senso del dramma e non vedo più le cose come prima? Ho trovato posto al Continental e mi ci sono installata con soddisfazione, pensa, beandomi dell'immensa camera che guarda su piazza dell'Indipendenza, affacciandomi al balcone di ferro, quasi dimenticando che non sono in vacanza, sono alla guerra. Il caso dei medici che dopo aver sezionato un cadavere vanno al ristorante e chiedono una bistecca al sangue. Non sobbalzo nemmeno ai tonfi delle bombe che col coprifuoco sono raddoppiate. Ma quante ne sganciano. Basta che sappiano di un vietcong perché facciano saltare in aria un intero quartiere. Come abbattere un bosco per prendere una cicala nascosta nella foglia di un albero. Vero è che le cicale non scherzano coi loro B40, ed ecco qualcosa su cui si trovano tutti d'accordo: sbriciolare Saigon. Senza che quei cialtroni di studenti borghesi-maoisti facciano gazzarra per questo, senza che quegli ipocriti di intellettuali cattolico-marxisti scrivano manifesti per questo. Saigon non è mica Hanoi, Saigon cosa conta? Nel suo tentativo di giustificarsi dinanzi alla storia, Johnson ha ordinato di sospendere i bombardamenti su Hanoi mica su Saigon. Mi chiedo se vi sia stata mai un'altra guerra che desse una simile stura alla falsità, alla superficialità umana. E la conferenza quando la incominciano? Domani è l'anniversario di Dien Bien Phu. Ci si aspetta qualcosa di grosso, sarà prudente non allontanarsi dal centro.

Eppure ho una gran voglia di andare a Cholon e vedere dove caddero nell'imboscata i quattro giornalisti. Anzi i cinque. C'era anche un giovanotto della televisione australiana, Frank Palmos. Lui è sopravvissuto. Dovrò parlarci.

8 maggio. Ci ho parlato. Non ha ancora superato lo choc: nel racconto il terrore rinasce e dagli occhi cola giù verso la bocca che si torce e trema. Poi dalla bocca si trasmette alle mani che tendon le dita in una specie di spasimo. Non è facile fargli dire tutto fino all'ultimo particolare. Ma dopo averci parlato sono andata a Cholon e ho ritrovato il punto e ora posso ricostruir la tragedia. Ecco, successe così. Si sparava più che altrove a Cholon ed essi decisero di spingersi fino a laggiù: Bruce Piggott, Ronald Laramy, Michael Birch, John Cantwell, Frank Palmos. Con una jeep giapponese: sai quelle bianche, piccine, scoperte, che non si confondono certo con le jeep militari. Del resto nemmeno loro cinque potevi confonderli per militari: indossavano abiti civili. Eran le dieci del mattino e il traffico era intralciato dalla folla in fuga. In alcuni tratti Cantwell, che guidava la jeep, non riusciva a procedere. All'improvviso però il viale divenne deserto ed egli lo percorse alla svelta, per dirigersi verso una stradina da cui sembrava che si levasse un incendio. Entrò nella stradina: nessun incendio. Solo uno sbarramento di bidoni vuoti che impedivano di proseguire. Guarda, i bidoni sono ancora lì.

« Ci siamo sbagliati » brontolò Cantwell.

« È la prossima » osservò Piggott.

« Se ci rinunciassimo. Questo silenzio non mi piace » aggiunse Laramy. E nello stesso momento una vecchia vietnamita gridò:

« VC! Go back! Quick! VC! Vietcong! Tornate indietro, presto! Vietcong! ».

Lo gridò in inglese, nascosta dietro una porta. E Cantwell rallentò, frenò, fissò Birch che gli sedeva accanto, gli altri. Come a domandare consiglio.

« Io direi di andare avanti » rispose Birch.

« Io no » fece Laramy.

« Ma sì, andiamo » concluse Piggott. E allora Cantwell andò avanti sette od otto metri, non più. E tutto accadde molto in fretta: i vietcong, il gesto di scappare, la raffica.

I vietcong erano sei. Sbucarono da dietro i bidoni, coi fucili. Li comandava un tipo enorme, altissimo, vestito da sergente.

Cantwell impallidì. Ingranò la marcia. Mise in moto la jeep e percorse due metri girando. I vietcong puntarono i mitra.

« Bao chi! Stampa! Bao chi! » urlò Cantwell.

« Bao chi! Bao chi! » urlò Birch. E anche Piggott, anche Laramy, anche Palmos. Lo urlarono insieme e in modo assai chiaro ma stavano appunto urlando quando la raffica partì. Birch rimase sul sedile. Cantwell e Piggott caddero a destra. Palmos e Laramy a sinistra. Guarda, il sangue è ancora lì. Questa macchia marrone a forma di pipistrello.

Palmos era l'unico illeso perché nella jeep sedeva fra Laramy e Piggott, coperto da Cantwell e Birch, e cadendo lo aveva travolto il corpo di Laramy che ora gli stava addosso. Così, di sotto il corpo di Laramy, Palmos poteva vedere ogni cosa e per prima cosa vide il grosso sergente che avanzava puntando la rivoltella contro il cuore di Birch.

Birch rantolava ma ripeté, piano: « Bao chi ».

« Bao chi! Bao chi! » lo irrise il grosso sergente. E gli scaricò al cuore due colpi. Poi passò dalla parte di Cantwell e Piggott.

Piggott era il meno ferito dei quattro. Mosse entrambe le mani a supplicare no, Bao chi, no. E di nuovo il grosso sergente disse: « Bao chi! ». E gli sparò dritto alla testa. Quindi sparò a Cantwell che non parlava più.

Ora ne restavano due: Laramy e Palmos. E il grosso sergente si portò verso di loro e Palmos dice che lui non si mosse: finse di fare il morto. Si rendeva conto di come fosse assurdo sperare ma sperava lo stesso che qualcosa accadesse. E il qualcosa accadde quando il grosso sergente si fermò a ricaricare la rivoltella. Con un balzo, allora, Palmos saltò in piedi e scappò. Dice che aveva sempre corso forte, e in Australia, anni addietro, aveva anche partecipato a una cinquecento metri vincendola. Ma gli sembrava di non avere mai corso così forte, e così corse, a zig zag per evitar le pallottole, mentre i vietcong lo inseguivan gridando, sparando, corse fino in fondo dove c'era la folla, e si tuffò nella folla, e la folla lo accolse sebbene i sei puntassero i fucili e minacciassero e ordinassero di restituirglielo: « Buttatelo qui, ci appartiene! Qui! ».

Ero con Derek quando ho ricostruito la scena sul racconto di Palmos. La stradina era vuota e il silenzio pesava quanto un macigno. In quel silenzio pareva di sentire il respiro dei vietcong nascosti dietro le finestre, le macerie, i bidoni. La macchina fotografica mi scivolava via dalle mani sudate. Per tutto il tempo che siamo rimasti è passata solo una pattuglia sudvietnamita: a Cholon il coprifuoco dura ventiquattr'ore su ventiquattro. E lungo il viale, tornando, non abbiamo trovato nessuno. Giungendo alla France Presse eravamo ancora talmente tesi che François ha esclamato: « Siete morti anche voi? ».

François dice che la testimonianza di Palmos non lo convince al cento per cento, che ha troppi particolari e troppe lacune. Dice di non credere che Palmos abbia visto tanti dettagli e non abbia visto invece altre cose. Dice che non gli piace che Palmos si tenga sulla difensiva, si arrabbi se vuoi saperne di più: cosa tace? Ammettiamo che uno dei cinque fosse armato: alcuni giornalisti lo sono...

Forse dice così perché non gli va giù questo delitto. Come non va giù a me, a tutti gli altri. I giornalisti occidentali sono sempre stati generosi con i vietcong. Gli hanno servito da ufficio stampa per anni, li hanno difesi e addirittura esaltati per anni, se il mondo li ammira non è mica perché ascolta Radio Hanoi, è perché legge i giornali occidentali, e non dovevano ammazzarci Piggott, Laramy, Cantwell, Birch, sghignazzargli in faccia « Bao chi! ». È stata una porcheria, e non v'è alcuna differenza fra la loro porcheria e la porcheria che commise Loan.

« Vero, François? »

« Certo » risponde François. « La verità, dovresti saperlo, non sta mai da una parte sola. In una guerra come negli uomini. Nessuno è mai del tutto nobile o del tutto ignobile, completamente nel giusto o completamente nel torto. E proprio per questo un uomo è un uomo. Ma io non posso credere che siano stati i vietcong. »

« E chi allora? »

« I cinesi di Cholon. Sono carogne fetenti, i cinesi di Cholon: odiano chiunque sia bianco e spesso odiano perfino i vietcong. Non a caso io non voglio mai andare a Cholon. Certo posso sbagliarmi, però resta il fatto che i vietcong non hanno mai ucciso i giornalisti. Li hanno fatti prigionieri, come Catherine e Mazure, poi li hanno rilasciati. Sono un esercito disciplinato, i vietcong, e il Fronte di Liberazione ha dato consegne precise. No, non ci credo che siano stati i vietcong. Ammenoché uno dei cinque abbia sparato... no. Sono i cinesi. Ces chinois salopards. »

Forse. Ma io credo che fossero vietcong. E ho addosso una gran delusione, una gran voglia di piangere.

P.S. Ho incontrato un ragazzo triste e gentile che intravidi anni fa a Buenos Aires. Si chiama Ignacio Ezcurra, è qui per *La Nacion*. Uno di questi giorni voglio andare a colazione con lui e chiedergli cosa pensa sull'assassinio di Piggott, Laramy, Cantwell, Birch. O stasera, forse? Sono le tre del pomeriggio. Stiamo ancora aspettando che accada qualcosa per l'anniversario di Dien Bien Phu. Quante volte ho udito questa parola: Dien Bien Phu.

Notte. Qualcosa è successo ma non ciò che credevamo. Dopo tre mesi di assedio i nordvietnamiti hanno abbandonato quella che doveva essere la nuova Dien Bien Phu, cioè Khe San. All'improvviso, col buio. Sulle colline da cui partiva il terrore non restano che elementi della 304ª Divisione. L'intera 325ª, orgoglio di Giap, s'è come volatizzata. E così i primi cinquanta uomini della Compagnia Delta hanno potuto raggiungere le trincee perimetrali dove decine di mortai giacciono dimenticati insieme ai lanciarazzi, le mitraglie pesanti, gli elmetti di fabbricazione sovietica, le casse piene di cartucce, gli zaini, e quattrocento zappe nuove. Naturalmente ciò non significa che Khe San sia liberata: ci vorrà almeno una settimana perché il grosso della colonna, composta da battaglioni di Marines e del Settimo Reggimento Cavalleria, possa raggiunger la base. La colonna dista quindici chilometri, ancora, e procede a non più di uno o due chilometri al giorno perché la strada che percorre passa fra montagne bucate di grotte, nelle grotte sono nascoste le postazioni di mitragliatrici e di razzi, tutti i diciassette ponti che conducono a Khe San sono stati fatti saltare dai nordvietnamiti. Quasi ciò non bastasse, il terreno è colmo di mine. Però gli elicotteri, gli aerei, l'artiglieria pesante, i carri armati americani proteggono l'avanzata con mezzi giganteschi e, in sostanza, Khe San è già un ricordo: come la sua inutile tragedia, i suoi inutili morti da una parte e dall'altra. Perché non chiedere chi ha vinto: non ha vinto nessuno. Non chiedere chi ha perso: non ha perso nessuno. Non chiedere a cosa ha servito: non ha servito a nulla. Fuorché ad eliminare cinquemila creature fra i diciotto e i trent'anni.

Le telescriventi della France Presse battono la notizia che domani i giornali pubblicheranno su cinque colonne, e io mi sento come quella notte dopo Dak To quando l'operatore infilava il medesimo nastro per non perdere il circuito con Manila, e il foglio si arrotolava nel ritornello « La collina 875 è stata abbandonata dagli americani... La collina 875 è stata abbandonata dagli americani... ». Khe San è stata abbandonata dai nordvietnamiti; sì, Khe San è stata abbandonata dai nordvietnamiti, e suo figlio è morto a Dak To, signora, tuo figlio è morto a Khe San, compagna, spiacente, signora, spiacente, compagna, è stato un equivoco infatti poi siamo venuti via. Firmato, generale William Westmoreland. Firmato, generale Vo Nguyen Giap.

« Io non posso credere che Giap non volesse Khe San » dice François gettando all'operatore l'ultimo paragrafo del dispaccio per Parigi.

« Certo che la voleva, » risponde Felix « e ha perso l'occasione di una vittoria molto più importante di quella ottenuta a metà con l'offensiva del Tet. Il Tet non avrebbe mai potuto essere una Dien Bien Phu. Khe San invece sì. »

« La voleva per motivi pubblicitari più che strategici » continua François. « Forse ha avuto paura delle conseguenze che una vittoria gli avrebbe causato. Sai che peso, per Giap, tenere occupata Khe San. »

« Mi prendo Khe San » aggiunge Felix « e il mondo mi applaude, gli americani non mi controllano più la Pista Ho Ci Min. Però dopo mi mandano alcune decine di B52 e mi spianano tutto. Meglio andarsene, fargli questo favore, e... »

« Guarda, » taglia corto François « Khe San è stata esagerata dalla stampa. È la stampa che insieme a Westmoreland ha servito Khe San su un piatto d'argento: onde darlo a Giap. Generale Giap, abbiamo inventato Khe San e ora tu non hai che da prenderla. E Giap s'è detto: giusto, divertiamoci un po'. Non lo sai che le guerre son fatte per divertire i generali? »

« Eh, già » dice Felix.

« C'è il gioco degli scacchi, il gioco del calcio, il gioco della guerra » insiste François. « Quest'ultimo consiste nel prendere centinaia di migliaia di soldati che non sono soldatini di piombo ma giovanotti di carne viva e regalarli ai generali che ci fanno i balocchi. E a seconda di ciò che il generale decide, il soldatino di piombo si rompe o torna dai genitori a New York o ad Hanoi. La tecnica del gioco si chiama strategia e molto spesso non dipende dall'intelligenza, dipende dalla cattiva digestione del generale che fa i balocchi. Pensa alla Prima Guerra Mondiale, a Verdun. C'è un macellaio vestito da generale che una notte non dorme e nell'insonnia decide di attaccare il giorno dopo. E il giorno dopo accende un gran fuoco e ci butta i soldatini di piombo e li scioglie tutti. »

« E noi eccoci qui a reclamizzare il macello. La boucherie de la guerre » approva Felix.

« La connerie de la guerre, Felix. La coglioneria della guerra. Perché quando il gioco finisce il macellaio torna a casa e riceve la Legione d'Onore, la pensione a vita. »

« François, hai mai conosciuto un generale intelligente? » interrompo.

Fa una spallata.

« Cosa significa intelligenza in coloro che fanno la guerra? C'è un'intelligenza umana, un'intelligenza animale, e un'intelligenza militare. Le prime due hanno qualcosa in comune, la terza no. Puoi trovare generali coraggiosi, mai intelligenti nel senso che noi diamo al termine. »

« Hai mai conosciuto un generale coraggioso? »

« Una volta, in Corea. Si chiamava Walker. Era l'unico generale che sistemasse il Posto di Comando tra il fronte e la base di artiglieria. Nella sua tenda si diventava sordi e alla sua mensa si mangiava il pane peggiore del mondo. Perché la decompressione d'aria causata dai cannoni impediva al pane di lievitare. Bisogna mangiare un pessimo pane per ricordarci che gli uomini non sono soldatini di piombo. E neanche ciò basta ad assolvere un generale. »

Poi, con uno scatto, se ne va sulla terrazza.

P.S. L'ho seguito sulla terrazza: quando ho una rabbia in cuore mi fa bene ascoltarlo. Quest'uomo è la più bella scoperta umana che abbia fatto da adulta. E non capisco Mazure che diceva: « Chiedimi di buttarmi dalla finestra per lui e lo farò: perché lo ammiro. Ma non chiedermi di volergli bene perché non gliene voglio. Non si può volergliene ». Io dico che non si può non volergliene, invece.

« François, la conoscevi Khe San? »

« Sì, certo. Ci sono stato parecchie volte. Conoscevo bene Khe San. »

« Io non ci andai, ebbi paura. Ma ora dovrò scriverla la storia di Khe San. »

« Te la racconto io la storia di Khe San. »

È rientrato nell'ufficio, è tornato con due fotografie che non mi ha mostrato subito, s'è seduto sul pavimento della terrazza. Nel buio due aerei volavano bassi lanciando bengala.

« C'era una volta una piantagione di caffè, in un posto chiamato Khe San. Un posto così poco importante che le carte geografiche lo indicavano appena, e spesso non lo indicavano affatto. Ma era un posto bellissimo. Ricordava l'Europa, anzi la tua Toscana: brevi vallate ricche d'acqua e sentieri fioriti, colline. Le colline eran ripide e morbide e verdi, il verde lo davano quasi ovunque gli alberi del caffè che da lontano scambiavi per giovani castagni. Il caffè ci cresceva bene perché la terra era buona, grassa e rossa come in Toscana, e anche il clima era buono. Di cattivo a Khe San trovavi solo le tigri cui eri costretto a sparare sennò ti mangiavano. Madame Bourdeauducq, la proprietaria della piantagione, passava intere giornate sugli alberi per sparare alle tigri e da vecchia ne aveva ammazzate quarantacinque. Diceva: "Mi dispiace ammazzare le tigri ma loro mi mangiano i contadini". Il proprietario e la proprietaria della piantagione eran francesi. Lui si chiamava Eugène Poilane ma lo conoscevano tutti come Papà Poilane. Un tipo straordinario, mi dicono. Con una gran barba, un gran coraggio, una gran voglia di lavorare. A Khe San c'era venuto da giovane, insieme alla moglie, e quando c'era venuto non esisteva nulla a Khe San fuorché i boschi. Quella piantagione l'aveva creata da solo, amando quella terra come se ci fosse nato, e mi fanno ridere coloro che parlano di colonialismo per la gente come Papà Poilane: lui non era un colonialista, era un contadino che coltivava la terra e basta. E non rubava nulla a nessuno. »

È rimasto un po' zitto, a frenare un'ira improvvisa. Poi ha ripreso il racconto. A voce bassa, amara.

« La piantagione era intorno a una casa che ricordava anche quella la Toscana: con la torretta al centro pei piccioni e il cortile davanti. Il cortile era sempre pieno di cani, di gatti, di polli. C'erano anche due elefanti, su una collina di fronte. Avevano duecent'anni e ormai non servivan più a niente, ma i montagnards li tenevano per affetto e per accontentare Papà Poilane che diceva: "Si deve buttar via la gente quando invecchia?". E infine c'era il figlio di Papà Poilane, Felix, e c'era sua moglie Madeleine, e c'erano i loro due bambini, Jean-Marie e Françoise. Una famiglia felice. Ma erano tutti felici a Khe San prima che i generali si mettessero a fare i balocchi coi soldatini di piombo. Poco lontano dalla piantagione dei Poilane trovavi la piantagione di un altro francese, Linares, e anche lui era un uomo felice. Aveva sposato una vietnamita e viveva circondato di figli mezzo francesi e mezzo vietnamiti e diceva: "Io chiedo soltanto una cosa a Dio. Gli chiedo di morire a Khe San". Ma i generali si misero a fare i balocchi coi soldatini di piombo e Khe San cessò d'essere un posto felice. Un giorno del 1965 Papà Poilane partì per un giro nei boschi e non tornò più. Lo trovarono morto, ammazzato con una fucilata nel cuore. Dai vietcong, chissà, o da qualche soldato. Madame Bourdeauducq ne fu così distrutta che lasciò immediatamente Khe San e tornò in Francia dove divenne telefonista in un convento di Sucy-en-Brie. Qui la conobbi. Una vecchina grigia, insignificante. Non coglievi più traccia in lei della fantastica donna che arrampicata sugli alberi sparava alle tigri. Poi conobbi suo figlio che ora dirigeva la piantagione. Eccolo. »

Mi ha porto una delle due fotografie che ritraeva un giovanotto vestito da colono. Sorriso aperto, occhi onesti.

« Lo conobbi la prima volta che andai a Khe San, in pattuglia con gli americani. A Khe San sboccavano ormai i rifornimenti della Pista Ho Ci Min e nei boschi c'erano molti vietcong. Dopo quel giro in pattuglia, ci fu anche uno scontro, ricordo, e due morti, mi fermai alla piantagione Poilane e conobbi Felix. Trentacinque anni, simpatico, gran lavoratore. Coltivava il più bel caffè che avessi mai visto e il suo sogno era piantare gli aranci a Khe San. Ma non gli riusciva e si consolava con un frutteto di meli e di peri. Feci amicizia con Felix. E fu Felix a presentarmi l'altro contadino, Linares, che era ormai un vecchio senza denti, burbero e rozzo, e parlava di Khe San come di una donna che lo avesse stregato: "Io non la lascio, no. Io voglio crepare nella mia Khe San. Io in Francia non ci torno neanche chiuso dentro una cassa da morto". E poi Felix mi presentò al parroco di Khe San che era un parroco senza parrocchia giacché i soli cattolici a Khe San erano i Poilane e i Linares. Ma lui ci stava volentieri lo stesso, e si rendeva utile coi montagnards che gli volevano bene. Era un uomo intelligente, padre Poncet. Si chiamava Poncet. Feci amicizia anche con lui. Quando andavo a Khe San lo cercavo sempre. Eccolo. »

Mi ha porto la seconda fotografia dove si vedeva un uomo giovane e forte, vestito anche lui da colono. Il volto era ascetico, seminascosto dal pizzo e dai baffi neri.

« Poi i generali decisero di fare i balocchi a Khe San, ma in grande, e di instaurarci una base aerea per controllare la Pista Ho Ci Min. Costruirono la base a un chilometro e mezzo dalla piantagione Poilane. E fu come attirare le mosche con un vaso di miele. Alla fine di gennaio i nordvietnamiti avevano già risposto occupando molte colline e, a febbraio, conquistando il campo di Lang Vei: poco sopra Khe San. Un bombardamento carbonizzò non so quanti alberi di caffè, un altro ammazzò i due elefanti. La famiglia Poilane, i Linares e padre Poncet dovettero evacuare a Hué. Dove furono colti dall'offensiva del Tet. »

Ha fissato a lungo la fotografia di padre Poncet e s'è raschiato la gola più volte. Quasi cacciasse indietro una lacrima.

« Padre Poncet fu il primo a morire. Il 13 febbraio, in una strada presso la Cittadella. Camminava insieme a Linares, gli spararono alle spalle. Felix Poilane morì due mesi dopo. Il 13 aprile scorso, sull'aereo che lo riportava a Khe San. L'aereo fu colpito mentre atterrava, e prese fuoco. L'equipaggio e i soldati americani che erano dentro con lui riuscirono a scappare incolumi. Lui invece morì. Arso vivo. Sembra che fosse rimasto ferito e che quei bravi cristiani non lo aiutassero per non perdere tempo, capisci. »

« E Linares? Quello che voleva finire i suoi giorni a Khe San? »

« Oh, lui ha fatto la fine peggiore di tutti. »

« Che fine? »

« Rimase ferito insieme a padre Poncet e si salvò. Allora lo mandarono a Parigi. E lì morirà. Tanto, non ci sono più alberi di caffè a Khe San. Non ci sono più piantagioni. Non c'è più nulla. »

Ha alzato il viso e, lungo il naso, gli scivolava finalmente una lacrima.

« Ecco la storia di Khe San. »

9 maggio. Questo silenzio del mattino. Immobile, paralizzato. All'improvviso si rompe in uno schiaffo ciclopico e la morte si rimette al lavoro. Vestita da americana, da sudvietnamita, da nordvietnamita, da vietcong. Quanti vietcong ci sono in città? C'è chi afferma tremila, chi quattromila, ma un calcolo esatto è impossibile: continuano ad affluir senza sosta. Si chiamano Quyet Tu che vuol dire squadre suicide. Molti vengono dai confini con la Cambogia, in marce forzate attraverso le risaie di Tay Ninh, e il loro compito non è occupare punti strategici ma tenere impegnate le truppe nemiche più a lungo possibile, uccidendo quanta più gente è possibile, alimentando l'esasperazione, seminando il terrore. Son divisi a gruppi di cinque, di dieci, e la loro forza consiste nell'agire rapidamente e disperdersi: i loro attacchi non durano mai più di venti minuti. Spesso, quando gli elicotteri si alzano per cercarli, sono già spariti. Il discorso che il generale nordvietnamita Nguyen Chi Than tenne ai dirigenti del Fronte un anno fa non è mai stato così attuale: « Gli americani si illudono che sia necessario aver molti soldati per vincere e non capiscono che qui conta la tattica, non la forza. Gli americani sono più forti di noi, la loro potenza militare è così indiscussa, moderna. E noi non ci proviamo neanche a competerci: se ci provassimo, sarebbe come se pretendessimo di mangiare il riso con la forchetta e il cucchiaio. Noi non sappiamo usare forchetta e cucchiaio, il riso lo mangiamo coi bastoncini. Quindi per sconfiggere gli americani noi dobbiamo indurli a mangiare il riso coi bastoncini. Ricordate, compagni: la guerra in Vietnam è un'arena dove gli americani sostengono il ruolo di pugili che combattono col vento. Siamo noi il vento. Compagni, piombate come il vento su loro, e come il vento fuggite. Compagni, non coagulate mai il vento ».

Ecco, domenica cinque maggio s'è abbattuto come un vento sopra Saigon. Un vento insistente, insidioso, che ora scoperchia un tetto, ora investe un passante, un soffio qua, un tifone là: e ovunque tu vada ti senti come un condannato a morte. Mi sento anch'io così pensando che fra poco Felix verrà a prendermi per accompagnarmi in una zona di combattimento, e mi chiedo: che zona? Però che importanza ha. Magari te la cavi a Cholon, come me ieri mattina quando ci sono andata con Derek, e poi muori in camera tua: come un certo svedese stanotte. Dormiva con le finestre aperte, è entrata una pallottola e l'ha fatto secco.

Pomeriggio. La zona era il ponte che conduce a Khan Hoi e per un pelo non ci ho rimesso la pelle. I saigonesi lo chiamano il ponte degli Innamorati Infelici perché un tempo usava per suicidarsi. Gli americani lo chiamano ponte Y perché è fatto proprio a ipsilon: tre ponti in uno. Dista dal centro di Saigon quanto via Veneto da piazza San Pietro e intorno la battaglia vi infuria due o tre volte al giorno. A cosa serva sprecar vite umane per il ponte Y uno non lo capisce se non ha letto il discorso del generale Nguyen Chi Than. Infatti, per pochi gruppi di Quyet Tu, gli americani stanno impegnando intorno al ponte Y tante forze quante ne basterebbero per respingere un battaglione di Hanoi. Carri armati sostano coi cannoncini puntati, chiatte blindate percorrono il fiume, elicotteri sorvolano bassi il quartiere: ma per tirare a chi? Se il colpo di vento arriva, non fanno in tempo neanche a localizzarlo. Io la pelle ce l'ho quasi rimessa così. Sembrava tutto tranquillo fuorché per alcuni incendi che si alzavano da Khan Hoi: napalm. Mi sono spinta fino all'incrocio del ponte e mi accingevo a scattare una fotografia quando i Quyet Tu hanno preso a spararmi. Da dove, chissà. Ricordo solo il fischio delle pallottole e la voce di Felix nascosto sotto un carro armato: « A terra! Buttati a terra! ». Mi son buttata a terra e durante i cinque minuti che son rimasta lì, in mezzo al ponte deserto, raccomandando l'anima a Dio, ce la farò non ce la farò, nemmeno uno di quei carri armati, di quegli elicotteri, di quelle chiatte blindate, di quei militari ha potuto far nulla. Quando finalmente hanno risposto al fuoco c'era una pace da monastero.

Dinanzi all'hotel Majestic, più tardi, è successo lo stesso. Felix s'è fermato un attimo e crac: un colpo s'è infilato nel muro ad appena un metro da lui. Veniva da un tetto? Da una sampan ancorata di fronte? Chissà. Il viale s'è riempito di militari eccitati. Hanno fatto un casino infernale ma non hanno pigiato un grilletto perché non sapevano da quale parte puntare i fucili. E mi fa ridere l'ufficiale americano che oggi ha dichiarato: « Le nostre truppe stanno bloccando i rinforzi che tentano di entrare nella capitale da sud, ovest, nordest. Nelle ultime ventiquattr'ore 445 nemici sono stati uccisi, 242 dentro la città. Teniamo in mano la situazione, a sudovest di Saigon dovremmo cacciarli completamente entro domani ». Storie. Se noi corrispondenti non si fa che correre da nordest a sudovest per registrare nuovi focolai di battaglia! Sembra che alcuni vietcong siano travestiti con le uniformi governative: comprate al Mercato dei Ladri dove i GI venderebbero perfino la mamma. E c'è chi dice di aver visto soldati sudvietnamiti che sparavano su soldati sudvietnamiti: nella confusione non distinguevano più i veri dai falsi. Mentre i profughi aumentano. Quel fiume di corpi silenziosi e atterriti che avanza spingendo carrette, biciclette, vacche, maiali, bambini, perdendo sandali, cappelli a cono, valige, sicché quando è defluito sull'asfalto giacciono tutte queste cose calpestate, schiacciate: proprio come sul letto di un fiume ormai secco. Dio che spettacolo infame. Stamani, in quel fiume, una donna aveva perso suo figlio. E non voleva andare avanti, voleva tornare indietro a cercarlo, supplicava, piangeva, ma il fiume non le rispondeva neanche. Più insensibile di una massa d'acqua, la portava via, la spingeva nella corrente, e lei, procedendo a ritroso, alzava le braccia, tendeva le mani, urlava: « Van! Vaan! Vaaan! ».

P.S. Siamo un po' preoccupati per Ignacio Ezcurra. Ieri-mattina uscì in cerca di notizie, con due corrispondenti dell'Associated Press e uno di *Newsweek*. A Cholon, press'a poco nel punto dove hanno ammazzato Piggott e gli altri, disse di volersi fermare per dare un'occhiata. Scese dall'auto, si incamminò, e nel pomeriggio non era rientrato in albergo. Non era rientrato nemmeno la sera, e aveva un appuntamento per cena. Che l'abbiano fatto prigioniero? Che stia inseguendo una notizia speciale? Che sia andato verso il nord? Tutti dicono no, dal nord era appena tornato, e che notizia vuoi inseguire col coprifuoco? Del resto è un uomo troppo educato per dimenticare un invito a cena: noi temiamo proprio che sia stato catturato. Oppure... No, a questo non voglio pensare.

François dice che stasera si recherà al suo albergo a vedere come ha lasciato la camera, Ezcurra, al momento di uscire.

Sera. Ci è andato. È la camera di uno che è uscito in fretta per tornare presto. Nella macchina da scrivere c'è ancora il foglio su cui stava scrivendo l'articolo quando i tre colleghi americani lo hanno chiamato. Sette parole: « Saigon, 8 maggio. Scorrerà molto sangue a maggio... ». Sopra il letto sono sparsi fascicoli, appunti. Nell'armadio ci sono i vestiti e l'uniforme: quest'ultima indispensabile per viaggiare coi militari. Nel bagno c'è il rasoio. E un uomo non parte senza il rasoio. Infine, c'è un telegramma che non ha letto. Viene dal suo giornale e sta lì da mercoledì pomeriggio. François dice che Ezcurra non è andato al nord, non è prigioniero: ha fatto la medesima fine di Piggott, di Laramy, di Cantwell, di Birch, del barone tedesco. E ha fornito i connotati alla polizia perché lo cerchi fra i cadaveri recuperati. Ventotto anni, alto, asciutto. Capelli castano scuri, ondulati, radi alle tempie. Viso magro, scavato. Naso grande, sopracciglia folte, occhi neri. Indossava una camicia bianca con le maniche lunghe, pantaloni grigi tenuti da una cintura chiara. Calzava mocassini.

10 maggio. L'hanno ammazzato. Stamani un fotografo giapponese ha venduto all'Associated Press un rotolino di fotografie fatte a Cholon e in una fotografia si vede il cadavere di un bianco. Giace lungo disteso su un marciapiede, accanto al cadavere di un vietnamita. Indossa pantaloni grigi tenuti da una cintura chiara, camicia bianca con le maniche lunghe, calza mocassini. Le braccia sono legate dietro la schiena, si vede la corda all'altezza del gomito. Il corpo è straziato da una raffica verticale allo stomaco e al ventre, il viso è irriconoscibile: gonfio, trafitto dalle pallottole, insanguinato. Il naso ad esempio è diventato aquilino, e le guance sembrano piene. Hanno fatto un ingrandimento, però, e le tempie sono quelle di Ezcurra, i capelli sono quelli di Ezcurra, la fronte è quella di Ezcurra. Gli hanno sparato anche alla nuca e per questo la faccia gli è scoppiata in avanti. Un assassinio a freddo. Non solo perché è legato ma perché poi l'hanno finito con quei colpi alla nuca. Il cadavere del vietnamita giace a faccia in giù e braccia spalancate. E quello ha un particolare agghiacciante: i suoi calzoni sono sporchi sotto. Come se per il terrore se la fosse fatta addosso.

Hanno portato la fotografia al Juspao e l'hanno mostrata a tutti. Chiunque s'è trovato d'accordo nel dire che si trattava del corpo di Ezcurra. Così hanno cercato il fotografo giapponese per chiedergli in quale punto di Cholon lo avesse trovato ma lui era già partito per Tokio dove non si potrà rintracciare per molti giorni perché il suo volo non era diretto. La ricerca del cadavere è quindi impossibile: nell'istantanea non si vede che un marciapiede e una vetrina. François è perfino andato a

Cholon per cercarlo: non è servito a nulla. Cholon è così grande, ha tante vetrine, cercarvi un punto ed un morto è peggio che cercare un anello caduto in mare. Nessuno parlava, nessuno lo aiutava, lo fissavano anzi con ostilità cupa.

« Ho avuto molta paura. »

Se lo dice lui.

« Non lo ritroveremo più: vero, François? »

« Credo di no. Lo avranno buttato in qualche fossa comune. »

« Lo sai che sua moglie aspetta un bambino? »

« Lo so. Ces salopards de chinois! »

È difficile, sempre più difficile, accettare il fatto che i vietcong commettano tali vigliaccate. Insomma che neanche loro siano i cavalieri di giustizia e libertà che abbiamo finoggi dipinto. È doloroso, sempre più doloroso, ammettere che valgono gli altri, sono bestie come gli altri, e che Loan non è poi così colpevole. Da quando ho visto che Ezcurra era legato come il vietcong di Loan, non fo che pensare a Loan. E forse è gretto affrontare il problema perché hanno ammazzato cinque di noi. Però va affrontato. Quanti altri delitti hanno commesso i vietcong senza che un fotografo li immortalasse? C'è sempre un fotografo per l'esecuzione di un vietcong, per la testa tagliata di un vietcong, ma non c'è mai un fotografo per l'esecuzione di un americano, per la testa tagliata di un sudvietnamita. Io, Loan, lo sto già perdonando.

« Anche tu lo stai perdonando, François. »

Ha alzato un sopracciglio. È rimasto zitto un po' a lungo. Poi ha scosso la testa.

« La parola perdono appartiene al vocabolario cattolico. Coi cattolici io non ho più nulla a che fare da tempo. E preferisco la parola giudizio. Ma ogni giudizio dev'essere accompagnato da una giustificazione. Perché c'è quasi sempre una giustificazione. Un giorno, presso Seul, vidi una colonna di prigionieri nordcoreani: feriti, laceri. La conduceva un gruppo di americani, anzi di portoricani, e d'un tratto un portoricano si gettò su un prigioniero: senza una ragione apparente, gli infilò la baionetta nel fianco. Lo aprì quasi in due. Corsero a immobilizzarlo e lui, alzando la baionetta insanguinata, gridava istericamente: "He killed my buddy! Ha ucciso il mio amico". Vi sono casi in cui perfino il delitto più vile può esser compreso. »

« Stai parlando di Loan? O dei vietcong? »

Non ha risposto.

« Poi vi sono casi in cui neanche uno schiaffo dev'esser compreso. Un altro giorno stavo con la British Brigade, a nord di Seul. E c'era questo capitano inglese, elegante, rasato, che parlava un francese impeccabile. Mi raccontò che durante la Seconda Guerra Mondiale il suo compito era quello di uccidere i prigionieri tedeschi dell'Afrika Corps e che una volta aveva avuto un caso di coscienza. Aveva catturato zio e nipote: quale uccidere per primo affinché la punizione fosse più grande? Poi s'era deciso per il nipote. Mentre raccontava questo gli portarono un sudcoreano in uniforme nordcoreana: sai quelli che gli americani paracadutavano per spiare al nord. Era stato appena catturato. Anzi, s'era fatto appena catturare. In inglese dette il suo nome, il suo grado. Poi tolse dagli scarponi certi fogli scritti e con un inchino li porse al capitano. Senza neanche leggerli, il capitano li strappò e li buttò via. Quindi si gettò sul coreano e prese a colpirlo, a colpirlo. Con pugni, con pedate, con schiaffi. Questo civilissimo cittadino di Londra, questo gentiluomo che certo sapeva Shakespeare a memoria, questo mascalzone che in cuor suo riteneva di poter insegnare la democrazia al mondo. »

« Stai parlando di Loan o dei vietcong? »

« Poi vi sono casi che non sai come giudicare perché non sai se la giustificazione esiste o no. E fu quello del giorno che seguivo il battaglione francese, sempre in Corea, sulla collina 1021. Dal bosco in cui ci trovavamo potevo osservare benissimo i nordcoreani e il loro ufficiale che dava ordini concitati, poi puntava il fucile e sparava verso di noi. Sembrava sconvolto. E a un certo momento puntò il fucile contro un suo soldato e gli sparò. Il soldato cadde morto. Perché gli sparò? Me lo chiedo ancor oggi. Probabilmente aveva i nervi a pezzi, era stanco. Anche Loan quel giorno era stanco. Non dormiva da giorni, il suo letto era una jeep colma di bottiglie e casse di birra. Aveva visto i suoi uomini morirgli sotto gli occhi, forse uno di loro era stato ucciso con le mani legate. Non so. Non sai mai dove finisce la bestia e incomincia l'uomo, o viceversa. Dopo che Loan fu ferito andai a Bien Hoa. Il combattimento s'era concluso, tre vietcong erano moribondi. Anziché finirli, come si fa di solito, gli uomini di Loan li avevano delicatamente adagiati per terra e sotto il capo gli avevano messo delle giacchette: a mo' di guanciale. C'era una pioggia leggera, dalle ferite di un vietcong il sangue colava e andava a incanalarsi in un rivolo insieme alla pioggia. Arrivò un maiale e si mise a bere ronfando quel sangue mischiato alla pioggia. Lo colpii con un bastone, si allontanò e poi tornò. Allora gli uomini di Loan mi vennero in aiuto e lo spingevano a calci. »

P.S. Non ho voglia di far nulla. Ho impiegato le ultime due ore a lavarmi la testa in una botteghina di rue Gia Long. La parrucchiera era una vietnamita molto educata, molto gentile: sai la media borghesia di Saigon. Mi ha detto di conoscere abbastanza bene Cao Ky e il generale Loan. Dal tempo in cui erano solo colonnelli. Mi ha detto che Cao Ky non le è mai piaciuto: così arrogante, presuntuoso; la carriera che ha fatto la sbalordisce. « C'est incroyable, c'est inexplicable. » Loan invece le è sempre piaciuto. « Un homme très doux, très brave. » Un uomo molto dolce, molto coraggioso.

11 maggio. All'ippodromo i Rangers sudvietnamiti hanno acchiappato due fili di vento. Giacevan feriti da quattro giorni, senza bere, senza mangiare, e i loro corpi eran pieni di schegge. Abbandonandoli dopo uno scontro, i compagni non li avevano finiti perché entrambi s'eran finti morti. L'ordine che hanno i Quyet Tu, infatti, è di non lasciare feriti e spargli un colpo al cuore o alla tempia.

Le due barelle sono posate per terra, nel recinto dove si scommetteva sui cavalli. Ora c'è un ospedaletto da campo. Dai cartellini che ciondolan dai polsi risulta che uno è nordvietnamita, tenente dell'esercito regolare di Hanoi, e si chiama Nguyen Van Gian; l'altro è sudvietnamita, appartiene al Secondo Battaglione della Nona Divisione vietcong, e si chiama Thai Van Ty.

Il tenente Van Gian non ce la farà. Ha larghe ferite al ventre, una peritonite ormai in atto, due fratture al femore destro. Cercano di rianimarlo con un'intravenosa ma non serve che a rinviare di qualche ora la morte. Thai Van Ty invece ce la farà. Con sforzo può perfino parlare: ha fornito preziose informazioni spiegando che le truppe del Fronte sono mischiate ai regolari nordvietnamiti ma questi sono la gran maggioranza. Il settanta per cento. Due battaglioni del 272° Reggimento nordvietnamita stanno tentando di entrare in città attraverso Go Vap e si preparano ad attaccare l'aeroporto di Than Son Nhut. Il battaglione cui appartiene lui invece si trova a Long An, nel delta del Mekong, ed avanza armato di fucili russi AK47, razzi, bazooka...

Povero Thai Van Ty, il suo volto ossuto è la maschera della sofferenza. Ma non quella fisica, quella che viene dalla vergogna di aver detto troppo. Mi inginocchio accanto a lui, mi acchiappa il golf con fragilissime dita e sussurra: « Boire... bere... boire ». Gliela verso piano fra le labbra, mi fissa con occhi grati, poi aggiunge: « Manger... mangiare... manger ». Allora viene un medico in uniforme, con dolcezza gli dice di stare tranquillo: avrà da mangiare. Infatti arriva presto, una ciotola di riso con verdura, e il medico in uniforme allontana l'infermiere perché vuole imboccare lui stesso Thai Van Ty: è bene che Thai Van Ty mangi il meno possibile. Con gesti delicati, il dottore gli posa sulla lingua cinque o sei chicchi di riso per volta. « Piano. Bravo. Così... »

« Come si chiama, dottore? »

« Nguyen Ngoc Quy » risponde. « Perché? »

(Perché, dottore, se glielo dicessi, dottore, non mi crederebbe. Perché quando sarò triste, quando sarò indignata, quando penserò a quei mascalzoni che hanno trucidato Ezcurra e gli altri, a quei mascalzoni che rasano al suolo un quartiere per eliminare un vietcong, a quei mascalzoni che a Parigi, a Washington, ad Hanoi, si fanno beffe della gente che muore, io ripeterò questo nome: Nguyen Ngoc Quy, Nguyen Ngoc Quy.)

« Per il giornale, dottore. »

« Oh, non mi metta sul giornale! Che ho fatto? »

« Nulla, dottore. Lei è nell'esercito governativo da molto tempo, dottore? »

« Cinque anni. »

« Non odia quell'uomo, dottore? »

« È un vietnamita, un fratello. Come potrei odiarlo? Siamo tutti fratelli. »

« Lei è cristiano, dottore? »

« No, non ho religione. »

Un'ora fa due razzi lanciati dagli elicotteri americani sono caduti su una pagoda colma di profughi. Dieci persone sono rimaste uccise e quindici versano in gravi condizioni. Sembra che i morti fra la popolazione siano già quattrocento, i feriti quasi duemila. I saigonesi rimasti senza casa invece sono ventinovemila. Li stanno ammassando nelle scuole dove preti vestiti di bianco gli ingiungono di pregare Dio, ringraziare Dio. Ma di che?

Pomeriggio. Stamani gli incontri preliminari sono incominciati a Parigi e la battaglia continua a Cholon, continua a Go Vap, continua a Khan Hoi, continua a Bien Hoa, continua al ponte Y, continua all'ippodromo, continua al cimitero francese dove un altro giornalista è morto per una scheggia al cuore. Stamani hanno risolto l'importantissimo fatto che i delegati americani siano alloggiati all'hotel Crillon mentre i delegati nordvietnamiti sono alloggiati al meno elegante hotel Lutetia: lasciato il Lutetia, questi ultimi si trasferiranno in una villetta. E il numero delle case distrutte a Saigon è salito a 10.750. Stamani molti giornali nel mondo sono usciti col titolo *È la pace*. E a Saigon il vicepresidente Cao Ky ha armato diecimila studenti per metterli alla difesa del fiume, poi li ha riuniti nel parco municipale e li ha informati che la guerra continua anche se « gli stranieri » (leggi americani) non vogliono: la mobilitazione generale è ormai prossima. Sono andata ad ascoltarlo con Felix. Cao Ky non dominava l'ira, gridava: « Se gli stranieri desiderano mollare il Vietnam io rispondo: mollatelo oggi. Noi non li ospitiamo perché si arrendano ai comunisti, perché ci consegnino ai comunisti. Ecco la risposta da dare al loro neocolonialismo che in cam-

bio di un piccolo aiuto materiale viene qui a sputare su quattromila anni della nostra storia e a decidere il nostro destino in
base ai propri interessi. Non ci sarà alcun governo di coalizione, non scenderemo mai a patti col nemico ». Il solito orgoglioso incoerente disperato Cao Ky per cui la guerra è un'abitudine
e se muori pazienza. Non m'è piaciuto stamani Cao Ky. Non
m'è piaciuto nessuno. L'ambasciatore Bunker, che era stato invitato, è andáto via senza stringergli la mano ed ha spedito a
Johnson un rapporto infuocato. Si litigano tra di loro: che schifo. Chissà se succede anche tra il Fronte di Liberazione ed Hanoi. Magari sì. Che schifo. Uno pensa che i destini dei popoli
siano nelle mani di uomini eccezionali, crudeli magari però
eccezionali, e poi scopre che i destini del mondo sono nelle
mani di banali imbecilli il cui successo stupisce la mia parrucchiera, e si fanno i dispetti come i bottegai.

« E poi ci parlano di ideali, Felix! »

« Avevi bisogno di venire in Vietnam per scoprire che gli
ideali sono una truffa inventata da chi vuole il potere? Devi
metterti in testa che questa guerra, come tutte le guerre, è uno
sporco gioco politico. A nord come a sud, a oriente come a oc-
cidente. Americani e sudvietnamiti sono alleati ma non si sop-
portan fra loro, vietcong e nordvietnamiti combattono insieme
e non si posson soffrire. Vorrei vederli, quelli del Fronte, quando si arrabbiano con quelli di Hanoi. »

« Loro non si odiano, Felix. »

« Certo non si amano: il Fronte teme Hanoi, Hanoi non
stima il Fronte. Le azioni militari importanti sono compiute dai
nordvietnamiti, non dai vietcong. I vietnamiti non si fidano dei
vietcong come soldati, li usano solo per gli attacchi suicidi. E
non si fidano di loro neanche come politici, giacché ad Hanoi
non interessa un governo di coalizione. Non interessa neanche
una pace immediata: documenti lo provano. Ti darò quello
catturato il 17 aprile scorso dal 173° Airborn. Una lettera del
comitato politico dell'esercito nordvietnamita. »

Me l'ha data. La copio pensando al dottor Nguyen Ngoc
Quy che imboccava il vietcong con sei chicchi di riso per volta,
piano, bravo, così.

« Quartier Generale della Terza Divisione, unità 491. A tutte le unità dall'unità 491. Direttive del 4 aprile 1968, attenzione. Ieri il nostro governo ha reso noto l'annuncio del governo americano di limitare i bombardamenti sul Nord. Si tratta di un annuncio che può influenzare e danneggiare il morale delle nostre truppe, ridurre la vigilanza delle nostre unità, indebolire la loro determinazione. Di conseguenza le truppe devono essere immediatamente indottrinate e informate che quella degli Stati Uniti è una manovra per conquistare l'opinione pubblica, che non dobbiamo cadere in questa trappola, che la guerra continua e deve essere intensificata. In particolare ogni unità deve essere indottrinata sui seguenti punti: 1) Le trattative diplomatiche saranno coordinate con la lotta politica e militare. 2) Il fatto che il nostro governo accetti contatti diplomatici con gli imperialisti americani non annulla né alleggerisce i nostri obiettivi che restano quelli di una vittoria totale. 3) Ora più di prima, per ottenere questa vittoria, dobbiamo distruggere l'esercito americano e l'esercito fantoccio, attaccare le sue installazioni, penetrare nelle città dove domina: non possiamo permetterci di cullarci in illusioni di pace, non possiamo permetterci di far riposare i nostri fucili. Al contrario, bisogna approfittare della confusione del nemico, del suo dubbio e del suo ottimismo, per liberare al più presto le aree rurali, provocare insurrezioni armate nelle città, eliminare il maggior numero di imperialisti. 4) Attenzione, ripetiamo che le truppe devono essere accuratamente indottrinate sulla strategica determinazione del partito a rifiutare ogni illusione di pace. Ordini devono essere impartiti anzitutto ai dirigenti politici e ai responsabili militari, in secondo tempo alle truppe, e la loro reazione deve essere osservata da vicino onde prendere le misure necessarie. Le truppe a loro volta devono indottrinare la popolazione, e i rapporti devono essere inviati immediatamente a questo comitato. »

Com'è diventata brutta Saigon.

12 maggio. Mi sono fatta coraggio e, insieme a Derek, sono andata a Cholon. C'era anche il cugino che sudava, sudava, e d'un tratto ha supplicato: « No, Derek! Torniamo indietro,

Derek!». Sta accorgendosi che la guerra è divertente solo al cinematografo. Io non sudavo: ero di marmo. Quando siamo scesi dall'automobile le gambe mi pesavano esattamente quanto se fossero state di marmo. Viali deserti, strade deserte, dietro l'angolo una pattuglia di sudvietnamiti che sparava al vento. Poi siamo passati dinanzi al vicolo dove ammazzarono Piggott, Laramy, Cantwell, Birch. E, proprio all'imbocco, erano ammassati sei corpi di vietcong. Uno, enorme. Così alto e grosso da dubitare che fosse un vietnamita. Vestito da sergente.

Giaceva a braccia aperte e gambe divaricate, ormai verde. Colpito al ventre, allo stomaco, alla testa: i suoi occhi strabuzzavano fuori delle orbite come due palle e, all'iride, eran coperti di mosche che ci facevan banchetto. Altre mosche riempivan la bocca che era spalancata in una smorfia di sorpresa e lì dentro erano così numerose che il loro ronzio sembrava quello di un elicottero. Gli altri cinque gli stavano intorno, nelle posizioni più assurde e ad uno gli mancava la faccia, ridotta a poltiglia. Morti da almeno tre giorni: esalavano troppo fetore. Derek ha detto: «Son loro. Non possono esser che loro. Stesso vicolo, stesso gruppo, un sergente. E il sergente è grosso». Che Dio mi perdoni: non ho provato pietà. Li ho fotografati con dita ferme pensando: bisogna far presto sennò ci succede come ad Ezcurra. E poi pensando: avete ammazzato Piggott e Laramy e Cantwell e Birch e forse Ezcurra, ma hanno preso anche voi. È finita anche per voi.

Sera. Il coprifuoco incomincia alle sette ma per noi bianchi c'è tolleranza, e poi l'hotel Caravelle è proprio di fronte al Continental. Così, dopocena, noi del Continental si attraversa la piazza e si va al Caravelle, che ha la terrazza più alta della città, così alta che di lassù si domina tutto: a nord, a sud, a est, a ovest. Sulla terrazza vi sono sedie, tavolini, e i camerieri in giacca bianca portano whisky, gelato, caffè. Proprio come a Roma, a New York. I frequentatori sono americani, francesi, giornalisti, diplomatici, funzionari che ci vengono insieme alle mogli. Profumate, pettinate, in minigonna. «Ça va, chérie?» «Darling, how do you do?» «Il faut, il faut que vous veniez déjeuner avec nous cette semaine! » « You must, you absolutely must have a drink at our place! » E ridono, si fanno le feste: sembra d'essere a teatro. Ma *siamo* a teatro. La platea è la terrazza del Caravelle e il palcoscenico è Saigon in agonia.

Mi spiego? Tu stai lì a bere il whisky, a leccare il gelato, a congratulare un vestito, e intanto guardi la gente che muore. « Whisky and soda or on the rocks? » e osservi i Phantom che si buttano in picchiata contro un quartiere poi sganciano bombe da mille chili, napalm. « Moi je préfère le chocolat, pas de vanille » e osservi gli elicotteri che gettano razzi su un gruppo di vietcong, mitragliano un soldatino giallo che il bengala illuminò. « What a nice dress, sweety! » « Guarda quella bomba, laggiù! Cade, è caduta, vedi le fiamme? » e le fiamme si alzano e squarcian di rosso il cielo di pece: « Fantastic! ». Un boato vomita un altro boato, l'aria trema: « Extraordinary! ». Quante creature stanno spirando, dilaniate da quella bomba? Quante case stanno crollando, cotte da quel napalm? È tutto un fuoco l'orizzonte a destra, è tutto un martellare l'orizzonte a sinistra, e i bengala calano sulla città come lingue di Pentecoste, come comete per i re Magi. Più graziose, anzi, perché messe a corolla. « No, io direi che sembrano candeline sui bordi di un dolce. » Sai, i romani che andavano al Colosseo per veder morire i gladiatori. Sai, Nerone che suona la lira mentre bruciano le case dei poveri. Tanto, son sempre i poveri che ci rimettono: la guerra colpisce i poveri della periferia: mica i borghesi del centro. Tanto, son sempre i gladiatori che muoiono: mica i ricchi. A Roma, a Saigon, nel Colosseo, sotto la terrazza del Caravelle. E poiché Cristo scese in terra a insegnarci l'amore, c'è sempre la Messa di domenica mattina per riscattarci con dieci Pater, dieci Ave, dieci Gloria e, perché no?, un Requiem Aeternam che dica così: « Padre nostro che sei nei Cieli dacci oggi il nostro massacro quotidiano, liberaci dalla pietà, dall'amore, dalla fiducia nell'uomo, dall'insegnamento che ci dette tuo Figlio. Tanto non è servito a niente, non serve a niente. A niente e così sia ».

Stasera lo spettacolo era più eccitante del solito. Perché in platea c'era più gente del solito e perché sul palcoscenico scorreva più sangue, si alzavan più fiamme. Direzione nordest, verso cui volavano i gridolini delle signore: « My God! Mon Dieu! What a show tonight! Unbelievable! Incroyable! ». Io ero insieme a François che localizzava i bombardamenti col cronometro. È una sua mania. Non appena il lampo s'accende nel buio, lui pigia il bottone di questo cronometro che è un cronometro speciale: con tanti numeri e tante lancette. Poi, quando ode lo scoppio, pigia di nuovo il bottone e conta i secondi trascorsi fra il lampo e lo scoppio. Infine, calcolando il tempo sulla velocità del suono, stabilisce a quale distanza la bomba è caduta. Dice che è un sistema praticamente infallibile e che su una mappa militare lui può indicarti il punto esatto, sbagliare al massimo di dieci metri. Quante volte abbia pigiato il bottone non lo ricordo più. Trenta? Cinquanta? Cento? Io ricordo solo quei tonfi monotoni, sempre uguali, e l'impercettibile smorfia che gli piegava le labbra dopo che s'era astratto in un conteggio rapido. Verso mezzanotte ha detto: « Esplodono una accanto all'altra, una sopra all'altra. La differenza è di frazioni infinitesimali di secondo. Stanno rasando al suolo Khan Hoi. Domattina ci andiamo. Son certo che non ci troveremo più nulla ».

13 maggio. Non ci abbiamo trovato più nulla. Alle sette è passato a prendermi e mi ha portato al ponte Y dove neanche un soldato ci ha detto di stare attenti ai vietcong. Un negro faceva il caffè, due biondoni si sbarbavan tranquilli. Con la faccia insaponata hanno sorriso: « Good day. It's a nice day today. È una bella giornata oggi ». Non era una bella giornata, era grigia e stagnava puzzo di bruciato. Respirando quel puzzo di bruciato siamo scesi dall'automobile e abbiamo attraversato il ponte. A metà del ponte m'è quasi sfuggito un grido: Khan Hoi non c'era più. Non c'erano più le strade, non c'erano più le case. Solo qualche albero carbonizzato, qua e là, e un gran pantano perché le tubature dell'acqua rompendosi avevano allagato tutto. Nel pantano una donna si rotolava e piangeva: un pianto piccolo, acuto, come il pigolio di un pulcino che ha perso gli altri pulcini. Vicino a lei giaceva un maiale carbonizzato. Ci si è gettata sopra e, sempre pigolando, s'è messa a picchiarlo coi pugni chiusi. Più in là, dentro una trincea improvvisata, c'erano i pezzi di tre vietcong e un femore così ben staccato dalla carne, lucido, bianco, che sembrava uno di quelli su cui studiavo osteologia all'università. La ragazza sui sassi invece era intatta. Indossava l'uniforme del Fronte e stringeva la cinghia di uno zaino. Ho aperto lo zaino e conteneva tre involtini di pallottole AK50, un caricatore per mitra, un portacipria, un rossetto, e una minuscola boccetta di profumo: sai i campioni che ti regalano dal parrucchiere. Non s'era rotta. Non s'era rotto nemmeno lo specchio del portacipria. S'era rotta soltanto lei e non capivi dove. Forse l'aveva uccisa una raffica d'aria.

E poi c'erano due carri armati con alcuni Marines, e da un carro armato pendeva la bandiera americana. E la bandiera, in prospettiva, inquadrava la carogna di un cucciolo, la scarpa di un bambino, un muro pencolante che era ciò che restàva della scuola di Khan Hoi. E poi c'erano tante voragini, larghe anche otto metri, e un silenzio gelido, un'immobilità sconcertante: nemmeno un filo di vento, capisci, a spazzare quel nulla. E, in cima ad una voragine, i cadaveri di due poliziotti con le mani legate. Fucilati dai vietcong. E così i conti fra loro risultavano più o meno saldati, l'unico bilancio sbagliato riguardava i poveri di Khan Hoi. Per sette giorni avevan subìto i vietcong e all'ottavo giorno ecco gli americani, ecco un altoparlante che gracchia « Evacuare, evacuare ». E avevan dovuto incanalarsi in direzione del ponte senza raccogliere un materasso, una gallina... È arrivato un vecchio. S'è guardato intorno, allibito, in cerca della sua roba scomparsa. S'è portato le mani alla testa. È rimasto qualche secondo così.

« Have it, old man. Tieni, vecchio » gli ha detto un Marine. E gli ha porto un chewingum.

Il vecchio s'è tolto le mani dalla testa, ha preso il chewingum, ha sorriso al Marine. Ma non si arrabbiano mai, non si ribellano mai, non odiano insomma? No. Son così abituati ad avere le case distrutte, i figli ammazzati. L'odio, pei poveri, è un sentimento che consuma troppe energie. E se un americano gli regala un chewingum, loro gli sorridono poi se lo infilano in bocca. Ha tolto la carta e se l'è infilato in bocca.

« Do you like the chewingum, old man? Ti piace, vecchio, il chewingum? » ha chiesto il Marine.

« Oui, merci. Thank you. »

Dopo il vecchio sono arrivati i becchini: coi guantoni di plastica e la maschera di garza sul viso. Sono scesi dal camion, hanno raccolto la ragazza in uniforme e l'hanno buttata sul camion. Poi hanno raccolto il femore bianco e l'hanno buttato sulla ragazza. Poi hanno raccolto due o tre pezzi di vietcong ma erano pezzi eccessivamente piccoli e così ci hanno rinunciato. Hanno preso la vanga, hanno riempito la trincea, e hanno spianato il tumulo passandoci sopra col camion.

« Guarda com'è bella quell'acqua » ha detto François perché staccassi gli occhi dal camion.

Da un tubo contorto schizzava un getto d'acqua e cadeva su una lamiera. S'è aperta una nuvola e il sole ha illuminato il getto con mille diamanti. A uno a uno i diamanti volavano alla lamiera e ci rimbalzavano con un tintinnio pulito.

« Guarda com'è bella quell'acqua » ha ripetuto mettendosi fra me e il camion. « È l'unica cosa limpida, pura, che esista qui. In fondo, se guardi bene, una cosa limpida, pura, finisci sempre col trovarla. »

Ed io non gli ho risposto che certo era acqua avvelenata. Ce ne stavamo andando e mi raccontava una delle sue storie che non racconta mai a caso, e la storia stavolta si svolgeva a sud di Seul dove c'è una valle che chiamano o chiamavano Massacre Valley. Perché cento Marines vi caddero in un'imboscata di nordcoreani. Fu prima che gli americani riconquistassero Seul e quando François la attraversò coi carri armati che andavano a riconquistare Seul, i Marines eran morti da circa otto giorni. Faceva freddo, e il freddo li aveva trasformati in statue di ghiaccio. Le statue ingombravan la strada, la colonna si fermò: per non passarci sopra. Alcuni soldati scesero, si misero a rimuovere le statue di ghiaccio, le retroguardie nordcoreane spararono loro addosso. Allora il comandante ordinò di lasciar perdere e di andare avanti e di passarci sopra. E uno dopo l'altro i carri armati ci passarono sopra: venti carri armati. E quando anche l'ultimo ci fu passato sopra, lungo la strada non si vide più un morto. Si vide solo un tappeto a macchie rosse e grigioverdi. Alto non più di dieci centimetri.

Sera. L'abbiamo visto a Jardin, subito dopo la cattura. Era pieno di schegge, ferite purulente, e sui pantaloni da soldato indossava una giacca dell'Air Vietnam: la giacca dell'uniforme l'aveva buttata via prima di arrendersi insieme ad altri duecentodieci nordvietnamiti. Aveva un visino sorpreso, innocente. Parlava francese, e François l'ha interrogato col permesso dei sudvietnamiti.

« Come ti chiami, quanti anni hai? »

« Joseph Tan Van Thieu, Monsieur. Ho ventiquattr'anni, Monsieur. »

« Da dove vieni? »

« Da Hanoi, Monsieur. Il mio reggimento è partito da Hanoi il 6 dicembre 1967 e siamo arrivati a Saigon il 29 aprile scorso. Tutta a piedi, Monsieur! Quasi cinque mesi di marcia, Monsieur! Si marciava anche dodici ore al giorno, e mai meno di otto ore al giorno, e a volte si marciava anche la notte, l'intera notte, Monsieur! »

« Che strada hai fatto, Joseph? »

« Il Laos, Monsieur, e poi la Cambogia. Ma in Cambogia è stato meglio perché si marciava solo cinque ore al giorno, e nelle foreste dove non ci vedeva nessuno, e senza il fucile perché i fucili ce li avevano ritirati. Ce li hanno restituiti qui al Sud, quando siamo arrivati a quella piantagione Michelin, e abbiamo incontrato i camerati del Sud che si sono uniti a noi e insieme abbiamo proseguito per Saigon. »

« Sei volontario, Joseph? »

« Oh, no, Monsieur! Noooo! Io lavoravo in quell'officina ad Hanoi e non volevo venire alla guerra, Monsieur. Non mi piace la guerra, Monsieur. Però mi ci hanno mandato lo stesso: è la legge, Monsieur! E la mia mamma piangeva, piangeva... »

« Eri armato bene, Joseph? »

« Avevo solo un fucile, Monsieur. Un AK50. E settecentocinquanta pallottole ma io ne ho sparate solo sessanta, Monsieur. Non mi piace sparare. Più spari più loro ti sparano. E quanto sparano, loro, Monsieur! Perché ad Hanoi ci avevano detto che bisognava venire qui per aiutare i camerati del Sud tanto gli americani sono deboli, Monsieur, ma non è mica vero! Non facevano che spararci addosso con gli M69 e le mitragliatrici e tutto. Quanti di noi sono morti, Monsieur! S'era nascosti in quella casa senza mangiare, solo una volta c'è riuscito di rubare un pollo e si aveva una fame! Ma la fame era nulla in confronto a quei razzi, Monsieur. Guardi, ho schegge dappertutto, nel corpo, nelle braccia, nelle gambe, nei piedi. Non posso camminare. »

« Per questo ti sei arreso, Joseph? »

« Oh, sì, Monsieur! Non ne potevamo più. Eravamo proprio stanchi di morire, Monsieur. Oh, basta con la guerra, Monsieur, basta! Non m'importa chi la vince e chi la perde, a me importa che finisca e basta. Com'è brutta la guerra, Monsieur! Meglio esser prigionieri, Monsieur. »

Ora tocca ai prigionieri. Anche al centro stampa governativo, questo pomeriggio, ce ne hanno serviti sei. La sala era affollata di corrispondenti stranieri e cronisti locali, accanto all'interprete sedeva Ling: il padrone della Vietnam Presse. Senza l'eleganza con cui è solito esibirsi: camicie di via Condotti e pantaloni di Bond Street. Indossava l'uniforme mimetizzata, poveretto, era appesantito da una rivoltella che sembrava appena uscita dal negozio dell'armaiolo con le istruzioni per l'uso. E che grinta. A un suo cenno sono entrati i prigionieri: cinque vietcong e un nordvietnamita. I vietcong erano tutti bambini, fra i dodici e i sedici anni, e portavano la tuta azzurra dei carcerati. Il nordvietnamita era un capitano di quarant'anni e portava la divisa. Era anche ferito a un piede e a una mano. Sono saliti sulla piattaforma su cui erano state sistemate sei sedie e così ci siamo accorti che il nordvietnamita era l'unico ad avere le scarpe, i cinque bambini eran scalzi. « Potete porre domande » ha concesso Ling. Il ragazzo di sedici anni s'è messo subito a piangere. Ci guardàva e piangeva. Lunghe lacrime pese che arrivavano al mento, poi gocciolavano giù sui ginocchi, ed ecco che un cronista locale, al servizio di Ling, gli si getta addosso.

« Sei un vietcong, vero? Sei un vietcong, mascalzone! »

« Sì, sono un vietcong. » E giù lacrime.

« E cosa facevi, farabutto, cosa facevi? »

« Portavo le armi. » E giù lacrime.

« E non ti vergogni? »

« No. » E giù lacrime.

« E dai un tale dispiacere ai tuoi genitori? Mascalzone, farabutto! Pensa a tua madre! »

« Io non ho madre, non ho genitori. Me li hanno ammazzati. »

Un breve silenzio, un certo imbarazzo. Poi quel gentiluomo si rivolge al bambino di dodici anni che se ne sta lì a schioccare le nocche e a dondolare i piedi, quasi la faccenda non lo riguardi.

« Ehi, tu. Anche tu sei un vietcong, moccioso? »

« Io? Io sì. Perché? »

Risata dei giornalisti.

« Sentilo, chiede perché. L'ipocrita! »

« Ma io... »

« E cosa facevi, vergogna, cosa facevi? »

« Ecco, io accompagnavo i grandi sull'autobus e li portavo in città sennò loro la città non la conoscevano mica e si perdevano ecco. »

« E non hai vergogna? »

« Io? Io no. Perché? »

Altra risata, mentre sul visuccio assente si disegna un grande stupore e la bocca si spalanca come a chiedersi: « Ma questa gente chi è, cosa vuole? Perché uno mi tratta male e gli altri si divertono? Sono proprio buffo? E lui vuole che mi vergogni. Di cosa? ». Poi la bocca si chiude, le labbra incominciano a tremare, il bambino alza un gomito e ci si nasconde dentro, si alza un singhiozzo... un singhiozzo...

Sono scattata su e sono andata via.

Più tardi m'hanno detto che ho fatto male: le dichiarazioni del nordvietnamita erano interessanti. Buon per loro che hanno avuto lo stomaco di restar fino in fondo. Io ho telegrafato al giornale che non spedirò più articoli dal Vietnam e che tornerò presto. No, niente viaggio al nord, niente tappa a Dak To per sapere di Pip: fo le valige e parto. Bambini che piangono, cadaveri a pezzi, colleghi trucidati, crudeltà, orrore: non ne posso più. M'ha invaso come un'esasperazione, una nausea. Tutte le mie belle idee sulla religione dell'uomo, l'uomo da sostituire a Dio. Qui non c'è né uomo né Dio, qui ci sono soltanto bestie. Sono bestie i ricchi romani che si divertono nel Colosseo del Caravelle e sono bestie i gladiatori che li divertono nel Colosseo di Cholon. Sono bestie i generali che fanno i balocchi e sono bestie le loro vittime che trascinan via una donna separata dal figlio. Sono bestie i cronisti governativi che insultano i bambini prigioneri e forse sono bestie i bambini prigionieri. E certo lo sono anch'io che sto a guardare senza farci nulla. Basta! Basta, basta! Se resto in questa gabbia di bestie che mangiano bestie, rischio di partecipare al banchetto.

14 maggio. Era venuto a bere una birra nel giardino del Continental ed ora stavamo lì, sotto un ombrello di foglie, a discutere la mia desolazione. Al tavolo di fronte Catherine faceva i capricci, vestita di bianco come un'educanda, il fotografo Simon Petri narrava ancora una volta come i vietcong avevano ferito Loan, sotto i suoi occhi. Eurate mostrava con civetteria le cicatrici delle ferite riportate a Khe San dove le schegge la presero alle gambe. A destra due tedeschi stavano discutendo Catherine ed Eurate, che problema l'una, che bella ragazza l'altra: così imponente, abbronzata dalla convalescenza. Uno diceva: « Ma è troppa! ». L'altro rideva: « Il troppo non è mai troppo ». A sinistra due americani discutevano il fatto che Barry Zorthian stia per tornare a Washington: « Sperava di diventare ambasciatore in qualche paese del Sudest asiatico, magari a Saigon: gli è andata male ». « In fondo se lo merita, sai: è un uomo eccessivamente ambizioso. » « Sì, però è intelligente. » « Il punto, vedi, è che nacque in Armenia. E i Wasp come Cabot Lodge non gli permetteranno mai di mischiarsi a loro. » Si vive di queste cose al Continental dopo il tramonto. Pettegolezzi, ozio, inutilità: come in una pensione di vecchi che la sera non possono uscire. Nel cielo stellato, intanto, si levavano i tonfi delle bestie contro le bestie. Ma li ascoltavamo come si ascolterebbe il rumore della pioggia senza farci caso.

« ... e per questo cominciò il dubbio, François. Sì, prima ci fu il dubbio. »

« Il dubbio è la qualità che ammiro maggiormente nell'uomo, diceva Karl Marx. E lo dico anch'io. Su quello ci troviamo d'accordo, io e lui. Anche su qualcos'altro, forse. Ma, di certo, su quello. »

« Sì, ma poi il dubbio divenne certezza. E così parto, me ne vo, François. »

« Che tu parta, prima o dopo, è giusto: non puoi passare la tua vita in Vietnam. Ma che tu parta perché hai scoperto che nemmeno qui gli uomini sono angeli, mi sembra eccessivo. »

« Non mi aspettavo che fossero angeli, François, mi aspettavo che fossero uomini. Ma se rileggo gli appunti degli ultimi giorni non trovo un solo episodio, un solo incontro, che mi ricordi d'essere stata fra gli uomini. Io avevo fiducia negli uomini, e tu mi avevi aiutato ad averne. Credevo che valesse la pena arrabbiarsi per loro, che fosse anzi un dovere. Non lo è. Perché non ne vale la pena. »

Ha sorriso il suo bel sorriso, con aria indulgente, e mi sono irritata.

« Non sorridere, François! Sto cercando di dirti che quel getto d'acqua, ricordi quel getto d'acqua a Khan Hoi, tu lo fissavi estatico e dimenticando i pezzi sanguinolenti di carne umana, ma ecco: per me quell'acqua era avvelenata. »

Ha sorriso di nuovo. Ha agguantato la borsa che si porta sempre dietro, come uno zaino, perché ci tiene la macchina fotografica, la carta, i rotolini, i bossoli che raccatta. Ci ha frugato dentro e ne ha cavato un libro di cui ha nascosto il frontespizio con la mano.

« L'ho portato proprio per te. Vedi quanto è gentile il Pelou con chi si scoraggia troppo. »

« Grazie. »

« Gentile, gentile... » canticchiava mentre cercava la pagina. Poi l'ha trovata. « Posso leggere? »

« Certo. »

S'è messo a leggere.

« *L'uomo non è né angelo né bestia, e la sventura vuole che colui che vuol fare l'angelo faccia la bestia. È pericoloso far vedere all'uomo quanto è uguale alle bestie, senza mostrargli la sua grandezza. Ed è anche pericoloso fargli vedere la sua grandezza senza mostrargli la sua bassezza. Ma è ancora più pericoloso lasciargli ignorare l'una e l'altra, ed è molto vantaggioso mostrargli l'una e l'altra. Non bisogna che l'uomo creda d'essere uguale alle bestie o agli angeli, non bisogna che ignori l'uno e l'altro: ma che sappia d'essere l'uno e l'altro.* »

« Chi l'ha scritto, François? »

« Un tipo che nacque nel 1600 dalle mie parti. Un tipo dell'Auvergne. Si chiamava, pensa, Pascal. Posso continuare? »

« Sì. »

« *Che l'uomo dunque stimi il suo prezzo. Che si ami, perché v'è in lui una natura capace di bene; ma che non si ami per le bassezze che essa contiene. Che si disprezzi, perché in lui tale capacità è vasta; ma che non si disprezzi per tale capacità stessa. Che si odi, che si ami... Io condanno ugualmente coloro che lodano l'uomo, coloro che lo biasimano, e coloro che lo prendono per divertirsi. E non posso che approvare coloro i quali lo cercan gemendo.* »

Poi mi ha gettato il libro in grembo.

« Rileggilo, ti farà bene. Era un dannatissimo cattolico e cercava il paradiso in Cielo. Ma era così intelligente, perdio! »

« Lo leggerò. » E m'è sfuggita quell'esclamazione: « Per questo, vero, hai perdonato Loan? ».

S'è fatto serio.

« Giustificato, non perdonato. Sì, per questo... Ma anche per qualcos'altro. Troverai anche quel qualcos'altro in Pascal: *Se si vanta, io lo avvilisco; se si avvilisce, io lo vanto. E lo contraddico sempre, fino a che comprenda che è un mostro incomprensibile.* »

« Non comprendo. »

« È semplice: ora Loan sta avvilendosi, e tutti lo aiutano ad avvilirsi perché tutti lo temono e di conseguenza lo odiano. Approfittando del fatto che giace in un ospedale, gli americani hanno chiesto la sua testa. L'avranno: è già pronto il nuovo capo della polizia. Un tipo che non è migliore di lui, ovvio, ma nessuno l'ha mai fotografato mentre ammazzava un vietcong. Ciò mette a posto la loro coscienza di bravi americani che mandano i figli a morire in Vietnam e poi condannano Loan. »

« Lo condannasti anche te. »

« Io potevo permettermelo: perché io non mando la gente a morire in Vietnam. Io avevo il diritto di condannarlo come ora ho il diritto di giustificarlo e forse di assolverlo. »

« Lo hai rivisto, vero? »

« Sì. »

« Quando? »

« Oggi. »

« E cosa vi siete detti, cosa è successo? »

Ha sbuffato con fastidio, s'è guardato intorno come a cercare un argomento nuovo. Ma non c'era nulla di nuovo lì intorno. Conclusa la bizza, Catherine se ne stava tutta imbronciata; mostrate le cicatrici, Eurate pavoneggiava la sua bellezza. E i camerieri in giacca bianca portavano loro da bere.

« Cosa vuoi che sia successo? Sono entrato nell'ospedale e ho cercato il dottore. Gli ho chiesto come andava e ha risposto che forse la sutura all'arteria avrebbe tenuto, in tal caso non gli tagliavan la gamba. Così mi son diretto alla sua stanza e ho aperto la porta e sono entrato. Poi ho chiuso la porta e mi sono avvicinato e gli ho detto: tiens, ho visto il toubib e sembra che ti salvi la gamba. »

« Senza pronunciare neanche un buongiorno? »

« Se racconti a un uomo che non gli taglian la gamba è più che dargli il buongiorno. »

« E toubib che vuol dire? »

« Vuol dire medico in argot. Io e lui ci si parla in argot. »

« E lui che ha detto, che ha fatto? »

« Cosa vuoi che facesse? È rimasto fermo lì a letto. Poi mi ha guardato e s'è messo a piangere. »

« Loan? Piangere? Non posso crederci. »

« Be', è ancora in stato di choc. E gli manca l'alcool. »

« Ha pianto molto? »

« Be', un po'. »

« E dopo? »

« Dopo ha detto: non ti ho più visto. E io gli ho detto: certo che non mi hai più visto, non ho voluto vederti. E gli ho anche detto: hai fatto una cosa disgustosa e lo sai. »

« E lui? »

« È rimasto zitto. Allora gli ho detto: non ci vuol molto coraggio a uccidere un uomo con le mani legate. E lui m'ha risposto: non aveva le mani legate. E io gli ho detto: aveva le mani legate e lo sai; vuoi rivedere la fotografia? »

« E lui? »

« È rimasto ancora zitto. Sicché gliel'ho chiesto. Gli ho chiesto: perché l'hai fatto? E m'ha risposto: un giorno te lo dirò. Così ho insistito: era uno dei tuoi, un traditore? Ha scosso la testa: no. Ho aggiunto: lo conoscevi, almeno? Ha scosso ancora la testa: no. E ha ripetuto: un giorno te lo dirò. Così sono andato via. Prima gli ho domandato se aveva bisogno di qualcosa, e poi sono andato via. Ma sai cosa ti dico? Io non credo che toccasse i prigionieri, insomma che commettesse certe crudeltà. Lui non assisteva nemmeno agli interrogatóri... »

E s'è messo a parlare d'altro, a dirmi che anche lui lascia il Vietnam, alla fine di giugno. Si stabilisce a Rio de Janeiro, per dirigere gli uffici brasiliani della France Presse. E ha scantonato in un lungo discorso sopra il Brasile, ma il Brasile era così lontano, Dio com'era lontano, più lontano della Luna, di Marte, e all'improvviso, senza alcuna ragione apparente, è tornato a Loan: « Io non capisco perché ti interessi tanto Loan ».

« Lo capisci benissimo » ho replicato. « Mi interessa per le stesse ragioni che interessa a te. È il simbolo di qualcosa, Loan: dell'uomo che si distrugge distruggendo, e potrebbe salvarsi. Dell'uomo... Sai, François: ho ritrovato il diario del giorno in cui lo conobbi. Dice press'a poco così: "Mi chiedo se il destino non mi riserbi di incontrarlo ancora, magari dopo una paradossale perfidia, e di avere una buona sorpresa da lui". E poi... »

« E poi? »

« E poi, ecco, mi interessa in relazione a te: mi son sempre chiesta se voi due foste amici, e se ciò fosse possibile. »

« No, non lo siamo. Non direi. Avremmo potuto diventarlo, però. Malgrado si sia così diversi... Lui è di Hanoi, io sono dell'Auvergne. Lui gioca a carte e si ubriaca e va a letto con tutte le donne che capita. Io no. Lui è un soldato e all'occorrenza un giustiziere. Io no. E tuttavia... sì che avremmo potuto... Con lui mi intendo assai più di quanto mi intenda con un qualsiasi americano che fa il mio mestiere. M'è sempre piaciuto, Loan, fin da quando me lo presentarono: in una base aerea. A quel tempo lui era solo un pilota e io ero appena giunto in Vietnam. Lo trovai così brutto e così intelligente. Insolito, insomma. La sua conversazione era vivace, divertentissima. Divenne triste dopo, ad esercitare il potere: non c'è nulla che rovini gli uomini come il potere. Poi lo rividi a Hué e a Danang dove reprimeva le rivolte dei buddisti, insieme a Cao Ky. Combattimenti per le strade, morti. Non era un'impresa facile. Ma lui ci riuscì. Dirigeva le operazioni, era ovunque. E il coraggio, lo sai, mi seduce. »

« Il coraggio fisico, vero? »

« Sì ma un anno dopo mi accorsi che il suo non era solo coraggio fisico. E questo accadde per l'arresto di due francesi che non avrebbe dovuto arrestare. Era ormai capo della polizia nazionale, Loan. Andai da lui e gli dissi che commetteva un errore e un abuso. Riconobbe l'errore, li scarcerò e... mi spiego? Ci voleva coraggio ad ammettere d'essersi sbagliato, perché equivaleva a perder la faccia, e un asiatico non accetta mai di perder la faccia. Sì, questo ci avvicinò. Infatti per ben due volte fu sul punto di espellermi ma non lo fece. E, quanto a Mazure, seppi dopo che l'espulsione era stata decisa da altri, lui aveva solo firmato il decreto. C'era un patto fra noi: se mi avesse buttato fuori, mi avrebbe dato dieci minuti per insultarlo prima di salir sull'aereo. »

« E questa non è amicizia? »

« No, è intesa. Il nostro è stato piuttosto l'incontro di due uomini che appartengono alla stessa generazione e sono stati formati dalla stessa cultura: quella francese. Non abbiamo mai parlato di filosofia, io e Loan, non abbiamo mai discusso Pascal: non ce n'era il tempo. Ma abbiamo sempre parlato in argot, toubib invece di medico... Un incontro sul piano umano, mi spiego? Perché anche litigarsi e voltarsi le spalle è umano, no? E tutte le colpe, tutte le qualità dell'uomo sono in lui: scavate dalla guerra. Ni ange ni bête, mais ange et bête... »

Lui e il suo Pascal. Lui e la sua maledetta umanità. Mi sta riconducendo al dubbio. Poco fa ho aperto il libro e sai dove m'è caduto lo sguardo? Su questa frase: *Nous souhaitons la vérité et nous ne trouvons en nous qu'incertitude*. Cerchiamo la verità e non troviamo in noi che incertezza.

15 maggio. Non so se ho mai annotato che quando sono depressa o confusa salgo su un taxi e vo da Vincenzo Tornetta. Non solo perché parlare italiano mi rilassa ma perché lui e la sua casa mi offrono un distacco che non trovo neppure in camera mia. Qui tutto mi ricorda la guerra, lì tutto me ne estranea. I suoi due bambini che fanno chiasso, ad esempio. Sua moglie che li rimprovera dolcemente. Il fatto stesso che lui mi prenda le lettere da spedire in Italia col corriere diplomatico e ci metta su un francobollo con la testa di Michelangelo. Mi fa scordare Khan Hoi, Cholon. Caro Tornetta. Ch'io sappia, è l'unico ambasciatore degno di questo termine che sia uscito da quel museo di mummie chiamato diplomazia. Certo l'unico che sia capitato finora sulla mia strada. « Venga, eh? Venga quando vuole, anche senza avvertire, e non stia a cambiarsi, mi raccomando. Tanto si aggiunge un piatto in tavola e si sta lì fra noi. » Con le porte di casa ti apre le porte del cuore. Ed oggi eccomi lì, all'ora di colazione. Buon cibo, buon vino, una tavola apparecchiata bene coi bicchieri di cristallo ed i fiori: ogni tanto ci vuole, perbacco. E ci vuole anche un giudizio più distaccato, più equilibrato. « I vietnamiti » dice Tornetta « sono settari come i fiorentini al tempo di Dante. Solo la Firenze dei Guelfi e dei Ghibellini si litigava con la ferocia del Vietnam. »

Così ho pensato: giusto, ciò che vedo qui non è peggiore di ciò che avrei visto a casa mia settecento anni fa quando ci smantellavamo a vicenda le torri e ci trucidavamo a vicenda i figli. Cos'è dunque questa isteria di partire sui due piedi? Ho ceduto a una tensione di nervi, ecco tutto, ora vo a preparare lo zaino e mi reco al nord. Alle quattro del pomeriggio c'era un C130 diretto a Danang: lo sapevo da Derek che andava con il cugino. Gli ho telefonato: « Derek, vengo con te ». Ora sono a Than Son Nhut, a sbadigliare la solita attesa: il C130 è in ritardo. Ho superato la crisi, mi sento quasi serena. Ma nello zaino ho messo anche Pascal.

Capitolo nono

Forse era stata la morte di Ezcurra, di Cantwell, di Birch, di Piggott, di Laramy, perché hai un bel dire: se una violenza ti tocca da vicino non reagisci più con la logica, reagisci coi sentimenti, con l'egoismo, ed io lo capivo bene che il loro assassinio non era un crimine diverso dai mille crimini cui ogni giorno assistevo, certo, con la testa lo capivo benissimo: ma col cuore no. E, nel segreto di me stessa, quei cinque cadaveri m'avevan sconvolto quanto il cadavere di Martin Luther King aveva sconvolto i negri di Washington: invece dei negozi lungo la 14ª Strada, insomma, io avevo bruciato la mia simpatia pei vietcong, la mia ammirazione per loro.

Forse era stato il modo con cui François aveva reagito al crollo di Loan: la generosità e la saggezza con cui era tornato a lui. L'influenza che François esercitava su me era profonda, e il suo gesto mi confermava come il Terrore di Saigon non fosse poi peggio degli altri e quindi potesse anzi dovesse venire assolto. Insieme a ciò, i pensieri di Pascal cui ostinatamente tornavo trovandoci sempre una spiegazione: non ultima quella che qualsiasi cosa è vera solo in parte, falsa solo in parte, e il giusto e l'ingiusto si mischiano, e coloro che rispetti possono deluderti, coloro che disprezzi posson commuoverti. Aveva mitigato il mio assolutismo, Pascal, le mie cecità.

Forse era stata perfino la battuta di Tornetta sui Guelfi e i Ghibellini. Perché dimmelo ora che son trascorsi settecent'anni: chi aveva torto? I Guelfi o i Ghibellini? Se me lo dici, fra settecento anni ti chiedo se avevano torto i vietcong o i Loan. Ma non puoi dirmelo perché la verità è un'opinione condizionata dal tempo, dal luogo, dagli interessi, e sforzarsi di prenderla al laccio è più assurdo che acchiappare il vento. Non è Pascal che dice: « Cos'è l'uomo nella natura? Un nulla a confronto dell'infinito, un tutto a confronto del nulla, un centro a metà del tutto e del nulla: completamente incapace di comprender gli estremi. La fine delle cose e il loro principio son per lui nascosti in un segreto impenetrabile: non riesce a vedere il nulla dal quale egli è estratto né l'infinito verso il quale è succhiato »? Forse era stato tutto questo insieme.

Qualsiasi fosse il motivo, guarda, quel periodo finale lo vissi in un equilibrio prima sconosciuto. E tale equilibrio non diminuì la passione con cui partecipavo alle cose ma la appesantì di un nuovo dolore: il sospetto di assistere a una faccenda inutile. Così inutile che, delusa, sconfitta, decisi ciò che decisi a Dak To. Me ne rendo conto soltanto adesso, rileggendo il mio diario. Ero andata al nord per approdare a una certa collina a cercarvi la memoria di Pip, ricordi? Qui la trovai e, quando l'ebbi in mano, la buttai via.

* * *

17 maggio. Siamo in un campo del Settimo Marines, a cinquanta chilometri nordovest di Danang, e di fronte a noi si sta svolgendo un combattimento fra americani e nordvietnamiti. In linea d'aria, sei chilometri circa. Fin dove arriva lo sguardo si stende un deserto di terra rossa: la sola macchia di verde è il boschetto in cui loro si ammazzano, in un sollevarsi di fumate bianche. Di lì partono anche i colpi di mortaio che da stamani cadono su questo campo. Il comandante infatti ha preteso che indossassi la giacca antischegge e l'elmetto, per proteggere almeno la testa e le spalle, ma c'è un sole spietato e la testa mi cuoce, la giacca antischegge mi pesa più d'un sacco di piombo. Cosa darei perché Derek non avesse avuto la stupida idea di venire quaggiù. Al massimo, cosa mi sarei persa? Un'altra conferma di ciò che François chiama la coglioneria della guerra.

È una battaglia nel nulla per nulla, quella laggiù nel boschetto. Non c'è nulla da conquistare, nulla da perdere. È incominciata senza ragione e senza ragione finirà. Stanotte, domani, dopodomani. E nessuno, salvo io che la guardo e coloro che la fanno, nessuno saprà mai che è avvenuta. Sui bollettini del Juspao la menzioneranno con due o tre righe, famiglie americane e nordvietnamite riceveranno un telegramma o un messaggio che le informerà sulla morte del loro figliolo marito fratello avvenuta il 17 maggio 1968 al sedicesimo parallelo nelle vicinanze di Hoi An, e poi basta. Se quel boschetto oggi fosse silenzioso e deserto ciò non cambierebbe di una virgola i risultati della guerra, i negoziati di Parigi.

« Da quanto dura, maggiore? » chiedo al comandante.

« Tre giorni. »

« Quel boschetto è situato in un punto strategico? »

« No. »

« Il combattimento fa parte di un'operazione particolare? »

« No. »

« E allora? »

« Non lo so, non capisco. Una settimana fa si infiltrarono due battaglioni di nordvietnamiti: il Primo e il Secondo del 308° Reggimento. Presero contatto col Settimo poi col Ventesimo Marines e la faccenda ebbe inizio, ecco tutto. Io lì per lì credevo che volessero conquistare Danang ma subito mi ricredetti. Non miravano affatto a Danang e, prima che ci arrivassero, noi potevamo giocarci come il gatto col topo. Qui infatti è zona bruciata: niente piante, niente animali, niente case dove asserragliarsi. Possiamo vederli e colpirli come e quando vogliamo. Con l'artiglieria, l'aviazione. »

« Ma una ragione ci sarà, maggiore. »

« No, non c'è. Fossero vietcong, capirei. Ma è dall'offensiva del Tet che non ci scontriamo con un gruppo vietcong: i nordvietnamiti ormai li usano solo per il trasporto delle armi o del cibo. E la guerriglia qui è quasi scomparsa, i nordvietnamiti si impegnano in combattimenti seri, questi che combattiamo ad esempio sono straordinariamente equipaggiati. Armi di prima qualità, uniformi immacolate. E anche come uomini sono diversi: alti, belli, tutti fra i diciotto e i ventisei anni. Direi che appartengono a un corpo speciale. »

« Ma un corpo speciale non si manda mica a morire così. »

« È quel che pensavo prima di accorgermi che li mandano proprio a morire così. Per nulla. »

« E voi, maggiore? »

« E noi lo stesso. Per nulla. »

A venti chilometri da qui si sta svolgendo un altro combattimento del genere. Vi partecipa quel capitano Robbins che ha sposato la figlia di Johnson, Linda. Magari ce l'hanno spedito apposta, per dimostrare che la Casa Bianca è personalmente coinvolta eccetera, povero cristo. Ma non sarò io a commuovermi per il capitano Robbins. Mi interessa molto più la salvezza del soldatino che è qui accanto a me e sta lavorando alla costruzione di un bunker. Ammucchia sacchi di sabbia su sacchi di sabbia, il soldatino, e brontola: « Non me ne importa un corno di questa guerra. Io la penso come mio fratello che è nel 173° Airborn e dice: è una inutile guerra per noi e per loro, io non ho ancora compreso perché sono qui. Siamo bambini, dovremmo essere a scuola, non qui. E tutti ci odiano perché siamo qui. Ci danno degli imperialisti. Manco so cosa vuol dire. Cosa significa imperialisti, me lo dici tu? ». Poi si mette a cantare: « How many roads must a man walk down before you can call him a man... Quante strade deve percorrere un uomo prima che tu possa chiamarlo un uomo ».

Se non sbaglio è una canzone di Bob Dylan, l'ho già ascoltata a New York. E dire che a New York mi sembrava retorica, che mi dava fastidio.

Sera. Siamo stati in un altro campo dove la situazione era identica e per un poco abbiamo seguito una compagnia che andava a portare rinforzi a un'altra compagnia. Ora siamo a Danang e Derek si lamenta.

« Ti svegli alle cinque, infili la dannata uniforme, sali su un camion, raggiungi una zona di fuoco dove rischi di crepare con loro, risali su un camion, torni a Danang, scrivi sessanta righe per dire che a quindici miglia nordovest elementi del 5° Marines si sono scontrati con elementi del 328° nordvietnamita, dieci morti qua, quaranta morti là, diventi pazzo per telefonare la notizia a Saigon dove diventano pazzi per telefonarla a

Parigi e tutta questa pena, tutta questa fatica, perché? Perché domattina alcuni sguardi assonnati leggano che a quindici miglia nordovest elementi del 5° Marines... Ma che senso ha? Te lo dico io che senso ha: nessuno. Come ciò che abbiamo visto oggi. Come ciò che abbiamo fatto oggi. Come il fatto stesso di trovarci qui... »

È la terza volta da stamani che mi si dice « è inutile, senza senso, per nulla ». L'ha detto il soldatino, l'ha detto il maggiore, l'ha detto Derek: e se fosse vero? C'è un cielo pieno di stelle a Danang e le acque del golfo si accendono di mille luci: diresti che le stelle ci sono cadute dentro. Io le guardo, con tristezza, e mi chiedo se Dio non esista e se, esistendo, non sia un dio cattivo che si fa beffe di noi. Ma a cosa serve averci inventato per nulla, solo per soffrire? Domani vado a Qui Nhon, ho ottenuto il permesso di visitare un campo di prigioniere vietcong. Non era in programma ma non ho più fretta di arrivare a Dak To e sapere di Pip. Ritroverò Derek a Pleiku. E a proposito: ho notato un'altra cosa che mi dà dolore: Derek non è più il solito. Non è più gentile, brillante, cordiale. La guerra lo ha già metallizzato dentro un isolamento che non vuol esser riempito. Non ci si parla più.

18 maggio. Vi sono cinque campi di prigionieri vietcong nel Vietnam del Sud e ciascuno contiene donne. Ma ve n'è uno solo dove le donne sono più numerose degli uomini, ed è questo di Qui Nhon: 429 contro 311. Alcune catturate in battaglia, altre con un rastrellamento, altre ancora non si sa perché: ormai stanno lì e solo la fine della guerra potrà tirarle fuori. Diciott'anni, vent'anni: la giovinezza trascorsa dietro un filo spinato. E il maggiore Cook, consigliere del MCV, direttore del campo, non sa vedere che il dramma dei pannolini.

« Io, capisce, sono sposato ma di certe cose non me ne intendo mica. Sicché nel luglio del 1967 mi mandano qui dove il tenente Le Van Phuc, il responsabile sudvietnamita, mi chiede come intendo risolvere il problema dei pannolini. Che pannolini, esclamo. E lui: maggiore, son donne. »

Mi guarda per controllare se ho capito.

« Sì, » annuisco « ho capito. »

« Sicché senta, dico al tenente Phuc, io che c'entro? C'entra, risponde, perché il mantenimento del campo dipende dagli americani e le donne sono tutte giovani, la più vecchia ha trentatré anni, e ogni mese ci vogliono quattrocentoventinove pacchi di pannolini. »

« Allora che ha fatto, maggiore? »

« Ho telefonato al MCV. Mi hanno detto che era un problema nuovo e avrebbero studiato il modo di risolverlo. Ma non si son fatti più vivi. Ho telefonato al mio colonnello che s'è messo a ridere e ha detto che lui faceva la guerra non procurava pannolini, poi ha tolto la comunicazione. Così ho telefonato al generale. »

« Al generale?! »

« Eh, sì. Non avevo più scelta, nessuno mi voleva ascoltare. E gli ho detto scusi, sa, generale, la chiamo per una faccenda un po' insolita, la chiamo per la storia dei pannolini... Avesse sentito che urlo: "Quali pannolini?". Io mi son fatto forza: "I pannolini per le donne del campo che una volta al mese ne hanno bisogno, generale". Non immagina cosa sia successo. Gridava che lui era un soldato, che doveva occuparsi dello spostamento di tre divisioni e i suoi uomini non usavano pannolini, che se mi provavo a disturbarlo un'altra volta mi deferiva alla Corte Marziale... Ho dovuto risolvere il problema da solo. »

« E l'ha risolto, maggiore? »

Il suo volto s'è illuminato d'orgoglio.

« L'ho risolto. Ci son volute tre settimane, il tempo di scrivere a mia moglie e aver la risposta: ma l'ho risolto. Come suggeriva mia moglie. Con le bende che usiamo in combattimento per i feriti, riempite di cotone idrofilo. Non è un'idea geniale? »

Il campo è enorme. Sorge in una vallata deserta e naturalmente lo circonda un muro di filo spinato, ad ogni angolo ha una torretta con due soldati alla mitraglia. La sezione delle donne è divisa da quella degli uomini per mezzo di un corridoio largo due metri, limitato anch'esso da filo spinato. Ma è una precauzione superflua: i vietnamiti sono un popolo molto pudico. Solo una volta una prigioniera tentò di scappare per raggiungere una baracca maschile: però si scoprì che andava a cercar suo marito.

« E cosa accadde a quella prigioniera, maggiore? »

Il maggiore s'è raschiato la gola.

« La sentinella sparò. »

Come gli uomini, le donne sono raccolte in baracche ciascuna delle quali contiene quaranta cuccette. L'ambiente è pulito, sono pulite anche le donne che indossano pantaloni neri, giacca color rosso vino, e portano sempre quei cappelli a cono. Intorno alle baracche si stendono ampi cortili e qui esse stanno come conigli impauriti: avvicinarle è impossibile. Ho provato. Schizzavano via a balzi, con piccole grida terrorizzate, poi si ammucchiavano in un angolo del cortile nascondendo il volto sulla spalla dell'altra, se tornavo verso di loro volavan di nuovo nella baracca, se entravo nella baracca ne scappavano di nuovo fuori: quando ci si è messo il tenente Phuc è stato anche peggio. Vieni qui, diceva al coniglio, e il coniglio saltava sgusciava si nascondeva dietro un muro dietro una finestra. Per agguantarne tre c'è voluto più di un'ora. E come tremavano quando me le hanno portate, ne udivi quasi i tonfi del cuore.

« Perché ti faccio paura? Anch'io sono una donna » ho detto a quella più spaventata.

« Hai l'uniforme » ha risposto.

Il tenente Phuc serviva da interprete. Ci ha impiegato un bel po' per calmarla e sapere che si chiamava Tran Thi Nuong, aveva ventidue anni, era lì con la sorella minore, Tran Thi Xe. Arrestate entrambe a Thai Ninh, durante un rastrellamento.

« Perché ti hanno arrestata, Nuong? »

« Non lo so. »

« C'erano i vietcong al villaggio, Nuong? »

« Qualche volta. Cercavano cibo e vestiti. »

« E tu glieli davi, Nuong? »

« Se ne avevo. »

« Nuong, vuoi bene allo zio Ho? »

« Chi? »

« Lo zio Ho. Ho Ci Min. »

Mi ha fissato assolutamente confusa, spalancando la bocca.

« Chi è? »

« Nuong! Sai bene chi è: il presidente Ho Ci Min. »

« Non lo so. »

« Non ti credo, Nuong. »

« Io sono una contadina. Io coltivavo la canna da zucchero. E loro mi hanno preso perché davo da bere a un vietcong. Non so altro. »

« Credi che i vietcong vinceranno la guerra, Nuong? »

« Non mi importa chi vincerà, vinca chi vuole. Mi importa solo che la guerra finisca per andare a vedere dove è morto. »

« Chi è morto, Nuong? »

« Mio marito. »

« Quando è morto, Nuong? Come? »

« Nel 1965, in battaglia. Eravamo sposati da appena due mesi. »

« Raccontami di tuo marito, Nuong. »

« Non voglio parlarti, hai l'uniforme, non voglio! »

Ha nascosto il viso dentro il cappello a cono, piangendo, e io ho detto al tenente Phuc che la lasciasse andare, per carità. Allora lui ha spinto avanti Tran Thi Xe.

« Tu vuoi parlarmi, Xe? »

« Ti parlo se non sei americana. Sei americana? »

« No, Xe. Sono italiana. »

« Cosa vuol dire? »

« È un paese lontano, in Europa. Assomiglia al tuo perché è piccolo e ci si coltiva il riso. Però non c'è la guerra. »

« Allora ti parlo. »

« Quanti anni hai, Xe? »

« Diciotto. E non sono sposata. Ma dovevo sposarmi la settimana dopo che mi hanno preso. Era pronto il vestito. »

« Dov'è il tuo fidanzato, Xe? »

« Non lo so. I soldati lo portarono via. Io gridavo ma loro lo portarono via lo stesso. Forse è qui. Una volta ho provato a chiamarlo ma non ha risposto. E la sentinella voleva sparare. »

« Eri una vietcong, Xe? »

« No. Ero una contadina e basta. Ma i vietcong mi chiedevano di portargli la roba e non potevo dirgli di no. Avevo paura. Se gli dici no, diventano cattivi anche loro. E ti puniscono. »

« I tuoi genitori lo sanno che sei qui, Xe? »

« Io non ho più genitori. Un giorno sono tornata dal campo e loro non c'erano più. Li ho cercati tanto e non c'erano più. »

« Li hanno arrestati? »

« Forse. Forse li hanno presi i soldati. O forse i vietcong. Ma perché? Erano vecchi. »

« E chi è rimasto della famiglia, Xe? »

« Mia sorella, quella che è scappata nel rastrellamento. E mio fratello che ha tredici anni. Ma non so dov'è perché dopo il rastrellamento i soldati hanno bruciato la casa. Hanno bruciato tutte le case. »

« Erano americani o vietnamiti, Xe? »

« Vietnamiti. »

« Xe, tu lo sai chi è Ho Ci Min? »

« No. Lo dicevano i vietcong quel nome ma non ho mai saputo chi è. Non me l'hanno mai detto. »

La terza si chiamava Truong Thi Van. Ma dopo aver pronunciato il suo nome s'è messa lì come una pietra e non ha aggiunto altro: aprire le sue labbra sarebbe stato più difficile che aprire le valve di un'ostrica viva. Così il tenente Phuc ci ha rinunciato e m'ha condotto nel campo degli uomini che lavoravano zitti. Alcuni fabbricavano scarpe ricavando le tomaie da copertoni di gomma ed altri ricamavano a tombolo. Ricamavano fiori, paesaggi, e le dita sottili tiravano il filo con grazia squisita. Ce n'era uno grosso che non staccava gli occhi dal suo ricamo e sulla seta sbocciava una splendida rosa rossa. « Très beau, very beautiful! » ho esclamato ammirata. Ha alzato la testa con uno scatto da tigre, mi ha fissato con disprezzo e poi sempre fissandomi ha scaraventato la rosa per terra.

L'ho raccolta e gliel'ho porta. Ma non ha mutato espressione e m'ha lasciato con la rosa in mano.

E poi è successo questo. È successo che mentre me ne andavo è sorta una voce di donna che cantava: « Toi co Nguoi yen chet tran Plei Me, toi co Nguoi yen o chien phud... ». Era così bella, quella voce, ed erano così armoniose quelle parole, che ho chiesto al tenente Phuc di cosa si trattasse. E il tenente Phuc m'ha spiegato che si trattava di una canzone d'amore: « Spesso le prigioniere cantano e i prigionieri rispondono. Se aspetta, udirà la stessa strofa cantata da un uomo ».

Ho aspettato un po' e l'ho sentita. « Toi co Nguoi yen chet tran Plei Me, toi co Nguoi yen o chien phud... » Allora ho aperto il magnetofono e l'ho registrata e me la son fatta tradurre in francese, ed ecco: cantavano questo.

> *Il mio adorato è morto nella battaglia di Plei Me*
> *Il mio adorato è morto nella zona strategica D*
> *Il mio adorato è morto nella battaglia di Don Soai.*
> *È morto nella battaglia di Chu Prong, è morto ad Hanoi.*
> *È morto precipitando lungo tutta la frontiera*
> *È morto nella risaia, nella foresta fitta,*
> *Il suo cadavere va alla deriva nel fiume,*
> *Il suo cadavere è carbonizzato e solo.*
> *Io vorrò sempre amarti, amor mio, come la nostra patria.*
> *E in un giorno di vento andrò mormorando il tuo nome*
> *Perché il vento lo spanda ovunque tu sei.*
> *Il mio nome e il tuo nome: siamo ambedue vietnamiti.*
> *La nostra lingua è la stessa e il colore della nostra pelle.*
> *Siamo ambedue gialli, abituati al rombar del cannone,*
> *Al tuonar delle mine: ci hanno abituato ragazzi.*
> *E ci hanno abituato a vedere le membra squarciate,*
> *A dimenticare la lingua degli esseri umani.*
> *Il mio adorato è morto nella battaglia di Ashau*
> *Il mio adorato è morto in fondo a una valle,*
> *È morto sotto un ponte, è morto dovunque.*
> *È morto stanotte, è morto stamani, è morto domani*
> *È morto d'un tratto in un modo inatteso*
> *È morto sapendo che doveva morire,*
> *È morto sempre e lo sogno. Mi ascolti?*

Sera. Al Press Camp di Qui Nhon m'hanno accolto come una regina: da un mese non vedevano un corrispondente. « Perché? » ho chiesto. « Non succede mai nulla qui? » E il soldato addetto alla cucina: « Oh, sì, signora! Per succedere, succede. Anche tre giorni fa c'è stato un attacco dei vietcong, il caporale è morto. Ma che le cose succedano o non succedano, qui, non fa differenza per quelli di Saigon ». E ha cominciato a farmi domande su Saigon: non era mai stato a Saigon, gli sembrava così lontana Saigon. « Più lontana di Parigi. »

« Ma esiste davvero Parigi? » ha esclamato qualcuno dietro di noi. Un pilota, col casco sotto il braccio.

« Eccome se esiste, signore. Non è lì che preparan la pace? »

« Preparano *cosa*? »

« La pace. »

« Che ora è a Parigi? »

« Mi faccia contare, signore. Sette meno sei... È l'una del pomeriggio. »

« Allora te lo dico io cosa preparano a Parigi. Preparano la pancia per andare a mangiare. »

« Che gli venga un bel male di pancia, signore. »

« Un infarto. Che gli venga un infarto. »

« Giusto, signore. »

Poi il pilota ha chiesto una birra, s'è seduto, ha declinato le sue generalità, maggiore Milton Qualcosa, e m'ha informato che volava a Pleiku: volevo approfittarne? Gli ho risposto no grazie, prendo un cargo all'alba. E l'ho piantato lì.

Sto ascoltando la canzone dei prigionieri. Toi co Nguoi yen chet tran Plei Me... Pascal dice che la grandezza dell'uomo è grande in quanto egli sa d'essere infelice. « Una casa distrutta non è infelice. Un albero non si conosce infelice. Non v'è che l'uomo infelice. Perché non si può essere infelici senza sentimento. »

19 maggio. E non si può raggiungere Dak To prima di domani: non ci sono elicotteri, ne hanno abbattuti troppi. Così eccomi bloccata a Pleiku dove ho ritrovato Derek e il cugino. Sempre più ombroso Derek, sempre più contento il cugino: come seduce la guerra, all'inizio. Approfittando del ritardo, Derek ha organizzato una visita a un villaggio di montagnards. Voglio seguirlo. Erano tribù felici e tranquille, i montagnards. Vivevano di caccia e di pesca senza dar noia a nessuno, e probabilmente occupavano queste montagne prima dei vietnamiti che li considerarono sempre selvaggi. E in certo senso lo sono. Vanno ancora nudi, si procurano il cibo con gli archi, non conoscono il concetto di patria: lo straniero per loro è colui che calpesta il bosco spaventando una lepre o sporca il fiume disturbando una trota. Ma nessuno ha mai saputo che si macchiassero con una guerra, che uccidessero per il piacere di uccidere e non per la necessità di mangiare, e anche con lo straniero furono sempre mitissimi: non se la presero coi piantatori francesi che li usavano per coltivare zucchero e caffè, non se la presero coi missionari che li tormentavano perché pregassero la Madonna e Gesù anziché gli dèi delle acque e dei venti, non se la presero nemmeno coi soldati che videro arrivare e sparare senza capire perché.

E senza capire perché, spesso muoiono. Nel dicembre scorso un intero villaggio, Dak Son, venne massacrato con le mitragliatrici e i lanciafiamme. Non si salvarono che cinque o sei donne nascoste in un buco. Chi fu, non si sa. I sudvietnamiti accusano i vietcong, i vietcong accusano i sudvietnamiti. Ma è quasi certo che si debba ringraziare quest'ultimi: le donne scampate affermano che i soldati eran vestiti di verde. E i vietcong non sono vestiti di verde. I sudvietnamiti, sì.

Pomeriggio. Si chiama Pleicheté e si trova in una zona dell'altipiano che pullula di vietcong. La strada per andarci è un sentiero lungo il quale ti aspetti ad ogni momento una fucilata, una mina: tra gli alberi e i campi di canne da zucchero si può nascondere un reggimento. Ho ammirato molto Derek che ostentando il più britannico sangue freddo diceva: « Bel paesaggio. Non trovi che in certi punti ricordi la Cornovaglia? ». L'agonia per arrivarci dura un'oretta e poi, contro un cielo color fiordaliso, si alza il filo spinato che chiude Pleicheté. Il supervillaggio di Pleicheté.

« Chi ha avuto l'idea? » ha chiesto Derek.

« Noi » ha risposto con orgoglio l'americano che ci accompagnava. « Oh, noi! Subito dopo l'offensiva del Tet. Quei poveri montagnards erano alla mercé dei vietcong e così, al fine di proteggerli, renderceli amici, pensammo di toglierli dai loro villaggi e riunirli in supervillaggi come Pleicheté. In questa zona abbiamo già rimosso cinquantotto villaggi su sessantasei. »

Naturalmente non è più un villaggio, è solo un recinto che racchiude le case. E le case sono ancora le loro case, sì: di legno, su palafitte, con una scala a pioli per salirci su. Però sono disposte in linee verticali e parallele, come le baracche di un campo di concentramento, e non c'è nemmeno un albero intorno ad esse. E una casa senz'albero, per i montagnards, è una casa senza dio.

« Ed hanno accettato senza ribellarsi? » ha chiesto Derek.

« Ci sono state alcune difficoltà » ha risposto l'americano. « L'impresa era dura, capisce. Si trattava di rispettare il loro orgoglio, le loro usanze, e allo stesso tempo inquadrarli verso la civiltà. Senza dargli il sospetto che siamo benefattori. Ma stanno già imparando un poco di inglese. »

In queste case senza dio se ne stanno accoccolati con la loro sorpresa, la loro paura, e sono alla mercé dei vietcong come prima perché pochi americani per supervillaggio non bastano. A Pleicheté, che è il supervillaggio più protetto, vi sono dodici americani in tutto. E il risultato, per i poveri montagnards, è un gioco di diplomazia che procura loro l'inimicizia degli uni e degli altri. Spesso, la morte.

« L'insegnamento dell'inglese fa parte del vostro piano strategico? » ha chiesto Derek.

« Diciamo che fa parte della nostra opera di civilizzazione » ha risposto l'americano. E la sua voce era così sincera, così convinta. Credeva talmente in ciò che faceva, era pronto a farsi ammazzare per questo. Come un missionario.

« Guardi come imparano presto » ha aggiunto, infatti, con un sorriso felice. Poi s'è avvicinato a un ragazzo nudo che masticava un chewingum: « How do you do? ».

« Very good » ha scandito il ragazzo, ubbidiente.

« Beautiful day, today. »

« Very beautiful day. »

Siamo usciti dal recinto di filo spinato e siamo scesi nel bosco. Vicino a un torrente che un giorno aveva bagnato il Paradiso Terrestre, i missionari al chewingum avevan costruito una specie di doccia in muratura. E dinanzi ad essa una ventina di piccoli montagnards aspettavano in fila di imparare a lavarsi secondo i comandamenti dell'Igiene Occidentale. La lezione era affidata a un caporale negro che alzava un pezzo di sapone come se fosse stato una Bibbia.

« This is the Soap! Questo è il Sapone! »

« Sapone, soap! » ripetevano in coro i piccoli montagnards.

« Now you get washed! Ora vi lavate. »

« Lavare, wash! » ripetevano in coro i piccoli montagnards. Quindi, uno ad uno, si portavano sotto la doccia e si insaponavano. Ma il sapone gli scivolava via dalle mani, e il caporale si spazientiva.

« And keep it strong, dammit! Reggetelo bene, dannazione! » Oppure: « Gee! How hard it is to bring civilization to these damn monkeys! Dio, che fatica è portare la civiltà a queste dannate scimmie! ».

E, proprio mentre pronunciava questa frase, un bambino è sdrucciolato sopra il sapone e s'è ferito alla testa. Una disgrazia, d'accordo. Però quando gli americani ti danno un sapone finisci sempre con lo sdrucciolarci sopra e romperti la testa. Perché? Perché gli americani sono fatti così. Io quando li guardo in Vietnam (solo in Vietnam?), penso spesso all'atroce storiella che racconta François. Eccola qua. Una famiglia di americani va a passare le vacanze in Terra Santa e capita proprio nei giorni in cui Ponzio Pilato processa Gesù Cristo. La famiglia resta subito attratta da quel signore dolcissimo, trattato brutalmente, indifeso, e telefona al proprio avvocato perché salti su un aereo, corra a difenderlo, costi quello che costi: diecimila dollari, un milione di dollari. Ma verso le tre del pomeriggio l'avvocato non è ancora giunto e, puntando il dito verso la collina del Golgota, il figlio più piccolo grida: « Mammy, daddy! Guarda cos'hanno fatto a quel signore gentile! ». Gesù è crocifisso. La famiglia americana corre, si arrampica sulla collina, con la sua generosità, le sue buone intenzioni, giunge alla croce, agguanta un paio di tenaglie, una scala, ci sale dicendo: « Arriviamo, signore, arriviamo! ». E per prima cosa toglie il chiodo dalla mano destra, per seconda cosa toglie il chiodo dalla mano sinistra, sicché Gesù si rovescia in avanti. Restando sospeso alla croce pei piedi.

Gli americani sono fatti così. Voglio dire: non sono neanche cattivi: sono maldestri.

Notte. È riapparso il pilota incontrato a Qui Nhon, quel Milton Eccetera. Con la sua tuta azzurra, la sua petulanza allegra. E m'ha invitato a cena al Circolo Ufficiali di Pleiku. Perché no? Così eccomi al ristorante con Milton che, mi accorgo subito, ha informato tutti di avere una ragazza, stasera, e di non voler essere disturbato fino a domattina. Decine di occhi mi scrutano, decine di braccia si danno di gomito: eccola, guarda, la ragazza di Milton. Ci sediamo ad un tavolo lungo, subito circola il bigliettino che Milton ha lasciato al suo compagno di stanza affinché stanotte si cerchi un'altra sistemazione. Quando lo catturo e lo leggo, il poveretto diviene paonazzo. Balbetta che è un terribile equivoco, quasi piange. Dio che serata sciocca, noiosa. In fondo alla sala un'orchestrina di coreani sta suonando canzoni di Herp Alpert: convertiti anche loro alla civiltà americana dei missionari al chewingum. Arriviamo, signore, arriviamo! Beautiful day, today. This is the soap! Soap! Now you get washed! Wash! Arriviamo, signore, arriviamo! Con vocine di pappagalli i coreani starnazzano: « Whipped cream, whipped cream... ». Ma d'un tratto succede qualcosa: l'orchestrina zittisce, duecento piloti balzano in piedi levando i boccali di birra, un grido gioioso sale al soffitto.

« Forza Dick, Dick! Tutti per Dick, Dick: hip, hip, hip, urrah! »

Poi si rovesciano in gola la birra e ridono, ridono.

« Chi è Dick? Uno di voi? » chiedo a Milton.

« Sì. »

« È il suo compleanno, oggi? »

« No. »

« Lo mandano in licenza? Ha finito la ferma in Vietnam? »

« No. »

« E allora perché gli fanno festa? »

« Non gli fanno festa, lo commemorano. »

« Perché? »

« Perché è morto stamani. Abbattuto. »

A volte gli uomini più brutti sanno essere così belli. Se non credessi questo, stasera, me ne andrei a dormire davvero scoraggiata. Perché senti cos'ha combinato, più tardi, quel Milton.

Finita la cena, doveva pur dimostrare agli altri che usciva con me: né avevo intenzione di imporgli una brutta figura. Tanto, sai che dolore per me se i suoi amici credevan davvero che mi portasse a letto. Perciò usciamo, inseguiti da mille colpetti di tosse, e fuori gli dico di portarmi dritta al Press Camp: la commedia è finita. Ma lui, schiacciato dall'avvilimento, cerca di ritrovar la mia stima e balbetta: « Le piacerebbe fare un volo sopra Dak To col mio aereo? ».

Accidenti se mi piacerebbe: se mi porta, lo perdono. E a bordo della sua jeep ci dirigiamo verso la pista, raggiungiamo il suo aereo che è un aereo da ricognizione, un Bird Dog: sai quelli che preparano i bombardamenti localizzando il nemico e poi passano e vedere se tutto andò bene. Sono anche quelli che rischiano di più perché volano bassi e si abbatton con nulla.

« Sst! Non dite nulla a nessuno » bisbiglia Milton ai due meccanici che gli sono corsi incontro. « Tanto torno subito. »

« Ma signore... maggiore... »

« Ssst! Via, via! »

« Forse hanno qualcosa di importante da dirle, maggiore. »

« Niente, niente. Shut up, fucking idiots! Chiudete il becco, fottuti idioti! »

Milton balza dentro l'aereo. E io dietro, al posto dell'osservatore. Infiliamo i caschi, ci leghiamo le cinture senza curarci dei paracadute. I motori rombano, l'aereo si mette in posizione di decollo. Dentro una lama di luce i due meccanici ci fissano con aria ebete e d'un tratto si scuotono, agitano disperatamente le braccia, ma Milton non gli dà retta.

« Shut up, fucking idiots! I take a ride with my girl! Chiudete il becco, fottuti idioti! Fo un giro con la mia ragazza! »

L'aereo si solleva, ci porta a duemila metri, direzione Dak To, e quasi subito la voce di Milton mi buca gli orecchi: attraverso la radio nel casco.

« Mi... oddio... mi sente? »

« Forte e chiaro, maggiore. Che c'è? »

« Non... oddio... non abbia paura. »

« Perché dovrei avere paura, maggiore? »

« Perché... »

« Che accade? Maggiore! »

« Il mio sedile! Gesù! Il mio sedile non sta fermo, si sposta, rulla! Gesù! Non posso guidare il mio aereo! »

« Torniamo indietro, maggiore! »

« Non posso! »

« Resti tranquillo, maggiore, la prego. »

Che proprio io, io che canto la paura, vivo nella paura, la invento, la tocco, debba incoraggiare questo cretino, è davvero paradossale. Ma non ho altra scelta per sperare che non mi ammazzi: tradito dalla dea Tecnologia, il missionario al chewingum non sa più dove metter le mani e il cervello. Spinge il sedile, lo maltratta, lo scrolla, e l'aereo sembra un calabrone impazzito: si piega a destra, a sinistra, fa giravolte, si impenna. E se san Cristoforo facesse la grazia a un'eretica?

« San Cristoforo! » imploro.

« Che ha detto, che ha detto? » mugola Milton.

« San Cristoforo! »

Il sedile si aggiusta. Riprendiamo diretti verso Dak To dove si sta svolgendo un bombardamento di razzi. Ma, come un ago rovente che si infila nel timpano, riecco la voce angosciàta.

« Oddio! »

« Maggiore! Di nuovo? E ora cosa c'è?! »

« Il carburante! Stiamo per finire il carburante! »

« Forse è questo che volevano dirle quei due fottuti idioti. »

« Non... non si lasci prender dal pa... panico! »

« Non si lasci prendere lei, perdio! E mi riporti indietro! Che aspetta? »

Mi sono arrabbiata. Accidenti se mi sono arrabbiata. Gliene ho dette di tutti i colori. Non m'è passata neanche quando abbiamo atterrato, volatizzando l'ultima goccia di carburante, e i due meccanici ci son corsi incontro a esclamare: « Ce l'ha fatta, maggiore! Noi volevamo dirglielo, maggiore, che era quasi a secco! ».

Perché gli americani, spesso, sono fatti anche così.

20 maggio. Sono di nuovo a Dak To. Ci sono arrivata all'alba e mi sento quasi commossa: fu a Dak To che avvenne il mio primo contatto con la guerra. Era novembre, e non avevo mai visto una battaglia e nel taschino dell'uniforme portavo quel foglietto di François, « N'aie pas peur, non aver paura », e non volevo averne, ma ne avevo tanta. E per questo forse i miei occhi erano spalancati come non lo sarebbero stati mai più. Riconosco tutto: le colline, l'ansa del fiume, la pista, le baracche. Anche se quest'ultime sembrano un poco cambiate: la tenda dei giornalisti ad esempio è più grande e sotto ci hanno scavato un rifugio. Il generale Peers invece non c'è più, e nemmeno il tenente dal muso di topo, nemmeno Norman, nemmeno Bob. Chissà se son morti o tornati a casa. Norman, il negro, avrebbe dovuto tornarci in gennaio. Bob, il biondo, in aprile. Di tutti quei volti incisi nella mia memoria, incisi a tal punto che potrei individuarli fra dieci o vent'anni, ho ritrovato solo quello di un ragazzo che la mattina del 23 novembre andò all'assalto della collina 875.

Se ne stava con le spalle appoggiate a un muro di sacchi di rena e tentava di mordersi un'unghia, ma la mano gli tremava talmente che l'unghia non veniva agguantata dai denti e ci batteva sopra con un tintinnio ossessivo.

« Ciao, soldato. Ti ricordi di me? »

« Sì. »

« Il tuo nome è... »

« Allen. »

« Già, Allen. Salivi sull'elicottero per andare lassù... »

« Uhm. »

« Sulla 875. »

« Uhm. »

« Era il Giorno del Ringraziamento. »

Non ha mollato l'unghia ma ha nascosto la mano sinistra sotto l'ascella destra, forse perché non mi accorgessi che tremava anche quella. Poi ha mormorato con disprezzo: « Il Giorno del Ringraziamento! Puaf! ».

« Allen, perché tremi tanto? Hai freddo? »

« No. »

« Hai la febbre? »

« No. È il nervoso, solo il nervoso. »

« Il dottore ti ha visto? »

« Sì, ma ha brontolato non è nulla, è fifa, vai. »

« Chi è rimasto di allora, Allen? »

« Non lo so. Io son rimasto. Io. »

« Be', almeno ce l'hai fatta, Allen. »

« Fatta! Devo restare ancora quattro mesi. Quattro! »

Il tintinnio è divenuto forte. Gli ho dato una sigaretta affinché fumando smettesse di tenere l'unghia fra i denti, e infatti ha allontanato la mano dal viso. Era un bellissimo viso. Ben tagliato, asciutto. Ma così sporco che non lo potevi guardare. Dalle narici, ad esempio, pendeva muco essiccato. E gli occhi, ora me ne accorgevo, erano un alveare di cispe.

« Andrà tutto bene, Allen, vedrai. Andrai a casa e dimenticherai la collina 875. »

« Oh, è successo di peggio dopo. »

« Qui? »

« No, laggiù ai confini con la Cambogia. Il 10 e l'11 dicembre. Fu allora che mi incominciò il tremito. Perché persi l'elmetto. Io volevo l'elmetto e non lo trovavo più e mi venne la crisi. Graziaddio il sottotenente rimase ferito. Perché presi il suo elmetto e mi sentii meglio. Però il tremito non passò. E la volta dopo raddoppiò. Sai, il 25 gennaio. Alla postazione di artiglieria 25. Dove morì Campbell. Ricordi Campbell, no? »

Non lo ricordavo affatto.

« Campbell, il mio compagno di scuola, quello che in Georgia abitava nella fattoria adiacente alla nostra. Lui, no? Era arrivato da soli diciassette giorni, il 2 gennaio. »

In tal caso non l'avevo visto. Ma a lui non potevo dire di non conoscere Campbell. Sarebbe stato come tirargli uno schiaffo.

« Sì, sì, lo ricordo. »

« E chi non ricorda Campbell. Campbell era Campbell. Be', morì per primo. Mitragliatrice. Dritta alla testa. Non era mai stato in combattimento e io gli ripetevo: Campbell, non perdere l'elmetto. Ma lui lo perse perché non s'era agganciato il sottogola. Non bisogna mai dimenticarsi di agganciare il sottogola, vero? E io mi sentii, non so, mi sentii... Guarda: preghi molto. Spari e preghi, preghi e spari. Anche se non vedi a cosa spari. Io non vedevo nulla ormai non vedevo che la testa scoperchiata di Campbell, però sparavo al cespuglio. Se li uccisi non so perché loro quando li colpisci non gridano mica, ci credi? »

« Se lo dici, ci credo. »

Ha gettato la sigaretta, fumata a metà.

« Lo dico perché è vero. Non gridano proprio. Restano zitti. Ma come faranno? Io li ammiro. Noi, appena siamo colpiti, gridiamo. Facciamo un fracasso. Solo Campbell non gridò perché lui morì secco. E sai cosa ti dico? »

« No, cosa? »

« Ti dico che spero di non avèr ucciso nessuno, neanche quello che ammazzò Campbell. Ora mi spiego, aspetta. Qui tutti ragionan così: siccome hai ammazzato il mio amico, io ammazzo te. E lo ammazzano. Allora l'amico di quello che hai ammazzato dice: siccome hai ammazzato il mio amico, io ammazzo te. E lo ammazza. E si va avanti all'infinito e dimmi: a che serve? A restituire la vita a uno che è morto? Io spero di non averne ammazzati: né nordvietnamiti, né vietcong. Perché dimmi: non sono forse ragazzi come noi? Non perdon l'elmetto anche loro? Qui tutti dicono: bisogna odiarli! A me non riesce. Padre Bill dice che ho ragione. Conosci padre Bill? »

« No. »

« Noo? Padre Bill, quello che ha preso il posto del cappellano Peters che morì dopo aver preso il posto del cappellano Waters che morì sulla 875?! Allora devi conoscerlo. Io, guarda, io quando parlo con lui mi smette il tremito. Vacci. Sta lì, in quella tenda con la croce. La vedi? »

« Sì, sì. Ora ascoltami, Allen. Ti chiedo una cosa importante. Conoscevi un certo Pip, il sergente Pipon? »

« Uhm. Chi? »

« Pip. Uno che cadde con l'elicottero. Stava sulla collina 1383, col Terzo Battaglione del Dodicesimo Fanteria. Un ragazzo sempre allegro, col viso buffo... »

« Uhm, no. E di elicotteri ne cascano tanti. Perché non lo chiedi a padre Bill? Lui sa sempre tutto. »

Andare alla ricerca di un brandello di memoria. È come cercare un bossolo fra i milioni di bossoli sparsi in questa giungla. L'ho già chiesto a cinque o sei: nessuno ricorda Pip. « Bisogna rivolgersi al comando » ti dicono. Ma cosa vuoi che ne sappia il comando. E poi Pip non stava mai fermo con la sua compagnia: si spostava di collina in collina, andava a prendere le notizie negli altri battaglioni. Tenterò con padre Bill.

Sera. Non lo sa neanche lui. Dice che tra febbraio e marzo sono successe tante tragedie quaggiù: localizzarle e collegarle a nomi è impossibile. Dice che ci penserà, tuttavia, e che mi aiuterà a trovare un sentiero. Vedremo. Intanto voglio spiegare chi è questo padre Bill dinanzi a cui Allen smette di tremare. È un giovanottone di trentaquattr'anni, coi capelli color della paglia, gli occhi celesti, il viso cotto dal sole e il naso tutto spellato. Non sembra un prete, a parte il fatto che i preti alla guerra non si distinguono dagli altri soldati: ammenoché tu non scorga due piccole croci che hanno sulle punte del colletto. Quando sono entrata nella sua tenda comunque non si vedevano nemmeno quelle perché stava a torso nudo, disteso sulla branda, e ora che mi rammento s'era tolto anche le scarpe. S'è alzato, tranquillo, e senza infilarsi la camicia, senza infilarsi le scarpe, mi ha offerto un whisky e da ciò è nato un pomeriggio durante il quale ho quasi scordato Pip. Che tipo, quel padre Bill. Per esempio, ti racconta subito che non aveva alcuna intenzione di fare il prete: quando studiava Legge all'università di Miami voleva diventare un FBI. « A quel tempo era un impiego molto rispettabile e come poliziotto potevi renderti utile. » Poi di colpo cambiò idea e decise che si sarebbe reso più utile facendo il prete. Gli dettero una parrocchia in Florida e ci rimase circa dieci anni: « A rompermi le scatole con le vecchie signore e i loro problemini morali. Se c'è una cosa che proprio non sopporto sono le beghine che all'alba vanno alla Messa ».

« E allora, padre Bill? »

« Allora ognitanto tiravo un moccolo, no? E tutti quei ragazzi che partivano per il Vietnam. Ogni mese ne partivano tre o quattro. Cominciai a pensarci su e a dirmi: sei giovane e forte, Bill, e stai qui ad assolvere i peccati delle beghine. Non sarebbe più intelligente seguir quei ragazzi? E mi arruolai. E feci quel corso di otto settimane, sai dove ti insegnano a cavartela in un bosco come i boyscout, a passare attraverso il filo spinato. Le esercitazioni militari e via dicendo. E poi mi mandarono qui, a sostituire Peters. E per la prima volta nella mia vita mi sentii un uomo anziché un prete. Perché qui non ti nascondi dietro una tonaca o dietro il collarino, qui non imbrogli. E se non sei un uomo ti prendono a pedate nel culo. »

« E quando fu che scoprì d'essere un uomo invece di un prete, padre Bill? »

« Quando vidi la morte, suppongo. La morte che io conoscevo era quella degli ospedali. Cioè una morte pulita, sotto i lenzuoli, con l'infermiera a capo del letto. Alla guerra la morte è sudicia, sola, ed è piena di sangue. Chi la conosce la morte sudicia, a casa? Tutt'al più la vedi alla televisione: in bianco e nero e glorificata come in un film western. Lo schermo inquadra una sparatoria e poi un cadavere senza sangue perché il rosso del sangue non appare alla televisione. Dio voglia che venga presto la televisione a colori. Servirà a rendersi conto. Mia madre, ad esempio. Crede che morire in guerra sia eroico. Maledetto il primo che parlò di eroismo. Se mia madre fosse stata, ieri, alla Batteria numero 25! Tre ragazzi che anche mia madre conosceva son morti. Uno di diciassette, uno di diciotto, uno di diciannove anni. Merda, shit! »

Ha battuto un gran pugno sulla cassetta che gli serve da tavolo. E ha bevuto un lungo sorso di whisky.

« Io quando c'è un combattimento vo coi ragazzi. Perché sono così confusi, così spaventati. E non gli parlo mai di Dio o del Paradiso: arrivando qui credevo che avrei fatto bei discorsoni religiosi ma non li ho mai fatti. Cerco solo di fargli coraggio, gli dico: don't worry, non ti innervosire. Mi ascoltano. Fuorché uno il quale afferma d'essere ateo. Forse per non sentirsi ipocrita. Thou shalt not kill... non uccidere. Bravo ragazzo, mi piace. E poi... poi quando muoiono li assolvo. E li assolvo anche quando non muoiono. Io assolvo sempre, assolvo chiunque. Americani, nordvietnamiti, vietcong. »

« Anche i nordvietnamiti, i vietcong? »

« Certo! Per me sono tutti uguali, sono tutte creature con un naso e due braccia e due gambe, che combattono perché gliel'hanno ordinato. I soldati non hanno colpa, in un soldato io non vedo mai un uomo che infrange il primo comandamento: non uccidere. Non è il suo dito che spara, è il dito di chi ce lo mandò. La guerra, sa... È dacché Caino ammazzò Abele che la guerra fa parte della natura umana... Ma non per questo io l'accetto. E non sono qui per difender la guerra, sono qui per aiutare chi è costretto a farla. »

S'è versato ancora un poco di whisky.

« A volte mi chiedono: padre Bill, ma perché siamo stati mandati in Vietnam? Non l'hanno ancora capito. Non l'ho capito neanch'io, figuriamoci. Dice che è per fermare il comunismo. Be', io rispondo che il comunismo non si ferma con le pallottole, con le bombe al napalm. Un'idea non si uccide uccidendo un corpo, al contrario. Bisogna lavorare sulla mente, non sul corpo, e comunque gli americani non possono continuare a fare i poliziotti del mondo. Su questo punto il vecchietto di Hanoi ha ragione. »

Così gli ho chiesto se lui aveva in dotazione un fucile, e mi ha risposto di sì. E gli ho chiesto se la chiesa cattolica gli consentiva di usarlo, e mi ha risposto di sì. « Almeno in caso di emergenza ho diritto di sparare. Però... »

« Però? »

« Non l'ho mai fatto ed escludo proprio che lo farei. Ammenoché non fosse per... »

« Ammenoché? »

« Glielo dirò un'altra volta. »

Domani va a dire la Messa alla postazione di artiglieria 25, una collina a nordest. Voglio andarci anch'io. Non è straordinario ciò che puoi trovare alla guerra? Una volta, in Corea, François ci trovò uno Stradivarius. Un autentico Stradivarius. Rubato a qualche museo, chissà. Ce l'aveva un caporale, un Marine. E lo stava suonando. Ma non lo sapeva suonare. E una corda si ruppe mentre tentava di intonarci la canzone che fa: « Oh, Susanna! Come and dance with me! ».

21 maggio. V'era un cielo così azzurro che faceva male agli occhi. V'erano boschi così verdi che ti pungevano il cuore. Sospeso tra il verde e l'azzurro volavi dimenticando la guerra. Poi l'elicottero ha avuto uno scarto improvviso e s'è abbassato velocemente sulla collina.

« Ci siamo » ha detto padre Bill. « Ecco la Batteria 25. »

Non m'è piaciuta fin dal primo sguardo. Intanto non era una collina ma un cocuzzolo completamente scoperto perché privo di alberi e d'erba. Sulla terra nuda non scorgevi che la postazione di artiglieria, cinque o sei trincee, un centinaio di soldati sporchi e con la barba lunga. Poi, mi ha spiegato padre Bill, i nordvietnamiti occupavano tutte le colline intorno e i fianchi di questo cocuzzolo: un paio di volte al giorno lo bombardavano coi mortai, una volta la settimana lo prendevano d'assalto. « Se non sono ancora riusciti a prenderlo è perché, ad ogni attacco, da Dak To si alzano i Phantom e gli rovesciano addosso il napalm. Certo non scende mai la sera senza che si registrino almeno un paio di morti, quassù. » Insomma la Batteria 25 era una minuscola Khe San.

Dondolando la valigetta dove tiene gli arredi sacri, padre Bill ha raggiunto uno spiazzato e s'è messo a prepararci l'altare. Così. Ha rizzato due obici vuoti, a mo' di colonne, e ci ha posato sopra una scatola di cartone. Ha aperto la valigetta, ha tolto due boccettine di plastica cioè l'acqua e il vino, un bicchiere di cartone cioè il calice, un fagottino cioè le ostie consacrate, un crocifisso, e ha sistemato ognicosa sulla scatola. Da ultimo s'è levato l'elmetto, ha infilato sull'uniforme una specie di poncho mimetizzato, coi paramenti cuciti, e ha gridato « Ehi! Chi ha voglia di venire alla Messa? ».

Una trentina di soldati si son fatti avanti, il comandante ha detto: « Padre, cerchi di fare presto. Si ballerà fra un poco! ».·

« Ma Bill! Io voglio confessarmi » ha aggiunto un soldatino.

« Anch'io! »

« Anch'io. »

Padre Bill s'è grattato la testa, un po' incerto. Ha lanciato un'occhiata verso il comandante, un'altra in direzione delle colline, ha ordinato: « Tutti in ginocchio! ».

I soldati si son messi in ginocchio.

« Senza elmetto, accidenti! »

I soldati si son tolti l'elmetto, mormorando.

« Silenzio! »

I soldati hanno fatto silenzio.

« Ego vos absolvo in nomine Patris et Filii et Spiritus Sanctus, amen. Contenti? »

« Così, senza chiederci nulla, Bill? »

« Ma cosa volete che vi chieda! Ma che peccati volete aver commesso su questi sei metri quadri di penitenza? »

Ed è andato dietro l'altare per dire la Messa, e i ragazzi gli si son seduti davanti: chi per terra, chi sui sacchi di rena. Uno aveva con sé una scimmietta, gli si era arrampicata sul collo.

Non è successo niente per circa venti minuti, cioè il tempo che è durata la Messa. A dieci chilometri verso sudest due Phantom stavano sganciando napalm e l'azzurro del cielo si infangava di nuvole nere. Poco più in là, a nordovest, tuonava un cannone. E qui invece nulla. Levando il bicchiere di carta, il suo calice, padre Bill invocava il Signore. Chiudendosi il volto dentro le mani i ragazzi lo supplicavano. E ciò avveniva nella tranquillità più totale, nel più assoluto silenzio. E in quel silenzio i ragazzi si sono alzati, e si son messi in fila, e padre Bill li ha anche comunicati: posandogli sulla lingua ostie piccole come mentine. Ne voleva una anche la scimmietta ma padre Bill ha sussurrato: « No, tu non puoi. Buona! ». E lei s'è messa buona: ha riappoggiato le manine sulla testa del ragazzo e ha preso ad accarezzarlo dolcemente, gemendo.

Così per venti minuti. E per venti minuti mi son chiesta, incredula, perché i nordvietnamiti non ci sparassero addosso. Certo ci vedevano bene, coi cannocchiali e senza. Che non volessero quindi sparare? Che volessero lasciar finire la Messa? Sembra assurdo, lo so, ma io dico che volevano proprio lasciar finire la Messa e lo dico perché la Messa era appena finita, padre Bill aveva appena riposto il suo crocifisso e le sue boccettine, quando il primo colpo di mortaio è caduto. Proprio in mezzo al campo.

Sono balzata subito dentro un rifugio, il secondo colpo è caduto. E poi il terzo, poi il quarto, poi il quinto: mentre l'artiglieria rispondeva al fuoco, e le esplosioni in arrivo si alternavano e si confondevano con le esplosioni in partenza, e la terra tremava come per un terremoto. Tenevo gli occhi chiusi, ricordo, poi un sibilo più vicino degli altri me li ha fatti spalancare, e sopra di me c'era il naso spellato di padre Bill, il sorriso di padre Bill che mi cingeva le spalle col braccio sinistro. « Calma, eh? È un piccolo attacco, passerà presto. » Invece non è passato presto per niente: siamo rimasti un mucchio di tempo dentro quel buco, anche quando il bombardamento s'è rarefatto, nella pausa una voce ha urlato: « Stay where you are! Restate dove siete! ». Ed è in quella pausa che lui ha incominciato a parlare: per distrarmi e farmi coraggio, suppongo. Non rammento bene cosa ha detto all'inizio. Qualcosa sulla Chiesa la quale è oggi un tino che bolle, e finché l'uva bolle nel tino tu non puoi sapere se ne verrà fuori buon vino o aceto, e un prete in quel tino si sente come un acino solo mischiato ad acini soli, e avverte il bisogno di scappare. Qualcosa del genere. Ma rammento bene la domanda che gli ho posto: « Sta perdendo la fede. Vero, padre Bill? ». E rammento benissimo le parole con cui ha replicato: « No. La fede resta. Rafforzata, direi. Perché Dio non ha colpa di ciò che succede, la colpa è nostra. Non abbiamo combinato molto in questi duemila anni di cristianesimo, no? Siamo solo riusciti ad alimentare le guerre, nutrire i privilegi, chiudere gli occhi alle idee nuove... ». E poi rammento d'aver pensato che era così paradossale far certi discorsi dentro un buco mentre la terra tremava, e rammento che a un certo punto, poiché c'era quel braccio che mi cingeva le spalle, paternamente ma c'era, gli ho chiesto perfino se le donne gli mancassero molto. E ha detto sì.

« Sì, certo. Ma quello non è un problema perché di quello, tutto sommato, si può fare a meno. Il sesso è importante, non indispensabile. Il problema drammatico non investe il corpo: investe lo spirito. Viviamo un'epoca piena di sfide, di opportunità, e ci comportiamo ancora come quando andavamo a cavallo. Non ci rendiamo conto ad esempio che anche i comunisti pregano, a modo loro, che anch'essi cercano Dio. E la guerra... Lei crede che la guerra renda gli uomini migliori o peggiori? »

« Li rende ciò che sono, padre Bill. Vale a dire bestie. »

« No. Li rende migliori. Qualcuno diventa amaro, come lei. Altri perdono la fede e non li condanno: viene spontaneo rimproverare Dio quando si vedono certe infamie. Ma i più si rendono conto che Dio non si diverte a farli soffrire, che Dio non è un malvagio giocatore di scacchi... Giù la testa! »

L'attacco s'era intensificato, una granata è esplosa vicino al nostro rifugio: sollevando polvere e sassi.

« Cos'è, Dio, padre Bill? »

« È la buona coscienza che è dentro di noi e che ci offre sempre buone occasioni. Ma noi le respingiamo. »

« E cosa farà alla fine della guerra, padre Bill? »

« Forse lascerò il sacerdozio. »

« Per cosa, padre Bill? »

« Ancora non lo so. O forse lo so: spesso, vedendo tanta ingiustizia, penso che mi piacerebbe imbracciar quel fucile che mi hanno dato ed usarlo per sparare agli ingiusti al grido di Cristo lo vuole. »

E nello stesso momento un grido s'è udito, ma non un grido che invocava Cristo, un grido che invocava la mamma.

« Mammy! Mammy! Mammy... »

E padre Bill è schizzato fuori, e io l'ho seguito, e ho visto il ragazzo della scimmietta. Di intatto non gli era rimasto che il volto e le mani.

Padre Bill s'è chinato su lui.

« Ego te absolvo in nomine Patris et Filii et Spiritus Sanctus. Riposa in pace, bambino. Sei un bravo bambino. You're a good child. »

E poi l'attacco è finito, e padre Bill s'è allontanato in direzione di altri gridi, altri lamenti, ma presto è tornato per dirmi che il comandante voleva farmi tornare a Dak To.

« Teme che l'attacco riprenda, e l'elicottero sta partendo. Vada, io devo restare. C'è bisogno di me. »

Così sono salita sull'elicottero e, un attimo prima che decollasse, s'è buttato una mano sul capo, ha gridato: « Per Pip vada sulla collina 1314! Cerchi il maggiore Grizzly! Forse lui sa ».

22 maggio. Ci sono venuta con un elicottero che portava medicinali e limoni. Ho avuto anche la mia brava avventura. È stato quando nel folto della giungla s'è visto balenare una luce, o uno specchio, e il mitragliere ha detto « VC » e il pilota s'è abbassato a cercarli. Dieci minuti di cui avrei fatto volentieri a meno. I vietcong sparavano, gli americani sparavano: dall'infarto cardiaco m'hanno salvato in fondo i limoni. Nelle virate cadevano giù come piccole bombe, e chissà perché io mi sentivo investita di un compito che nessuno aveva richiesto: salvare i limoni, portare alla base i limoni. Forse avevo bisogno di fare qualcosa, non restar lì ad osservare, e comunque sia ne ho salvati più di metà. Non c'è male se pensi che non sono avvenute altre perdite: lo sciocco duello è finito in uno spreco di pallottole, limoni, e basta.

Ma non è ai limoni che penso ora che sono sulla collina 1314 e, seduta fra i sacchi di rena, aspetto di parlare col maggiore Grizzly. Penso a Pip. Padre Bill non è tipo da mandarmi su una collina per niente. Nella notte fra lunedì e martedì, cioè prima della Batteria 24, padre Bill deve aver fatto le sue ricerche e deve aver saputo che il brandello della memoria di Pip è qui intorno. Nascosto tra queste foglie, infilato nel ramo di un albero, nell'ansa di una trincea. Ne son quasi certa: se fosse una goccia lo vedrei brillare al sole. Ma perché Grizzly non esce da quella tenda? Dice che sta conferendo con due generali giunti apposta da Pleiku. Quale macabro gioco son venuti a proporgli? Fa un caldo accecante, nelle trincee la terra si sgretola come farina. A torso nudo i soldati trasportano longarine d'acciaio e le loro spalle grondano sudore. Molti son negri e nessuno viene dalla compagnia di Pip. Di quel gruppo non resta che Grizzly: già allora comandava il Terzo Battaglione. Lo incontrai di sfuggita, Grizzly. Me lo presentò il capitano Scher prima che andassimo sulla cima della 1383. Era un bell'uomo gonfio di muscoli, con le guance tonde e la bocca cordiale.

Sera. E questo che mi veniva incontro, invece, era un vecchio: magro, stanco, col viso risucchiato dalla tensione. I suoi muscoli s'eran come sciolti, nelle guance si affondavano rughe, e ti fissava con occhietti spenti, labbra piegate all'ingiù. Gli ho chiesto Grizzly, ma da quanto tempo è in Vietnam? Ha risposto: sette mesi, ma dodici devo ancora farli. Poi ha alzato un braccio verso la distesa ondulata di verde, colline e colline e colline, la voce ha tremato rabbia e amarezza.

« Li sente i loro sguardi? Ci guardano. E non possiamo farci nulla. Nulla, se non escono fuori. Loro sanno dove siamo noi ma noi non sappiamo dove sono loro. Non possiamo far niente, solo aspettare e basta: passano le settimane, i mesi, in questo silenzio, in questa immobilità. Venite fuori, perdio! »

Ma non è venuto fuori nessuno, neanche un'eco che lo prendesse in giro, e mi ha spiegato che presto ci saranno i monsoni, e il cielo si riempirà di nubi, e l'aviazione non potrà essere usata fuorché coi B52, e allora, solo allora, gli omini gialli usciranno dall'ombra in cui sono nascosti, romperanno il silenzio che li rende fantasmi, saliranno su verso il campo a cercarli: incuranti della pioggia, della mota, del vento. E lui, Grizzly, li vedrà finalmente. E rimpiangerà le ore immobili durante cui li invocava. L'ho lasciato parlare e poi gli ho chiesto di Pip. Ricordava benissimo Pip. E ora credo di sapere tutto. Sì, l'ho ritrovata la sua memoria. È questa goccia di luce che tengo in mano e di cui non so cosa fare.

Pip non lo sa ma su questa collina c'è stato. Fu il 26 febbraio scorso, quando ebbe inizio la battaglia per la conquista della 1314. Da un mese il Secondo Fanteria la bombardava coi cannoni da 155 e quel giorno due compagnie vi piombarono con quarantadue elicotteri, cinque uomini per elicottero, riuscendo a stabilire una testa di ponte. Due elicotteri vennero abbattuti subito e del primo non si salvò nessuno, del secondo si salvò un ferito. Naturalmente nessuno giura che questo ferito fosse Pip ma alcuni ricordano che era un sergente della 1383 e che la ferita più grave riguardava il ginocchio. Per portarlo via ci volle un bel po' di tempo. La testa di ponte era comandata dal tenente Kosh, e il gruppo di Kosh restò a lungo senza soccorsi. S'eran rifugiati nel cratere di una bomba, i nordvietnamiti gli sparavano addosso senza sosta, gli uomini della Compagnia Bravo impiegarono l'intera mattina per raggiungerli attraverso il fuoco. Ma neanche allora il combattimento finì: la battaglia durò ben tre giorni. Tre giorni così atroci che il comandante nordvietnamita, il capitano Chieu Hoi, si arrese dicendo che questa era stata la peggiore battaglia cui avesse mai partecipato, la più sanguinosa: a lui solo era costata ben centoquindici vite. E Pip, ferito, se la vide tutta. Senza potersi nascondere, senza poter fuggire, con quei cadaveri addosso. E lo choc fu così grande che, quasi con certezza, egli vi reagì bloccando la sua memoria, cancellando dal suo cervello quel giorno e i giorni vissuti in Vietnam, lasciando in quel nulla solo brevi lampi di particolari piacevoli. Il volto di Scher, il mio mazzo di fiori che non era un mazzo di fiori, era il ramoscello di un albero fatto sbocciare dalla sua fantasia, dal suo bisogno di dolcezza, di grazia... E ora che fo? Glielo dico?

Sto tornando a Pleiku, a cercarvi un cargo che mi riconduca a Saigon. Ho lasciato Dak To, non avevo voglia di restare a Dak To. Quando sono partita, la pista brulicava di truppe: la Terza Brigata della 4ª Divisione, il Secondo Battaglione del 506°, due compagnie del 101° Airborn. Ed altri uscivano dalla pancia dei C130 come cortei di formiche. Quanti di quei soldati vorranno scordare ciò che vedranno stanotte, domani, il fatto stesso d'essere stati in Vietnam? Perché dunque dovrei ricordarlo a Pip? In nome di cosa? Per farne cosa? Per soffrire come soffrì quel giorno, con quei cadaveri addosso, e Kosh dentro il cratere? No, la mia è stata una ricerca inutile: non sarò io a restituirgli l'orrore.

Guarda che fo con questa goccia di luce: la butto per terra, la schiaccio con lo scarpone, e la spengo. Così. Ormai non è che una cicca.

Capitolo decimo

Devi capire che negli ultimi giorni cercavo la conclusione di un ragionamento, una specie di resa dei conti, e che non potevo non restare sospesa in questo interrogativo: era valsa la pena aver vissuto ciò che avevo vissuto, testimoniato ciò che avevo testimoniato? Però una resa dei conti ci fu. Quella offerta dal personaggio che avevo sempre considerato il più significativo, il simbolo stesso della cattiveria e del suo riscatto possibile: il generale Nguyen Ngoc Loan. E fu giusto che la registrassi poche ore avanti di lasciare per sempre Saigon: scopri cosa si nasconde dentro un gomitolo solo se lo disfi fino in fondo. È una specie di gioco che imparai da bambina. Quand'ero bambina la mamma comprava la lana a matasse poi l'arrotolava in gomitoli. E, per avviare il gomitolo, faceva un nocciolo con una carta che poteva essere un foglio bianco, un pezzo di giornale, un conto del bottegaio. Sicché ogni volta mi struggevo dalla curiosità di sapere e, guardando il gomitolo che si assottigliava per comporre lento la maglia, pensavo: cosa ci avrà messo? Esaurito il gomitolo, agguantavo il nocciolo di carta e lo svoltavo con piccole dita impazienti. Capitava, ripeto, che il foglio fosse bianco. E in tal caso la delusione era grande. Ma, se il foglio era scritto, lo davo alla mamma perché lo leggesse, e ascoltavo rapita la storia. Anche il conto del bottegaio mi raccontava una storia. Ma un pomeriggio il nocciolo mi raccontò una fiaba. Sai, quella del rospo che si trasforma in un uomo.

Con Loan accadde più o meno così. Da mesi mi chiedevo cosa ci fosse dentro la sua anima e, sebbene François me l'avesse fatto intuire, volevo scoprirlo da me: controllare da me se contenesse il nulla o un segreto banale o la fiaba del rospo che si trasforma in un uomo. Conteneva la fiaba. E mi fece bene. Ora tieni il diario che scrissi negli ultimi giorni del mio Vietnam, quando ancora cercavo la risposta che, ricordi, lì non seppi trovare. Perché l'avrei trovata altrove, più tardi.

24 maggio. Quasi non ci credo: Loan mi riceve. « Quando? » esclamo a François. « Ora, subito. Ti aspetta, vai. » Devo correre all'ospedale Grall ed è strano: all'improvviso non ho più domande da porgli. Neppure quella cosa ha importanza ormai. Ma l'idea di vederlo mi rende felice.

Pomeriggio. Ho raggiunto la sua camera senza che mi fermassero. Non c'era un poliziotto, un soldato, a fare la guardia. Qualsiasi vietcong avrebbe potuto irrompere, ucciderlo comodamente, ed andarsene. Ho bussato, nessuno ha risposto. Sono entrata, mi sono avvicinata in punta di piedi al suo letto, ed eccolo il terrore di Saigon, l'uomo più crudele del Vietnam, il generale che faceva tremare i generali. Assopito sotto i lenzuoli, innocuo quanto un fanciullo, indifeso. Nella stanza non c'erano che due persone: una donnina dal volto umile e l'aria dimessa, un vecchio che leggeva il giornale. Lei non si è mossa, lui invece mi ha teso la mano ed ha bisbigliato: « Sono suo padre e questa è sua moglie. Non gli parli ancora, dorme ». Lui però ha aperto gli occhi, mi ha visto. Ha tentato di sorridermi: non c'è riuscito. Ha provato ad alzare la testa: gli è caduta sopra il guanciale. Con un gemito lungo, straziante: « La gamba! ». E non ho saputo che dirgli.

« Generale... Io... Buongiorno, generale Loan. »

S'è messo subito a piangere. Subito. Ha distolto lo sguardo da me, lo ha girato al soffitto, e in un baleno le lacrime hanno brillato, gonfie come bolle d'acqua, poi sono scivolate giù per le guance, pel naso, in rivoli pieni, incessanti.

« Prenda quella sedia, si accomodi. »

La voce era la solita cantilena bassa, angosciosa, ma la riscattava una straordinaria dolcezza.

Ho preso la sedia, l'ho portata verso di lui.

« Più vicino, venga più vicino. »

Gli sono andata più vicino. Con una mano mi ha agguantato il polso e con l'altra ha frugato nella tasca del pigiama, ne ha tirato fuori l'immagine di un Cristo con la corona di spine e la bocca dischiusa in una smorfia di sofferenza.

« Lui... Lui mi ha protetto. Lui... Lui mi vuole bene. Legga cosa c'è scritto, legga. »

Ero paralizzata dallo stupore. Ma ho letto: « *Pensa a Lui che ti protegge e ti ama e si china su di te per dare un senso alle tue pene* ».

Gli ho restituito il santino. Lo ha portato alle labbra, sempre piangendo.

« Ci penso, sì, perché tanti son morti quella mattina. Io invece... È che Lui mi ha protetto. Ricorda quando mi chiese se credevo in Dio? Le risposi di no. Non era vero. A volte certe cose si dicono per orgoglio, per timidezza. In Dio ci ho sempre creduto. Oh! Scusi se piango... Non posso farne a meno e mi dà un tale sollievo... Un tel soulagement. Mi aiuta a sopportare il dolore alla gamba, il dolore che ho qui dentro il cuore... »

M'ha lasciato il polso e ha appoggiato la mano sul cuore. Ma dopo mi ha ripreso il polso, e l'ha stretto: quasi temesse che glielo portassi via.

« Glielo dissi anche allora: lei non mi credette. Quel giorno... Ricorda? »

Quel giorno che avevo tanta sete. E lui continuava ad offrirmi da bere, whisky o birra, birra o whisky, ed io continuavo ad accettare, birra grazie, ma la birra non veniva mai e restavo con la mia sete. Era lo stesso uomo, quel giorno? « Quel giorno, ricorda, le dissi: io non sono nato per fare il militare, il poliziotto, non mi piace la guerra. Alcuni si sentono eccitati alla guerra, combattere li diverte: io no. In combattimento io provo solo paura... paura prima, paura dopo... Odio il mestiere che fo, l'ho sempre odiato, ed è spaventoso fare un mestiere senza amarlo, sognando d'essere mille miglia lontano, vestito in borghese... Odio le uniformi. Odio perfino questa coperta! » Ha allontanato con stizza la coperta militare posata sopra il suo letto. « Nell'esercito mi ci son trovato senza volerlo: sono un debole, io, agli amici non so dire di no. E quante volte ho pensato di fuggire. Lontano... In Tailandia, nelle Filippine, in Giappone, in Malesia: ovunque mi offrissero ospitalità. Ma poi mi son detto no, non posso, non devo. Sono troppo coinvolto in questa guerra, ormai. Sono condannato a star qui, costi quello che costi. Non potrò mai più rifugiarmi in un posto tranquillo, con la mia musica, le mie poesie, le mie rose... »

La cosa incredibile è che diceva tutto da sé, senza che lo sollecitassi, senza che gli chiedessi, e non mi riusciva aprir bocca, interromperlo, dire via generale non faccia così, non sta bene, non è degno di lei, lei è il generale Loan, il terrore di Saigon, l'uomo più crudele del Vietnam, cosa direbbe il mondo se la vedesse piangere come un ragazzino, e stringermi il polso, e portarsi alle labbra un'immagine sacra, la smetta, generale, la prego, o lasci che me ne vada. La cosa ancor più incredibile è che né suo padre né sua moglie sembravan curarsi delle sue lacrime, delle sue parole, della sua disperazione. Non tentavano affatto di consolarlo, calmarlo: lei metteva a posto le medicine e lui continuava a leggersi tranquillamente il giornale. Indifferenza, pudore? Poi il padre ha ripiegato il giornale, ha annunciato in francese che usciva.

« Vai, vai » ha risposto Loan. E ha cercato un fazzoletto, si è asciugato gli occhi, si è soffiato il naso. Infine si è rivolto alla moglie: « Vai anche tu se vuoi ».

A capo chino, ubbidiente, la moglie ha preso la borsa e ha seguito il suocero. « Au revoir » ha sussurrato. Poi la porta s'è chiusa alle sue spalle, io sono rimasta sola con Loan, e quelle parole a lungo represse mi son salite alle labbra così facilmente. Forse perché non ci credevo più.

« Ero molto indignata con lei, generale. »

« Sì, sì... Tutti eran molto indignati con me. »

« Sa di cosa parlo, vero, generale? »

« Lo so, lo so. »

« Ormai non ha eccessiva importanza: ma perché l'ha fatto, generale? Perché? »

« Era un sabotatore... Aveva ammazzato tanta gente... »

« Era un prigioniero, generale Loan. Con le mani legate. »

« No, le mani legate no... »

« Sì, le mani legate sì, generale. »

Ha girato la testa contro il muro, si è scosso in un singhiozzo doloroso, penoso.

« Generale, credo che qualcun altro le abbia già posto questa domanda: conosceva quell'uomo? Era uno dei suoi? »

« No, no. »

« Lei si sentiva male? Era ubriaco? »

« No, no. »

« Mi dica la verità: in fondo è meglio se era ubriaco. »

« No, no! »

« E dunque, generale, perché?! »

Ha cessato di guardare il muro e s'è voltato di nuovo verso di me. Mi ha preso anche l'altro polso e ci ha quasi appoggiato il viso: sicché ora le lacrime mi gocciolavano tutte sul braccio, bagnandolo.

« Non pianga, generale. »

« Mi solleva, mi aiuta... »

« Non pianga lo stesso. »

« Mi lasci piangere per carità. Mi capisca come io la capisco. Io capisco il suo punto di vista. Al suo posto, forse, farei lo stesso. Andrei da Loan e gli direi: Loan, perché l'hai fatto perché? Dici di amar la dolcezza, Loan, e le rose, ma poi ammazzi un uomo così. Sei un assassino, Loan, non piangere. Ma io non sono al suo posto, sono al mio. E che mi piaccia o no sono un soldato, e sono impegnato da una parte di questa guerra... »

« Era un soldato anche quel vietcong, generale. Un soldato con la camicia a quadri ma un soldato. Impegnato anche lui da una parte di questa guerra. »

« Non aveva l'uniforme. E io non riesco a rispettare un uomo che spara senza indossar l'uniforme. Perché è troppo comodo: ammazzi e non sei riconosciuto. Un nordvietnamita io lo rispetto perché è vestito da soldato come me, e quindi rischia come me. Ma un vietcong in borghese... Mi ha preso la collera. Mi ha accecato la rabbia. Mi son detto tu, vietcong, non paghi il prezzo di questa odiosa uniforme, puoi nasconderti tu... E gli ho sparato. »

‹ È questa la vera ragione? »

« Sì. È questa. »

« Allora perché non l'ha mai detto? »

« Perché io non ho bisogno di giustificarmi. Né di pubblicizzarmi. Sono stato ferito tre volte durante l'offensiva del Tet e nessuno l'ha mai saputo. E poi con chi avrei dovuto giustificarmi? Con la stampa? Con gli americani? »

« Con se stesso, forse. »

« L'ho già fatto. E nemmeno ora che la mia rabbia è diventata tristezza, e vedo le cose con più senso della realtà, della misura, nemmeno ora... riesco a vergognarmi, a pentirmi. Vi sono momenti in cui lo vorrei: ma non ci riesco. Mi considera cattivo, vero? »

« Non lo so, generale. Non lo so più. »

« Io non fo che pensarci dacché sono in questo letto, non fo che chiedermi: sono cattivo? La notte il dolore alla gamba si fa più forte: sembra che la graffa non tenga, che debbano tagliarmi la gamba... così non dormo e mi chiedo se questa non sia una punizione voluta da Lui, mi chiedo: sei stato davvero cattivo? E mi rispondo: no. O non più degli altri coinvolti in questa guerra. Se sono cattivo io, sono cattivi anche i vietcong e sono cattivi anche gli americani, e sono cattivi tutti coloro che sono venuti prima di noi e verranno dopo di noi. Perché la guerra è cattiva, non l'uomo. Alla guerra perfino l'uomo più mite, più dolce, diventa cattivo! E forse quel giorno fui davvero cattivo, ma colui che uccisi era forse migliore di me? Risponda, la prego: crede che egli fosse migliore di me? »

E io gli ho risposto che no, forse no, colui che uccise non era migliore di lui. E volevo aggiungere però questo non basta, Loan, anzi non c'entra per niente, Loan, ma hanno bussato alla porta e sono entrati due soldati con una grande busta, e Loan ha smesso finalmente di piangere e mi ha lasciato i polsi che s'eran tutti arrossati. La busta era il suo stipendio mensile: in lire italiane, 27.630 e sessanta centesimi. Per aprirla ha dovuto firmare cinque ricevute. Poi i soldati se ne sono andati e siamo rimasti soli di nuovo e di nuovo volevo aggiungere però questo non basta, Loan, non c'entra, generale Loan, ma lui mi ha chiesto le pillole e un bicchier d'acqua e gli ho dato le pillole e il bicchier d'acqua. Gli ho anche sollevato la testa perché bevesse meglio, ed ero proprio io quella che gli sollevava la testa, era proprio lui che si lasciava aiutare. Poi siamo rimasti lì ancora un'oretta, a parlare con calma perché la crisi di lacrime gli era finalmente passata, e mi ha raccontato di quando combatteva i francesi. Mi ha tolto una curiosità che avevo dal tempo della prima intervista, quando gli avevo chiesto: « Con chi stava, generale? ». E lui mi aveva risposto: « Permettez-moi, Madame, de garder ce secret pour moi ».

« Generale, ora può dirmelo: da che parte era? »

« Coi comunisti. Con i vietminh. »

E abbiamo discusso di Tri Quang e m'ha detto che lo arrestò perché non lo ammazzassero: « Due volte gli ho salvato la vita, mioddio, e lui non lo capisce! ». E abbiamo discusso dei vietcong e m'ha detto che sì, sono fratelli, lui si rende conto che sono fratelli, con alcuni di loro combatté al tempo dei vietminh, ma « ogni intesa è impossibile ormai ». A proposito dei vietcong s'è anche perso nella storia di una certa ragazza che i suoi uomini avevano arrestato ma lui non permise che la toccassero « perché non ho mai potuto sopportare l'infamia della tortura ». Se mentisse ora o se mentisse la prima volta che lo intervistai io non posso dirlo: ma sono portata a credere che mentisse allora perché l'uomo che avevo dinanzi quest'oggi era un uomo nobile, e giusto, così nobile e giusto che non mi sembrava nemmeno più brutto. E a momenti mi sembrava bellissimo.

« Io ormai non conto più nulla, non ho più alcuna autorità, ma vorrei parlare con Giap, vorrei parlare con Ho Ci Min, e dirgli: mettiamoci d'accordo, per carità, smettiamola di far correre sangue, di fare il gioco degli stranieri! Siamo umili, fra noi, abbiamo coraggio: ci vuole coraggio per avere umiltà! Ma io non posso parlarci, e non vedo soluzioni a questa tragedia. Io sono un uomo pratico, realista, e non vedo la fine di questa guerra. Troppa gente è interessata a farla, troppa, e tutti parlano di pace ma nessuno la vuole veramente. E intanto si continua a scannarci fra noi... »

Parlavamo ancora quando è entrato il dottore. Un francese

brusco, alto, coi baffi. Gli ha toccato la gamba facendolo urlare, ha scosso la testa, ha detto che non doveva affaticarsi, né innervosirsi.

« Ha pianto di nuovo, generale, eh? »

« Sì, mi fa bene. »

« Bene un corno! » Poi, rivolto a me: « Lo lasci riposare ».

Così mi son preparata a lasciarlo ma prima di uscire gli ho chiesto se avesse bisogno di nulla: libri, giornali? E lui ha avuto un misterioso sorriso, un sorriso pieno di tenerezza, e mi ha risposto che qualcuno ci aveva già pensato prima che arrivassi. Ed ha allungato un braccio verso il tavolo e mi ha mostrato un fascicolo di Topolino, uno di Paperino, uno di Batman, e un altro dal titolo *L'Affair du Collier*: la storia di una principessa che perde la collana, mi sembra, ma il principe azzurro gliela trova e gliela riporta.

« Chi glieli ha dati, generale? »

« Un drôle de garçon... C'est un drôle de garçon, lui... Un ragazzo strano, vero? Ma un gran ragazzo. Sa, credo che li abbia rubati a suo figlio per regalarli a me. Anni fa gli dissi che mi divertono. »

Conoscevo quei giornalini. Li avevo intravisti alla France Presse ierisera. Sul tavolo di François.

25 maggio. È il mio penultimo giorno a Saigon. Ed è un giorno pieno di cose da dire più che da fare: non voglio andarmene in cerca di sparatorie, batticuori ormai inutili, meglio restare in ufficio a seguire il fantastico recital che Derek e François stanno improvvisando per me. Derek ha in mano un bollettino dell'Ufficio Informazioni del Comando delle Forze Americane in Vietnam, François invece ha il Pascal che gli ho restituito. Seduti alle rispettive scrivanie, si alternano la lettura e, ogni volta che uno legge, si alza in piedi.

Derek: « Ieri formazioni di B52 hanno effettuato undici bombardamenti a ovest e a nordovest di Dak To, a sud e a sudovest di My Tho, a est e a sudest di Hoi An. Altre centoventitré missioni aeree sono state compiute in tutto il Vietnam del Sud ».

François: « *Les hommes sont si nécessairement fous que ce*

serait être fou par un autre tour de folie, de n'être pas fou. Gli uomini sono così necessariamente pazzi che bisognerebbe esser pazzi di un'altra follia per non essere pazzi ».

Derek: « Aspri combattimenti si stanno svolgendo nella provincia di Quang Tri, nella provincia di Quang Nam, nella provincia di Thua Thien, nella provincia di Quang Tin, nella provincia di Toan Thang, nella provincia di Hau Nghia, e nella provincia di Ba Xuyen la Marina... ».

François: « *Le nez de Cléopâtre. S'il eût été plus court, toute la face de la terre aurait changé.* Il naso di Cleopatra: se fosse stato più corto, tutta la faccia della terra sarebbe cambiata ».

Derek: « Perdite nemiche. 103 nordvietnamiti sono stati uccisi a sette miglia nordest di Dong Ha, 122 a quattro miglia sudest di Trung Kien, 36 a otto miglia sudovest di Dak To, 33 a sette miglia nordest di Phy My, 53 a dieci miglia nordovest di Hoi An... ».

François: « *Pourquoi me tuez-vous? Eh quoi! Ne demeurez-vous pas de l'autre côté de l'eau? Mon ami, si vous demeuriez de ce côté, je serais un assassin, et cela serait injuste de vous tuer de la sorte; mais, puisque vous demeurez de l'autre côté, je suis un brave et cela est juste.* Perché mi uccidi? Ma come? Non abiti dall'altra parte del fiume? Amico mio: se tu abitassi da questa parte, a ucciderti sarei un assassino perché a ucciderti commetterei una cosa ingiusta. Ma poiché abiti dall'altra parte, a ucciderti sono un coraggioso e compio una cosa giusta ».

Lo interrompo dicendo che la definizione della guerra me l'ha già data: un gioco per divertire i generali. Ora però deve darmi la formula del gioco.

« La formula è semplice » risponde subito posando Pascal. « Piantare pezzi di ferro nella carne dell'uomo. Grossi, piccoli, a punta, quadrati, rotondi, scheggiati. Purché siano pezzi di ferro e strazino e uccidano. »

« Non ferro allo stato naturale, però » aggiunge Derek. « Costruiti dall'intelligenza umana che è grande e va sulla Luna. »

François annuisce e prende una pallottolina color bronzo:

due centimetri circa di lunghezza, mezzo centimetro circa di diametro. Me la mostra tenendola alta, fra il pollice e l'indice.

« Graziosa, vero? Elegante, direi. È una pallottola dell'M16. Una, una sola, basta ad uccidere un uomo: senza bisogno di sparare a raffica. Perché lei viaggia a una velocità molto vicina alla velocità del suono, e mentre viaggia è sempre al limite dell'equilibrio, e quando arriva non si ferma dentro la carne come una brava pallottola, no, e neanche attraversa un braccio o una gamba, no, lei si gira e si torce e strappa e taglia e ti vuota in pochi minuti di tutto il tuo sangue. Lo sai perché fra i vietcong ci sono così pochi feriti? Perché i vietcong restano generalmente feriti dall'M16 e perciò non restano a lungo feriti: muoiono sempre. Tieni, portala via con te, a New York, per ricordo. E ammirandola pensa che fu studiata a lungo, non gli riusciva trovar la polvere giusta ma poi la trovarono: è la polvere Dupont, perché la Dupont non lascia residui dentro il fucile... »

Prendo la pallottolina e l'ammiro. È fatta proprio bene. Chi l'avrà inventata? L'ha inventata un uomo. E un giorno quest'uomo s'è messo lì con la sua pazienza, la sua scienza, la sua fantasia, la sua tecnologia, e ha calcolato forma peso polvere velocità traiettoria momento d'impatto, e dopo tali calcoli egli ha fatto un disegno, e ha scritto un progetto, e ha offerto il progetto a un industriale. E l'industriale lo ha esaminato con interesse, e ha chiamato i suoi tecnici, e gli ha detto di realizzare la pallottolina per prova, ma in gran segreto perché un altro industriale non gli rubasse l'idea. E loro l'hanno fatto. Poi tutti contenti hanno portato la pallottolina all'industriale che l'ha guardata come se fosse uno smeraldo, uno zaffiro, e ha detto: ora vediamo se funziona. E c'è stato l'esame e la pallottolina è stata sparata. Su chi? Su cosa? Su un cane, su un gatto, su un pezzo di lamiera? Certo non su un uomo. Io avrei scelto un uomo: l'inventore, ad esempio, o lo stesso industriale, o tutti e due. Invece sia l'inventore che l'industriale sono rimasti intatti, e l'industriale ha riunito intorno a un tavolo di mogano il suo consiglio di amministrazione, e ha mostrato la pallottolina, e ha proposto di brevettarla e produrre milioni miliardi di pallottoline per l'esercito che le avrebbe usate in Vietnam. E il consiglio di amministrazione ha approvato. Sicché guardala questa fabbrica piena di operai che costruiscono pallottoline, i bravi operai del proletariato difeso da Marx, protetto dai sindacati, i bravi operai che non hanno mai colpa, la colpa è degli industriali e basta, gli operai poverini non fanno che eseguire gli ordini, devono pur guadagnare, mantenere la famiglia, comprarsi l'automobile a rate, no? Hanno forse il tempo e il modo di porsi problemi morali, eh? E costruiscono pallottoline. Laboriosi, compunti, attenti a scartare le pallottoline che non riescono bene, se la pallottolina è imperfetta non strappa non taglia non vuota di tutto il suo sangue l'ometto giallo che se la becca a vent'anni. O l'ometto bianco, o l'omone nero. Perché queste pallottoline ce l'hanno anche gli altri, si fanno anche a Mosca, e a Pechino, dove non le ordina un industriale, le ordina lo Stato, che è proprio lo stesso, e anche gli operai sono proprio gli stessi, magari ancor più diligenti, ancor più obbedienti, e un giorno io voglio visitare una fabbrica di pallottoline: a Chicago o a Kiev o a Shangai. E voglio guardarli in faccia, tutti: operai, direttori, industriali. E infine voglio guardare in faccia l'inventore perché lui è il più bello, il più importante: suo padre inventò la ghigliottina e suo nonno inventò la garrotta. Suo padre era un bravuomo e suo nonno era un bravuomo e anche lui è un bravuomo, ne sono certa: è un buon cittadino e un marito fedele e un papà affettuoso. E se vive a Chicago o a New York o a Los Angeles è anche un cristiano molto devoto. E se è cattolico, la domenica mattina va a Messa e il venerdì mangia pesce. E se è iscritto alla Società Protettrice degli Animali scrive lettere per protestare contro la strage delle foche a Bergen e Halifax. « Egregio signor sindaco, con profondo orrore ho letto la strage che ogni stagione avviene nella sua città dove piccole foche inermi, foche neonate, vengono sottoposte all'atroce supplizio della scuoiatura quando sono ancora vive, sotto gli occhi inorriditi delle madri che vengono accecate e poi usate per giocare a palla... » E sua moglie dirà che non indosserà mai più una pelliccia di foca. Voglio conoscere anche lei. Perché voglio regalarle una collana fatta con le pallottoline inventate da suo marito, e chiederle di portarla con la pelliccia di foca: ci va bene insieme.

« Non pensarci più, calmati » dice François togliendomi la pallottolina di mano.

« Non credi che lui si ribelli alla strage delle foche? »

Sorride con amarezza.

« La settimana scorsa, ho conosciuto un cinese di Hong Kong. Tanto dolce, tanto gentile. Osservando la pallottolina dell'M16 quasi piangeva. E mi ha invitato a mangiare in un certo ristorante di Hong Kong. Noto per la sua specialità. Indovina che specialità. »

« Che specialità? »

« Il cervello di scimmia. E sai come? Crudo. Si prende la scimmia, mi raccontava, e la si lega. Poi la si porta al tavolo del cliente che incomincia a bucarla con un coltellino o a bruciarla qua e là con la sigaretta. Negli occhi ad esempio. La scimmia si arrabbia! Monkey very mad, very mad! Siccome si arrabbia, le va il sangue al cervello. Allora si prende la scimmia e zac! le si apre il cranio a metà. E si mangia il cervello pieno di sangue. Molto buono. Very good, very good. »

C'è un cielo grigio a Saigon. Il vento del Mar della Cina porta nuvole che vanno verso Dak To. Si avvicina la stagione dei monsoni, quella durante la quale si fa una strage maggiore di foche e di scimmie. « Scimmia molto arrabbiata! Cervello molto buono! » Pubblicando la fotografia di una foca dagli occhi di bimbo, il giornale illustrato mi spiega che la crudeltà verso gli animali e verso i propri simili ha le stesse radici. Poi mi informa che col sistema dello scuoiamento a vivo ogni anno vengono uccise 180.000 piccole foche e altrettante foche adulte. « Se la dissennata distruzione continua, entro il 1972, al massimo entro il 1975, non sopravviverà nemmeno una foca. » Giusto. Questo eccidio delle foche deve finire. E quello degli uomini? C'è chi dice che la guerra in Vietnam ha già fatto oltre mezzo milione di morti. C'è chi dice quasi 800.000.

« E se alla Società Protettrice degli Animali chiedessimo di proteggere anche un animale che si chiama uomo? » esclama Felix e François s'alza di scatto, esce dicendo che tornerà presto, va a dare un'occhiata a Cholon. Allora Felix mi spiega che da qualche giorno non fa che tornare a Cholon: lui che ha sempre temuto, che ha sempre odiato Cholon. E, se gli chiedi cosa ci va a fare, risponde: « Voglio vedere se il negozio di Bric Brac, il mio antiquario, c'è ancora ». Oppure: « Voglio vedere se ci sono molti cinesi fra gli arrestati ». Oppure: « Voglio vedere Luan ». Luan, che non ha niente a che fare con Loan, è il prefetto municipale della polizia e due settimane fa gli regalò un fucile cinese, un AK50. C'ero anch'io, e tra l'altro mi parve un brav'uomo quel Luan. Pacioccone, equilibrato. Ma il fucile glielo regalò senza caricatore. E quel pazzo di François, che non va neanche a caccia, che non uccide nemmeno gli scarafaggi, te lo dico io dove è andato, ripete Felix, è andato a tentar di procurarsi un caricatore di AK50. Ma io lo so che non è vero. Io lo so che a Cholon ci va per cercare qualcosa di diverso, quel gusto di rischiare la vita per sentirsi vivo, quel gioco sempre al limite della follia e della razionalità, quel mettersi-alla-prova che ti dà solo la guerra. Gli dispiace lasciare il Vietnam e vuole berlo fino all'ultimo sorso.

Ha ragione. Quando penso che domani parto, dispiace anche a me. Non è strano?

Sera. È tornato con gli occhi fuori. Per poco non ci ha rimesso la pelle. « Si sparavano tra Rangers vietnamiti e vietcong, e l'aviazione aveva fatto un bel po' di fumo. Ho visto quel morto con un mucchio di caricatori AK50 e ho pensato che dentro il fumo non mi vedessero. Invece mi hanno visto. Devono aver scorto i pantaloni chiari. E pin-pin-pin! Mi son buttato per terra, lungo il marciapiede: hanno smesso di tirare. Poi mi sono alzato, ho fatto una corsa, e pin-pin-pin! Un'altra volta. Allora mi son buttato ancora per terra e ho fatto il morto per venti minuti. Infatti eccomi qui. »

« Lo vedo, François. Ma che senso ha? »

« Il senso di prendere questi. » E ha posato sulla scrivania due caricatori AK50.

« E che te ne fai? »

« Io nulla. Non son neanche buoni, sono stati colpiti da una pallottola dell'M16. »

« Non sei andato per i caricatori: di' la verità, François. »

« Ovvio che no. »

« Ma non ne hai abbastanza della guerra, François? »

« Certo che ne ho abbastanza. Non parto, forse? Non ho forse chiuso la porta sul Vietnam? Qualche volta, però, qualche volta mi prende l'impulso di riaprirla e vedere ancora, capire... Mi dispiace lasciare il Vietnam. »

« Hai già il rimpianto, vero? »

« Sì. »

« Che genere di rimpianto, François? »

« Ecco... Diciamo che mi dispiace non seguire questa storia fino in fondo, abbandonarla a metà. Vorrei vederla tutta, come vidi tutta la tragedia di Dallas: fino al momento in cui Ruby sparò su Oswald. Ruby stava accanto a me quando balzò in avanti e sparò. E vorrei essere qui il giorno in cui Ruby sparerà su Oswald. »

« Anch'io. Ma allora perché te ne vai? »

« Perché neanch'io posso passare tutta la mia vita in Vietnam, e ci sono altre cose da vedere nel mondo. Perché sono stufo di uscir di casa, la mattina, pensando che forse non ritornerò. Perché ho un figlio e, se restasse anche solo ferito, non me lo perdonerei mai. Perché questa guerra durerà troppo a lungo. »

« Credo che ti mancherà molto il Vietnam, François. Paradossalmente, mancherà a tutti noi che partiamo. »

« Lo so. In fondo non me ne importa proprio nulla di andare in Brasile. Ogni volta che guarderò il mare del Brasile, lo so, penserò al mare del Vietnam. Ogni volta che mi scalderò al sole del Brasile penserò al sole del Vietnam. Ci ha dato troppo questo piccolo paese: ci ha dato la coscienza d'essere uomini. Ricordi cosa dice Pascal sulla guerra? »

Lo ricordavo. « Quando è questione di giudicare se si debba o non si debba fare la guerra, uccidere tanti uomini, mandare a morte tanti spagnoli, c'è un uomo solo che può giudicare: e ancora interessato. Quell'uomo è un terzo uomo indifferente. »

« Esatto. Ed io penso d'essere quel terzo uomo indifferente, sia pure interessato. E come tale ti dico che i nostri discorsi contro la guerra vanno benissimo, però non bisogna sputare troppo su una faccenda chiamata eroismo: difendere l'uomo non significa solo impedire il suo macello fisico. Significa aiutarlo ad essere un uomo e, per essere un uomo, a volte bisogna morire. »

« No, questo no! »

« Sì invece, sì! E questo piccolo popolo che si è battuto e si batte contro gli eserciti più forti del mondo, e da anni si lascia rovesciare addosso M16 e bombe da mille chili e napalm, senza cedere, questo piccolo popolo che sa d'essere il teatro di tutti i cinismi, di tutte le avidità presenti e future, e tuttavia non cede, questo piccolo popolo ti fa quasi accettare la guerra. Perché è il solo popolo al mondo che oggi si batte per la libertà. E quando quei meravigliosi imbecilli vanno scalzi contro i carri armati, e la notte non dormono per tornare all'attacco, e muoiono soli perché non c'è mai un fotografo che li immortali quando vanno a morire, li ritraggono sempre quando sono morti... Certo che mi mancherà il Vietnam: è l'arena di combattimento più eroica di tutti i tempi, il Vietnam, e non si può vivere senza eroismo. »

Non si può? Non sono d'accordo. O non più, François. Fui ammalata di eroismo per una lunga stagione della mia vita, fui colta da un nuovo attacco qui in Vietnam, ma ora ho giurato a me stessa di rifiutarlo. Perché se ammetti l'eroismo, devi ammetter la guerra. E io non devo non posso non voglio ammetter la guerra. E se mi dici che l'alternativa è la Svizzera io ti rispondo che non c'è nulla di male nel fabbricar buon formaggio, ottima cioccolata, e orologi che funzionano. Ecco i dannati bengala, calano nel cielo nero come macabre stelle filanti. Fra poco ci sarà un'esplosione, e poi un'altra, e poi un'altra ancora: i B52 faranno un buon lavoro stanotte. E all'alba, quando avranno finito loro, cominceranno i mortai dei vietcong. Dice che l'altra notte un razzo ha scelto l'ospedale dei bambini ed è esploso nel reparto neonati: tre morti e dodici feriti. Dice che tutto ciò è preludio a una serie di bombardamenti più forti che si abbatteranno sul centro della città: per colpire i civili e influire sui negoziati di Parigi. L'intera Saigon è in preda al panico, i ricchi stanno evacuando le famiglie verso la costa e a Saint Jacques. Questi ricchi che non muoiono mai, perché coi soldi a volte si sfugge perfino alla morte: ma sì François, non si viene al mondo solo per fabbricare formaggio, cioccolata, orologi. Si viene per vivere orgogliosamente il miracolo d'essere nati, e per ribellarsi ai privilegi, alle ingiustizie, alle schiavitù. E quei meravigliosi imbecilli che hanno ammazzato Ezcurra e Cantwell e Piggot e Laramy e Birch e tante creature che non avrebbero dovuto ammazzare... Sono davvero meravigliosi immensi imbecilli. Ed io parto così incerta, così confusa.

25 maggio. Sto volando verso l'Europa, raggiungerò New York dopo una tappa a Firenze. Ho salutato tutti come se non dovessi ritornare mai più e in certi casi è stato perfin commovente. Con l'ambasciatore Tornetta ad esempio. Diceva: « Ci rivedremo in qualche altra parte del mondo. Ma non sarà mai la medesima cosa ». E anche Felix lo diceva. Povero Felix. Lui a Saigon deve restarci ancora tre anni.

« Così te la vedrai tu la fine di questa guerra, Felix. »

E lui: « L'ho già vista un'altra volta, la fine: ero qui nel 1954. Io non fo che aspettare a vedere finali di guerre in Vietnam. Finisce e poi ricomincia, finisce e poi ricomincia. Se non fai in tempo a vederla finire, fai sempre in tempo a vederla ricominciare ». E s'è messo a canticchiare questa canzone:

> *Bonne Grand'Mère,*
> *Je crois qu'on va voir les Chinois.*
> *Mais j'espère qu'avant un mois*
> *Je m'en reviendrai parmi les nôtres...*

È una canzone brettone di cent'anni fa, la lettera alla nonna di un soldato francese in Indocina. « Mia buona nonna, credo che si vada a vedere i cinesi. Ma spero che prima d'un mese me ne tornerò fra i nostri... » Anche un secolo fa credevano di cavarsela in Vietnam con un mese, con una lettera alla nonna.

All'aeroporto mi ha accompagnato François. Ma salutare lui non è stato doloroso perché era come salutare qualcuno che partirà col treno successivo. E poi ero come avvilita dalla mia incertezza, dalla mia confusione, dai discorsi che avevamo fatto ierisera sui meravigliosi imbecilli, mi sentivo come distratta da quel pensiero ossessivo, non si può vivere senza eroismo, ma se ammetti l'eroismo devi ammetter la guerra, e continuavo a fissare le squadriglie di Phantom che si levavano dalla pista sudovest, per recarsi a fabbricare eroismo, e quando l'ultima squadriglia è partita l'ho seguita con gli occhi finché le nubi l'hanno inghiottita e ho bisbigliato la preghiera che composi quella sera sulla terrazza del Caravelle. « Padre Nostro che sei nei Cieli, dacci oggi il nostro massacro quotidiano... Liberaci oggi dalla pietà, dall'amore, dall'insegnamento che tuo Figlio ci ha dato... ».

« Che è? Traduci » ha detto François.

« Te la tradurrò un'altra volta, François. Se mi convinco che è giusta. »

« Ma di che parla? »

« Be', più o meno parla della mia mortificazione: del dubbio che protestare sia inutile. Credi che servirà a qualcosa questo lavoro che ho fatto? Tanto, qualsiasi cosa tu gli racconti, tu gli dimostri, loro seguitano ad ammazzarsi e ad ammazzarci: da una parte e dall'altra. Non serve a nulla, François, a nulla! »

« Démontrer la connerie humaine n'est jamais inutile. Si on croit à l'homme. Dimostrare la coglioneria umana non è mai inutile. Se si crede all'uomo. »

Così ha detto. E vorrei tanto che avesse ragione.

Capitolo undicesimo

E così, vedi, non avevo mai dimenticato la domanda di Elisabetta: « La vita cos'è? ». E per molti mesi avevo cercato una risposta migliore di quella che le avevo dato prima di andare in Vietnam: « La vita è il tempo che passa fra il momento in cui si nasce e il momento in cui si muore ». Ma non ero riuscita a trovarla: si può forse imporre la propria amarezza ad un bimbo? Ti dirò, in fondo al cuore la tentazione c'era. E pensavo basta con le fiabe sui coniglietti, sulle farfalle, sugli angeli custodi, basta coi soliti imbrogli, quando nasci ti presentano il mondo come un miracolo di dolcezza di grazia di bontà, poi cresci e t'accorgi che le farfalle son vermi, che i coniglietti si mangiano, che gli angeli custodi non esistono: e se la verità gliela confessassimo fin dall'inizio? Tutto mi spingeva a farlo in quest'estate che avanzava all'ombra della violenza, della brutalità, della prepotenza. Ricordi l'estate del 1968?

Rientrai a New York dodici ore dopo l'assassinio di Robert Kennedy. In aprile Martin Luther King, in giugno Robert Kennedy. Usciva dal sangue per ricadere sempre nel sangue e il volto ottuso di Shiran Shiran, i suoi occhietti bestiali, non mi aiutavano certo a incanalare i miei dubbi verso l'ottimismo. Non mi aiutava neanche la sedia elettrica con cui la società civile si apprestava a punirlo perché se Shiran Shiran si fosse tolto alla guerra la voglia di sparare, ammazzare, mirando un disgraziato qualsiasi, invece della sedia elettrica gli avrebbero consegnato una medaglia per servigi resi alla patria, pensavo. Del resto, se distoglievi lo sguardo dal sangue di Bob cos'altro trovavi? Le fotografie dei bambini che morivan di fame o di bombe nel Biafra, i combattimenti fra gli arabi e gli israeliani, i carri armati sovietici a Praga, i vandalismi degli studenti borghesi che osano invocar Che Guevara e poi vivono in case con l'aria condizionata e col cuoco, a scuola ci vanno con la fuoriserie di papà e al night club esibiscono camicie di trina. Vieni qua, Elisabetta, le fiabe te le racconto io. Lo vedi questo signore biondo che avanza stringendo le mani perché vuol diventar presidente e d'un tratto cade per non rialzarsi più? È la vita. Lo vedi questo bambino nero che ha la testa ridotta ad un teschio? È la vita. Lo vedi questo soldato scalzo che si trascina nel deserto mentre un aereo lo mitraglia? È la vita. Lo vedi questo corteo di autoblindo con la stella rossa? È la vita. Lo vedi questo cretino coi capelli lunghi che fa finta di fare le barricate senza sapere perché? È la vita. E intanto a Parigi i rappresentanti del cinismo al potere fingevano di cercare la pace in saloni colmi di lampadari preziosi tappeti soffici cornici dorate, e il generale Ky accompagnava la moglie in Faubourg St. Honoré, e la delegata dell'FLN si scioglieva la crocchia per esibire i capelli freschi di parrucchiere, e da Saigon mi arrivavano lettere sempre più tragiche.

« Da dieci giorni » scriveva François « Saigon vive un terrore nuovo: i razzi vietcong ora cadono in centro. Rue Tu Do, rue Le Loi, rue Gia Long, rue Pasteur. Un mortaio ha centrato il mio garage, un altro la cucina, un altro il giardino, tre la villetta accanto. Per un'alba intera ce li siamo sentiti fischiare ed esplodere addosso, mio figlio lo avevo nascosto sotto i materassi. Quando è sopraggiunto il silenzio e sono uscito, la strada era un carnaio e nella villetta accanto erano tutti morti. Anche la casa di Felix è stata colpita. Un mortaio è entrato dentro l'ingresso e le schegge hanno decapitato due donne. Mortai sono caduti sul palazzo delle Poste, proprio dentro la sala delle telescriventi dove portavi gli articoli, la statua della Madonna dinanzi alla cattedrale è mezza mutilata. E credo tu sappia, ormai, che il prefetto Luan, sai quello che mi regalò il fucile cinese, è rimasto ucciso da un razzo lanciato per sbaglio da un elicottero americano. Onestamente non vedo l'ora di andarmene a Rio de Janiero. » « Khe San è stata quasi completamente sgombrata e verrà smantellata » scriveva l'ambasciatore Tornetta. « In sostanza è già terra di nessuno: tutti vi passano e nessuno vi resta. Sorte analoga hanno avuto altri avamposti in zone non popolate, Dak To sta per fare la stessa fine: malgrado i morti che costò. Il generale Loan non ha perso la gamba e zoppicando ha ripreso a camminare: ma è ormai un uomo finito e la metamorfosi che lei riscontrò non lo ha reso felice. Passa il tempo giocando a carte, abbandonato dalla sua stessa gente: gli hanno tolto ogni incarico. Alla polizia nazionale lo sostituisce il colonnello dell'esercito Tran Van Hai: tipo schivo, taciturno, più duro di lui. E quanto a noi, cosa devo narrarle? Le bombe sono diventate routine... »

Guarda, se durante quell'estate tu mi avessi chiesto a cosa mi stava approdando l'anima, ti avrei risposto: al nulla del nulla. Il ritorno nella "pace" mi aveva talmente deluso che non credevo più a nulla: non mi salvavo nemmeno col dubbio. Credere negli esseri umani, battersi per loro, perché? Vantarsi d'essere nato fra loro anziché fra gli alberi o i pesci o le iene, perché? E non dirmi che il giudizio di un giornalista è distorto da avvenimenti eccezionali, non si basa mai sulla normalità quotidiana. Il destino del mondo dipende infatti dalla normalità quotidiana o dagli avvenimenti eccezionali di cui si occupa un giornalista? La storia la fanno i buoni che passano inosservati o i cattivi che si distinguono pei loro crimini legalizzati dalle bandiere? La fanno i bulldozer che costruiscon le strade o i carri armati che le distruggono? Io sostengo che la fanno i carri armati perché non ho mai saputo di un buono che cambiò la faccia della terra. La cambiò forse Cristo? La cambiò forse Budda? Sostieni di sì? Allora spiegami il Vietnam, il Biafra, il Medio Oriente, la Cecoslovacchia, Shiran Shiran, i contestatori borghesi. Spiegami, convincimi, e mi vanterò d'esser nata fra gli uomini anziché fra gli alberi o i pesci o le iene. Ma poi accadde qualcosa. Poi venne l'autunno coi Giochi Olimpici a Città del Messico, e capitai in quel massacro, un massacro peggiore di qualsiasi massacro che avessi visto alla guerra. Perché la guerra è una cosa dove gente armata spara a gente armata, la guerra se ci pensi bene ha un fondo di correttezza, tu mi ammazzi io ti ammazzo, in un massacro invece ti ammazzano e basta, ed oltre trecento, c'è chi dice cinquecento, ne massacrarono quella sera. Ragazzi, donne incinte, bambini: la strage di Erode, Erode che rinasce sempre per eliminare Gesù prima che diventi uomo. E dentro di me successe un tal terremoto che la mia anima si assestò. E trovai la buona risposta per Elisabetta. La trovai e la pagai: con le tre cicatrici che ora mi porto addosso. Replicherai: cosa sono tre cicatrici? Poco, d'accordo, pochissimo, ed annuisco se aggiungi che fanno parte del mio mestiere: quando vai dove sparano, il minimo che possa capitarti è d'essere prima o poi sparato. Però vedi, se io non ce le avessi, queste tre cicatrici, mi sentirei infinitamente più povera. Perché mi domanderei ancora a cosa serve nascere a cosa serve morire, e la morte di tutti gli uomini che ho visto morire per mano degli uomini mi sembrerebbe inutile, e me ne starei come una lucertola al sole, indifferente immobile intenta solo a sbadigliare sulla mia letargia. Me ne stavo così prima di assistere alla strage di Erode, prima del mio terremoto. Sicché fammi raccontare che accadde, quel mercoledì 2 ottobre 1968, e la risposta che ne ricavai.

C'era questa piazza·che chiamano Piazza delle Tre Culture perché riunisce simbolicamente le tre culture del Messico, la azteca con le rovine di una piramide azteca, la spagnola con una chiesa del Cinquecento, la moderna con i grattacieli moderni. Una immensa piazza, lo sai, con molte vie d'accesso e molte vie di fuga: non a caso gli studenti la sceglievano pei comizi contro Erode. Gli studenti, gli operai, i maestri di scuola, insomma chiunque avesse il coraggio di protestare contro Erode che al Messico si chiama Partito Rivoluzionario Istituzionale e dice d'esser socialista ma non si capisce che genere di socialismo dal momento che i poveri al Messico sono fra i poveri più poveri del mondo, nelle campagne guadagnano ottocento lire la settimana, e se rumoreggiano la polizia li zittisce a colpi di mitra. Gli studenti protestavano anche per quello. E poi perché non volevano che i soldati occupassero le loro università bivaccando nelle loro aule, rompendo i loro strumenti. E poi perché non volevano le Olimpiadi al Messico. Dicevano: costano miliardi le dannate Olimpiadi, ed è vergognoso spendere i miliardi nelle Olimpiadi quando il popolo muore di fame. Gli studenti al Messico, sai, non sono come gli studenti italiani francesi inglesi americani. Non hanno la fuoriserie, non hanno le camicie di trina, specialmente al Politecnico sono figli di contadini, di operai, e magari sono operai a loro volta. Ma torniamo alla piazza. Che era fatta a rettangolo. E da una parte questo rettangolo era limitato da un cavalcavia, dall'altra si concludeva in una scalinata i cui gradini scendevano verso un grande edificio chiamato Chihuahua. Il Chihuahua quindi dominava tutto e da esso vedevi la chiesa spagnola con le rovine azteche a sinistra, i grattacieli a destra, il cavalcavia in fondo, e la scalinata sotto. Ogni piano del Chihuahua aveva un balcone lungo dieci metri e largo cinque, con una balaustra alta circa un metro e un'apertura alta circa tre: le misure sono indispensabili per capire come ci spararono dall'elicottero. Ai balconi si accedeva per le scale a destra e per le scale a sinistra, oppure dagli ascensori le cui porte si aprivano sulla parete lunga; le porte degli appartamenti invece si aprivano sulle due pareti brevi, mi spiego? Erano balconi molto comodi, ampi, contenevano anche cinquanta persone, e per arringare la folla eran perfetti.

I capi degli studenti sceglievano sempre quello del terzo piano. Col permesso degli inquilini piazzavano sulla balaustra i microfoni, le bandiere, e tenevano i discorsi di lì. Io l'avevo già visto al comizio di quattro giorni avanti, quello per commemorare i morti di luglio e di fine settembre, un comizio che m'aveva preso alla gola, sai: pioveva, era buio, e i ragazzi stavano immobili nella pioggia, nel buio, poi la pioggia era finita e qualcuno aveva acceso un fiammifero, e un altro, e un altro ancora, e un accendino, e un altro, e un altro ancora, finché la piazza era diventata un palpitar di fiammelle, fiammelle e fiammelle dalla scalinata fino al cavalcavia, e poi chissà chi aveva avuto l'idea di arrotolare un giornale e farne una fiaccola, e allora tutti s'eran messi ad arrotolare giornali e farne fiaccole, e il comizio s'era sciolto in una gran fiaccolata, in una fila lunga di luce che si allontanava in un coro: « Goya, Goya, cachu cachu rara! Cachu rara, Goya, Goya, universidad! ». E in un altro coro: « Gueu, gueu, gloria a la cachi cachi porra! Gueu pin porra! Politecnico, Politecnico, gloria! ». E io gli avevo chiesto ma cosa vuol dire, e loro mi avevan risposto: non vuol dire niente, sono le nostre canzoni, sono canzoni da bambini. Perché in fondo quegli studenti, quei terribili studenti che mettevano in pericolo le Olimpiadi e il prestigio del governo messicano, eran bambini. A me infatti eran piaciuti perché eran bambini con l'entusiasmo dei bambini e la purezza dei bambini e la superficialità dei bambini, e ci avevo fatto amicizia. Il mio primo amico era stato Mosé che era un ferroviere iscritto al Politecnico, piccino, timido, brutto, con una camicia sfilacciata e una giacca tutta rammendi. Lo incantava il particolare che fossi stata in Vietnam e mi diceva: « Miss Oriana, vietcong very brave, eh? Molto coraggiosi, eh? Very brave ». Il mio secondo amico era stato Angelo che era uno studente di matematica e fisica, invaghito dei Beatles e di Mao Tze Tung, con un visuccio triste da Savonarola. E poi Maribilla che era una ragazza di diciott'anni, abbastanza graziosa se non fosse stato per il labbro leporino che le sciupava la faccia, due occhietti dolci ed allegri, una gran voglia di vivere. E poi Socrate che era un giovanottone coi baffi, i lineamenti di Emiliano Zapata, l'ardore del rivoluzionario disposto a ogni sacrificio. E infine Guevara che era un laureando in filosofia, silenzioso e duro. E avevo pensato a ciascuno di loro quando quel mercoledì mattina ero stata ad intervistare il generale Queto, capo della polizia, e costui m'aveva detto che noi giornalisti si esagera sempre, « no pasa nada, querida, nada, tutte menzogne, nessuno spara sugli studenti, che tengano pure il loro comizio, gli ho dato il permesso ». Capisci, gli aveva dato il permesso e ripeteva no pasa nada, non succede nulla, e i suoi ordini eran già stati impartiti: sparare.

Il comizio era fissato per le cinque del pomeriggio. Giunsi alle cinque meno un quarto e la piazza era già piena a metà, diciamo quattromila persone, ma neanche l'ombra di un poliziotto, di un granadero. Salii sul balcone e qui trovai Socrate insieme a Guevara, Maribilla e Mosé, poi altri cinque o sei ragazzi che non conoscevo. Uno studente del Conservatorio, che parlava italiano, uno coi capelli molto ricciuti e neri, uno con un pullover candido che mi fermai a guardare, ricordo, perché era così candido. Chiesi loro come si mettevan le cose e risposero bene: data l'assenza della polizia, potevan marciare su Casco Santo Thomas dove c'era una scuola occupata dai granaderos. E nello stesso momento ecco arrivare Angelo: ansimante, pallido. « Non riuscivo a passare. L'esercito è intorno per due o tre chilometri. Su carri armati, camion. Ho visto mitraglie pesanti, bazooka. Marciare su Casco Santo Thomas sarebbe un suicidio » disse.

« Si dirigono verso la piazza? » chiese Guevara.

« Mi pare di sì. »

« Allora bisogna impedire che si riempia la piazza » disse Maribilla.

« Che vuoi impedire ormai? » disse Guevara. E puntò l'indice verso la folla che ingrossava.

Guarda, ormai ci saranno state ottomila, novemila persone. In massima parte studenti, però anche molti bambini, i bambini si divertono a mischiarsi ai comizi, e molte donne dell'Associazione Madri Studenti Caduti, e un gruppo di ferrovieri e un gruppo di elettricisti giunti in segno di solidarietà: coi cartelli. « Nos ferrocarrilleros apoyamos al movimiento estudiantil. » « Las aulas non son cuartelas. » « Gobierno dos crimenes y dictatura. » S'eran messi quasi ai bordi della scalinata, dignitosi, composti, e Mosé li fissava con angoscia perché era stato lui a chiedergli di venire.

« Mi amigos, Miss Oriana, mi amigos! »

« Qui bisogna far qualcosa, ragazzi, avvertire. »

« Chi parla alla folla? »

« Socrate. Parla Socrate. »

« Va bene » disse Socrate. E si affacciò al balcone, prese il microfono. Cominciava a far buio.

« Digli di restare calmi, Socrate. »

« Va bene. »

« Ma annuncia lo sciopero della fame. »

« Va bene. »

Gli tremava la bocca, a Socrate, me ne ricordo benissimo, e con la bocca gli tremavano i baffi.

« Compagni... L'esercito ci ha circondato. Migliaia di soldati armati. Restate calmi. Dimostrategli che la nostra vuol essere una manifestazione pacifica. Restate calmi. Compagni... non andremo al Casco Santo Thomas. Quando questo comizio sarà concluso, disperdetevi con calma e tornate alle vostre case... »

« Lo sciopero della fame, Socrate! »

« Oggi vogliamo solo annunciarvi che abbiamo deciso di fare uno sciopero della fame, in segno di protesta contro le Olimpiadi. Questo sciopero avrà inizio lunedì, dinanzi alla piscina olimpica e... »

E nello stesso momento l'elicottero apparve. Era un elicottero verde dell'esercito, identico a quelli che prendevo sempre in Vietnam. Aveva gli sportelli aperti e le mitraglie puntate, le mitraglie identiche a quelle del Vietnam. Scendeva in cerchi concentrici, sempre più bassi, sempre più familiari, come in Vietnam, e scoppiettava un rumore sempre più forte, sempre più familiare, come in Vietnam. Non mi piace, pensai, non mi piace. E mentre pensavo così, lanciò i due bengala. Ed eran gli stessi bengala che avevo visto per mesi in Vietnam, le macabre stelle filanti che scendono lente lasciandosi dietro una striscia nera di fumo. E una stella scese verso di noi, l'altra scese verso la chiesa.

« Attenti! » esclamai. « È un segnale! »

Ma i ragazzi scrollaron le spalle.

« No! Macché segnale! »

« I bengala si buttano per localizzare un punto su cui dirigere il fuoco! » insistei.

« Tu ves las cosas como en Vietnam. Tu vedi le cose come in Vietnam! »

« Parla, Socrate, parla. »

« Compagni! Noi ci riuniremo dinanzi alla piscina olimpica e... »

Ma neanche questa volta finì la frase. Perché la sua voce venne sopraffatta dal rumore dei carri armati e dei camion che avanzavano sul cavalcavia, sulle strade a destra, sulle strade a sinistra, ovunque ci fosse una strada, e dai camion i soldati saltavano gridando, coi fucili puntati, dalle autoblindo le mitraglie si piegavano in posizione di sparo, e bisognava esser ciechi per non capire che attendevano un ordine, un ordine e basta, infatti lo capirono tutti, si misero tutti a scappare sebbene non ci fosse un posto dove scappare, la piazza era ormai una trappola, una gabbia chiusa. E impallidendo Socrate strinse forte il microfono.

« Compagni, non scappate, compagni! È una provocazione, compagni, calma! Calma! Calma! »

E il primo colpo partì. Ed era l'ordine atteso perché i colpi dopo partirono contemporaneamente, laggiù dal cavalcavia, e dalla chiesa, dai grattacieli, di sotto la scalinata, un cerchio di fuoco fitto, incessante, organizzato, un'imboscata. E i corpi presero a cadere, paf, paf, paf, e il primo che vidi cadere fu il corpo di un operaio, correva tenendo alto il cartello su cui era scritto « Gobierno dos crimenes y dictatura » e non lasciava andare il cartello, ma poi lo lasciò andare, e fece un lungo balzo in avanti, quasi una capriola, sai la capriola che fanno le lepri quando sono colpite, e restò fermo. E il secondo corpo che vidi cadere fu il corpo di una donna vestita di giallo, ma anche lei non cadde subito, prima spalancò le braccia a croce e poi cadde, piombò a faccia avanti, con quelle braccia a croce, rigida, come un albero che si abbatte. Ma cadevano dappertutto, sai, e tanti cadevano lungo la scalinata, specialmente le donne che cercavano scampo verso la scalinata, insieme, spingendosi, ma non arrivavano mai in fondo alla scalinata, sai, e questo l'ho detto nel racconto che feci per il giornale, sembrava di vedere una scena di quel film russo, sai, la *Corazzata Potiomkin*, quando la folla scappa lungo la scalinata e via via che scappa è colpita, sicché i corpi rotolano giù per la scalinata, a testa in giù, e restano con la testa ciondoloni e le gambe in alto, c'era una vecchia con le calze nere che rimase esattamente così, e le calze nere si vedevano fino alle mutande, grottesca: e nel mio racconto dissi questo ma non dissi altre cose, lo sai che ero in ospedale, le ferite mi dolevano in modo acuto, mi avevano appena operato e la mia testa era confusa, e non dissi ad esempio di quel bambino. Avrà avuto dodici anni e correva coprendosi il viso quando una raffica lo raggiunse alla testa, e la testa si scoperchiò schizzando una fontana di sangue. Non dissi dell'altro bambino che stava acquattato per terra ma quando vide questo si alzò, e si buttò addosso al primo bambino e gridò: « Uberto! Che ti hanno fatto, Ubertooo! ». E gli spararono alla schiena e lo tagliarono in due.

Pietrificata al balcone, io guardavo senza nascondermi. In Vietnam avrei cercato rifugio da chissà quanto tempo, qui invece non pensavo neanche ad abbassare la testa. Me lo impediva qualcosa che in Vietnam non avevo mai provato: lo sbalordimento, l'incredulità. E solo a quelle grida mi scossi. Venivano giù dalle scale: « Hijo de chingada! Figlio di puttana! Donde vas, hijo de chingada! Arriba, arriba! Dove vai? Su, sali, su! ». E mi girai. E così facendo mi accorsi che intorno a me non c'era più nessuno dei miei amici, non c'era più Socrate, non c'era più Angelo, né Mosé, né Guevara, né Maribilla, proprio nessuno. E pensavo che strano, se ne sono andati di nascosto e non mi hanno detto nulla, si sono messi in salvo e mi hanno lasciato qui, forse dovrei andarmene anch'io ma dove, con l'ascensore non fo in tempo, per le scale è peggio, se mi vedono correre mi sparano prima, forse è meglio che non mi muova, pensavo così allorché una ventina di uomini irruppero, con le rivoltelle puntate, spingendo Mosé e il tipo del Conservatorio e il ragazzo col maglione candido e quello coi riccioli neri e due giornalisti tedeschi e un fotografo messicano dell'Associated Press, e un fatto mi colpì: che questi uomini con le rivoltelle avessero, tutti, la camicia bianca e la mano sinistra dentro un guanto bianco o fasciata con un fazzoletto bianco. In seguito avrei saputo che era il segno di riconoscimento del Battaglione Olimpia, il più duro della polizia, e che quel giorno il Battaglione Olimpia s'era travestito in borghese per ammazzare meglio e che la prima ad essere ammazzata da loro, era stata Maribilla: mentre scappava. Le scaricarono addosso tre colpi. E lei cadde esclamando « Porque? Perché? » ed essi le spararono ancora una volta, nel cuore, e lei non parlò più.

« Comunista! Agitadora! »

L'urlo mi aggredì in piena faccia ma non compresi subito che era rivolto a me. Lo compresi quando vidi la rivoltella puntata contro di me, e la mano dal guanto bianco mi afferrò pei capelli, e mi gettò con forza nel muro dove battei la testa e rimasi per qualche secondo stordita. Contro il muro c'era anche Mosé, e il tipo del Conservatorio, e il ragazzo col maglione candido, e quello coi riccioli neri, e gli altri. Dalla piazza saliva il rumore di raffiche sorde ma fitte, sempre più fitte, dal cielo scendeva lo scoppiettar dell'elicottero che tornava ad abbassarsi, da ovunque giungevano urli imprecazioni lamenti. Un colpo entrò dal balcone e andò a conficcarsi nella porta dell'ascensore, pochi centimetri sopra la testa di Mosé.

« Miss Oriana! » tremò la voce di Mosé.

Un secondo colpo arrivò, e un terzo. Veniva dai soldati laggiù o dai poliziotti che stavano dietro di noi? Gli voltavamo le spalle, non potevamo vedere.

« Chi ci spara, Mosé? »

« I poliziotti, Miss Oriana. »

« Detenidos, silencio! »

« Se almeno ci facessero stender per terra, Mosé. »

Uno scoppio fragoroso fece tremare il Chihuahua. Una granata, un bazooka?

« Detenidos a terra! »

Ci lasciammo scivolare per terra, col viso sul pavimento.

« Mani alzate, mani alzate! »

Alzammo le braccia, dai gomiti in su. Distesi sotto il muricciolo della balaustra, nell'unico punto al riparo, gli uomini dal guanto bianco ci puntavano le rivoltelle: col dito sul grilletto. Ne avevamo uno per ciascuno e la canna della rivoltella diretta verso di me distava meno d'un metro dalla mia tempia, e fra tutte le cose che avevo visto questa era la più paradossale, la più assurda, la più bestiale. E la guerra in paragone diventava un nobile gioco, ripeto, perché alla guerra ti butti in un bunker, ti nascondi dietro qualcosa, e mentre fai questo non c'è un poliziotto che te lo impedisce puntandoti la rivoltella alla tempia. Alla guerra in fondo c'è scampo, qui non c'era scampo. Il muro contro cui ci avevano messo era proprio un muro di esecuzione, se ti muovevi ti ammazzavano i poliziotti, se non ti muovevi ti ammazzavano i soldati, e per molte notti io avrei sognato quell'incubo, l'incubo di uno scorpione circondato dal fuoco: e lo scorpione non può neanche tentare di buttarsi dentro il fuoco perché sennò lo trafiggono.

« Miss Oriana, ci scusi, Miss Oriana... »

La voce di Mosé veniva in un sussurro impercettibile, di sotto un giaccone di pelle che gli copriva la testa.

« Cosa devo scusare, Mosé? »

« Lei non dovrebbe esser qui fra noi, Miss Oriana. Dovrebbe essere dall'altra parte, come quei due giornalisti. »

I due tedeschi infatti giacevano coi poliziotti, sotto il muricciolo. E anche il fotografo dell'Associated Press giaceva coi poliziotti. Gli uomini dal guanto bianco li avevano trovati per le scale e condotti su, ma non li avevano arrestati perché non potevano esser scambiati, loro tre, per studenti. Io a quanto pare sì, invece, ed è questo che era successo: mi avevano scambiato per Maribilla. Lo seppi dopo.

« Pazienza, Mosé. »

« Dovrebbe dirglielo, che è una giornalista, Miss Oriana. Forse la farebbero spostare sotto il muricciolo. »

« È troppo tardi, Mosé. Non mi crederebbero più. »

« Detenidos, silencio! »

E allora esplose l'inferno. Esplose di nuovo Dak To e Hué e Danang e Saigon e tutti i posti dove l'uomo dimostrò d'essere soltanto una bestia non un uomo, a qualsiasi razza o civiltà o cosiddetta civiltà egli appartenesse, a qualsiasi classe sociale, perché ascoltami bene, è la stessa storia degli operai che fabbricano la M16, la pallottolina, laboriosi, compunti, attenti a scartare le pallottoline che non vengon perfette: vogliamo smetterla una buona volta di assolvere i figli del popolo e basta? Coloro che la sera del 2 ottobre 1968 trucidarono i figli del popolo non erano forse figli del popolo? Eseguivano gli ordini, dice. Come gli operai della pallottolina. Anche Eichman eseguiva gli ordini. Col loro stesso scrupolo, la loro stessa ferocia. E né lui né quei figli del popolo dimenticarono mai di mirare dritto, di sparare in aria ad esempio. Un primo obice colpì in pieno l'appartamento sopra di noi. Un secondo obice colpì il piano di sotto, una raffica di mitraglia pesante tagliò molte finestre, e ora anche l'elicottero s'era messo a sparare con la mitraglia. Le pallottole si conficcavano tutte nel muro dell'ascensore, però sempre più verso il pavimento, e mi ci volle qualche secondo per capire che l'obiettivo eravamo proprio noi del terzo piano, che dirigendo i colpi dentro l'apertura del balcone miravano proprio a noi che credevano i capi degli studenti. Lo compresero anche i poliziotti. E malgrado essi fossero in una posizione di gran privilegio perché i colpi venivano diagonalmente al muricciolo sotto cui eran nascosti, li assalì un terrore isterico e si misero a gridare, a gridare...

« No tiren! No tiren! »

« Battaglione Olimpia! Aqui Battaglione Olimpia! »

« La capeza, la capeza! »

« Abajo, abajo! »

« Ajudo! Battaglione Olimpiaaaaa! »

Gridavano, gridavano, puntando le rivoltelle verso il cielo e non più verso di noi, ma i colpi cadevan lo stesso, incessanti, fitti, una raffica passò dritta fra me e il poliziotto lasciandomi sotto gli occhi una striscia di fiorellini d'acciaio, e d'un tratto udii: « Ooooh! ». Come un rantolo. E girai lo sguardo e vidi il ragazzo col pullover candido che non era più candido, era tutto rosso davanti, e il ragazzo faceva il gesto di sollevarsi ma dalla bocca gli usciva una ventata di sangue, e si abbatté con la faccia nel sangue. E poi toccò a quello coi riccioli neri. La pallottola lo prese direttamente nel cuore perché s'era mosso appoggiandosi sul gomito destro, e disse: « Ma... » poi andò subito giù. Poi toccò a una donna distesa là in fondo. Credo che fosse una donna dell'appartamento 306, era uscita di casa per veder cosa accadesse e i poliziotti non le avevan permesso di rientrare. Fu colpita ai polmoni. Poi toccò a Mosé che fu preso al collo e alle mani ma restò solo ferito. E poi toccò a me che attendevo in fondo al pozzo della mia verità, quel pozzo sempre sfiorato e mai toccato con tutte e due le mani, sempre intravisto e sempre perduto. Durò quasi mezz'ora l'attesa.

Quella lunga attesa nella certezza che non ce la farai, che stai vivendo gli ultimi attimi della tua vita. Dopo mi chiesero: cosa provavi, puoi dirlo? Sì, posso dirlo. Provavo una gran rassegnazione. Ma non una rassegnazione immobile: una rassegnazione fatta di pensieri da cui nascevano altri pensieri, come in un gioco di specchi, all'infinito, sicché a forza di guardar négli specchi ritrovai ciò che avevo perduto. L'amore per gli uomini. È assurdo, lo so, ritrovarlo proprio nel momento in cui gli uomini non sono più uomini ed accetti l'idea di finire. Ma questo è ciò che accadde, e puoi riderci quanto ti pare, scuoter la testa quanto ti pare, accadde veramente così, me ne ricordo benissimo, e lo ritrovai questo amore dimenticato respinto, lo ritrovai proprio giù in fondo al pozzo, mentre pensavo dunque morire ammazzati è così, non è giusto ed è illogico, morire di vecchiaia è giusto, morire di malattia è logico, morire così no, ma cosa posso farci, nulla, vorrei solo che mia madre non ne soffrisse troppo, con quel male al cuore morirebbe a sua volta, speriamo che lo sappia bene, in modo non brutale, speriamo che dica era destino, se la cavò alla guerra per trovarsi sopra quel balcone. La guerra. Mi hai dato la definizione della guerra, François, un gioco per divertire i generali, e anche la sua formula, piantare pezzetti di ferro nella carne dell'uomo, ma questa non è guerra e ti piantano addosso i pezzetti di ferro, riecco l'elicottero, come scoppietta abbassandosi, i vietcong dovevan sentirsi così quel giorno a Dak To, quando ci abbassammo su loro e perdevamo i limoni, e quel giorno con l'A37, gli uomini sono pazzi. Se bevi un brodo con la forchetta dicono subito che sei pazzo e ti portano al manicomio, se massacri migliaia di persone così non dicono nulla e non ti portano in nessun manicomio, qui bisognerebbe fare qualcosa, impedirlo, chissà quante creature son già morte là sotto, ma allora hanno ragione i vietcong, è necessario battersi, anche a costo di commettere errori, di sacrificare innocenti come Ignacio Ezcurra e Birch e Piggott e Laramy e Cantwell e gli altri, è il prezzo del sogno, ecco, ha sparato, stavolta però ci ha mancato, chi ha ammazzato al posto nostro, povere creature, ma come facevo a non amare gli uomini, questi uomini sempre maltrattati, sempre insultati, sempre crocifissi, ma come facevo a dire che è tutto inutile e a cosa serve nascere a cosa serve morire? Serve ad essere uomini anziché alberi o pesci, serve a cercare il giusto perché il giusto esiste, se non esiste bisogna farlo esistere, e allora l'importante non è morire, è morire dalla parte giusta, e io muoio dalla parte giusta, perdio, accanto a Mosé che è sempre stato povero e maltrattato e insultato e crocifisso, non accanto a un poliziotto col guanto bianco, un vietcong deve pensare così quando l'elicottero torna e si abbassa, guardalo torna, si abbassa, e se pregassi Dio? Macché Dio, Dio l'abbiamo inventato, Dio no che non esiste, se esistesse e si occupasse di noi non permetterebbe tali macelli, non lascerebbe ammazzare il ragazzo col pullover candido, il ragazzo coi riccioli neri, la donna dell'appartamento 306, il bambino che invocava Uberto ed Uberto, sicché non a Dio bisogna rivolgersi ma agli uomini, e bisogna difenderli, e bisogna combattere per loro perché loro non sono inventati ed avevi ragione tu, François, è come dicesti tu, François: per essere un uomo a volte bisogna morire.

Poi, d'un tratto, ebbi la netta impressione che il punto in cui mi trovavo fosse un punto sbagliato, per via della testa. E strisciando come un verme, facendo forza sui muscoli dei fianchi, mi mossi in avanti. E il poliziotto mi vide e berciò « Detenidos no se moven! », e di nuovo mi puntò la rivoltella in direzione della tempia ma non me ne importò, ormai sapevo che non la sua rivoltella dovevo temere ma l'elicottero che passava basso con la sua mitraglia, mirando dentro l'apertura del balcone, e chiusi gli occhi per non vedere, mi tappai gli orecchi per non udire, ma vidi e udii, quella raffica lunga, lunga, e subito sentii un gran male, sentii tre coltelli di fuoco che mi entravano addosso, tagliando, bruciando, un coltello dentro la schiena e due nella gamba. Cercai il coltello nella schiena, non lo trovai: c'era solo un gran gonfio. Lo cercai nella gamba e non lo trovai: c'era solo un gran sangue. E allora rammentai che alla guerra si dice: una buona ferita è una grossa fortuna perché è difficile venir colpiti due volte. E mi avvolse un sollievo pazzo: ora, pensai, non mi ammazzano più. Ma poi rammentai che alla guerra si dice anche: puoi morire di una ferita e basta perché resti dissanguato. E cominciai a dire « sono ferita, aiutatemi per cortesia, perdo sangue ». Ma il poliziotto con la rivoltella ripeté: « Detenidos, silencio! » e puntò meglio la rivoltella e mi chetai. E restai lì coi miei tre coltelli, il dolore che andava e veniva ad ondate, insieme a un gran sonno, a momenti mi sembrava di dormire in un letto dove mi svegliavo per uno scoppio improvviso ma subito mi addormentavo di nuovo, e nel sonno c'era la voce di Mosé che piangeva: « Miss Oriana, oh! Miss Oriana! ». E un'altra voce che diceva: « Por favor! Esta mujer es grave, se muere! ». Chi era la donna che moriva? Perché moriva? E perché Mosé piangeva, per chi? Per se stesso o per me? Se mi portavano via, agguantavo Mosé e lo portavo via con me. Dovevo salvare Mosé...

Più tardi mi dissero che ero rimasta più di un'ora e mezzo lì a perdere sangue. Non so. Io ricordo solo il fotografo dell'Associated Press che scattava fotografie di nascosto, disteso per terra fra i poliziotti, e poi ricordo una mano che mi agguantava i capelli e mi trascinava via mentre cercavo di prender Mosé, ma Mosé non capiva e allora afferravo il tipo del Conservatorio, e portavo via lui al posto di Mosé. E poi ricordo le scale dove c'erano tanti soldati e un soldato che mi sfila l'orologio dal polso, lo ruba, ridendo. E poi una camera piena di poliziotti col guanto bianco, e poi una barella distesa per terra, e poi un getto di acqua sporca che cadeva giù dal soffitto e mi rimbalzava sopra lo stomaco insieme a tracce di escrementi, puzzo di urina, perché era acqua che veniva dalle tubature rotte dei gabinetti, e qualcuno gridava ai soldati « Spostatela di lì, por Dios! » ma i soldati ridevano e mi lasciavano lì perché mi avevano messo lì apposta, per divertirsi. E accanto a me c'era un vecchio morto, sotto l'ascella sinistra questo vecchio stringeva un pacchettino che sembrava un pacchettino di dolci. E i morti erano ovunque, nelle posizioni più assurde, e lungo il muro c'erano gli studenti arrestati, e uno si tolse il golf e me lo gettò sul viso bagnato e gridò « Por tu cara! Proteggiti la faccia! ». E un altro studente gridò: « Fuerza, Oriana! ». E tutto questo con le raffiche che continuavano, le esplosioni che si facevano più violente, perché fino a mezzanotte andò avanti la strage di Erode. Durò più di cinque ore, capisci?

Quando mi caricarono sull'ambulanza eran circa le nove di sera: incominciavano allora a bombardar coi bazooka il Chihuahua. E tre granate caddero anche sul balcone del terzo piano, morì anche un poliziotto. In piazza invece ne massacrarono tanti ma tanti con le baionette: un bambino lo sgozzarono, e a una donna incinta aprirono il ventre. E detto così sembra incredibile ma se guardi le fotografie non è più incredibile, e se tu fossi stato con me all'ospedale ti saresti convinto. Quanti erano. E com'eran straziati. A una ragazza era rimasta metà faccia, e da questa metà le ciondolavan le labbra, un medico ci appoggiava pacchi di garza che subito diventavano sangue e diceva: « Che fo? La lascio morire? Io la lascio morire ». Alcuni medici avevano le lacrime agli occhi. Uno mi passò accanto e mi sussurrò: « Scriva tutto ciò che ha visto, lo scriva! ». Poi arrivò un funzionario del governo e voleva sapere se ero cattolica. Siccome gli risposi « merda! » puntò il dito accusatore ed urlò: « No es catolica! No es catolica! ». Ma queste cose lo ho raccontate, più o meno. Ciò che non ho raccontato è che il tipo del Conservatorio lo misi in salvo fino all'ospedale e lui, per ringraziarmi, mi denunciò come "comunista y agitadora", sicché i giornali scrissero che ero stata smascherata: sul balcone del terzo piano c'ero per sobillar gli studenti eccetera. Perché gli uomini sono fatti così. E gli italiani di Città del Messico, quasi tutti fascisti scappati col loro fascismo, dissero la stessa cosa ed aggiunsero che non ero stata ferita, nel mio vestito non c'erano buchi. Perché gli uomini sono fatti così. E insieme ai fiori, ai telegrammi di auguri, alle lettere buone, giunsero lettere che mi auguravano di restar paralizzata su una sedia a rotelle. Perché gli uomini sono fatti così. E le Olimpiadi naturalmente si fecero e neanche una delegazione si ritirò e la delegazione sovietica fu la prima a rendere omaggio al governo. Perché gli uomini sono fatti così. E Socrate che era stato arrestato insieme a Guevara e a duemila altri parlò. E denunciò i suoi compagni, i suoi amici. Perché gli uomini sono fatti così. E se a questo punto mi chiedi come è possibile che voglia amarli, allora, io ti rispondo perché gli altri non parlarono. E si lasciarono torturare per giorni, scariche elettriche negli orecchi e nei genitali come in Vietnam, finte fucilazioni, si lasciarono magari ammazzare ma non tradirono. Perché gli uomini sono fatti anche così. E quelli scampati si riorganizzarono e ripresero a parlare di libertà malgrado la polizia li braccasse e ognitanto ne acchiappasse qualcuno e lo uccidesse, come accadde a quel certo Raphael, terz'anno di filosofia, che fu trovato su un marciapiede, assassinato a colpi di baionetta, coperto di cicche che gli avevano spento addosso quando si rifiutava di denunciare i compagni. Perché gli uomini sono fatti anche così. E per quanto io sia arrabbiata con gli uomini, per quanto io li disprezzi a volte, per quanto non dimentichi mai che anche quella sera le bestie in uniforme erano uomini, io penso ciò che mi disse Nguyen Van Sam: « Sono innocenti perché sono uomini ». E gli uomini allora per me sono Mosé.

Scampato per miracolo all'eccidio finale sulla terrazza, Mosé era stato preso e condotto in una prigione militare dove gli avevano rubato i soldi, i documenti, le scarpe, e lo avevan picchiato per nove giorni. Al nono giorno, senza soldi, senza documenti, senza scarpe, lo avevano mandato via e per tre ore aveva camminato verso la città. Gli sanguinavano i piedi, aveva la febbre, la ferita al collo era andata in suppurazione e non poteva muover la testa. Piangeva, piangendo fermava le automobili perché gli dessero un passaggio, e le automobili non si fermavano o chi le guidava rispondeva no. E in quelle condizioni venne a cercarmi e mi trovò. Io giacevo nel letto stordita dal male, dalle medicine, e sognavo che qualcuno mi accarezzava una mano, dolcemente, così, e aprii gli occhi e qualcuno mi accarezzava davvero la mano: Mosé. Tutto strappato, tumefatto, sporco. Col suo visuccio di povero nato per soffrire, per essere sempre messo da parte o picchiato o sfruttato, Mosé mi accarezzava la mano e si rallegrava per me. « Miss Oriana! You alive! Tu viva! » Come lo abbracciai. Puzzava tanto, ricordo, che ad abbracciarlo si soffocava. Ma lo abbracciai come avrei abbracciato l'umanità ritrovata, e mi vergognai della preghiera in cui avevo per qualche tempo creduto.

« Come diceva quella preghiera? »

« È meglio che non te la dica, François. »

« Devi invece. »

« Ecco, diceva così: "Padre Nostro che sei nei Cieli, dacci oggi il nostro massacro quotidiano, liberaci dalla pietà, dall'amore, dall'insegnamento che tuo Figlio ci ha dato. Tanto non è servito a niente, non serve a niente, e così sia". »

« Che non sia servito a niente, è vero. »

« Lo so. »

« Che non serva a niente, è vero. »

« Lo so. »

« Ma è anche vero che potrebbe servire, che dovrebbe servire, che bisogna impedire il massacro. »

« Questo lo capisco ora. »

« E avevi bisogno di farti sparare per capirlo? »

« Temo di sì, François. »

Camminavamo, io zoppa, sul lungomare di Rio de Janeiro. Qualche giorno avanti Angelo, braccato dalla polizia ma sempre bene informato, era venuto a cercarmi e m'aveva suggerito di lasciare il Messico immediatamente: « Potrebbe capitarti una disgrazia come a Raphael, un incidente. Prendi il primo aereo stasera ». Il primo aereo della sera andava a Rio. E a Rio c'era la mia buona coscienza: François. Che gioia vederlo avanzare col suo passo svelto, il suo bel viso giovane e i suoi assurdi capelli grigi, il suo fare brusco da contadino dell'Auvergne. « Ça va? Toujours de la chance, toi: une bonne blessure, hein? Sempre fortunata te: una buona ferita, uhm? » L'abito grigio, elegante, la buona cravatta, la buona camicia coi gemelli ai polsini, non l'avevano affatto cambiato. Vestiva la sofistication come se gli pesasse, respirava l'aria tranquilla di Rio come se lo soffocasse, e trattava i miei dolori alla schiena come se venissero da un reumatismo anziché dal buco di una pallottola. Ma gli occhi gli si facevano lucidi di pianto quando gli raccontavo di Mosé.

« C'è sempre un Mosé che riscatta gli altri. E gli altri... Come ti disse Nguyen Van Sam? »

« Mi disse: sono innocenti perché sono uomini. »

« Proprio così. »

« François, che ne è di Nguyen Van Sam? »

« Credo che l'abbiano fucilato. »

« E gli altri parlano di andar sulla Luna. »

« Già. »

« E quaggiù cosa accade, François? »

« Nulla, non accade nulla. Non si fucila nessuno e non si va sulla Luna. C'è il sole e basta. »

« Non è lo stesso sole del nostro Nguyen Van Sam, del nostro Vietnam, vero, François? »

« No. Né lo stesso sole, né lo stesso mare, né la stessa gente. Li hai visti? »

Eccome se li avevo visti. Migliaia e migliaia di corpi distesi ad abbronzarsi lungo la spiaggia di Copacabana: immobili, indifferenti, irresponsabili qualsiasi cosa avvenisse intorno a loro o nel mondo. Lucertole. Ricchi e poveri, bianchi e neri, giovani e vecchi, uomini e donne. Lucertole al sole. E da quel sole le lucertole si spostavano, con un guizzo, solo per recarsi allo stadio di Maracanà, sventolando bandiere ma sai quali bandiere? Quelle delle squadre di calcio.

« Paralizzati e felici. »

« Eppure dicono che il prossimo Vietnam succederà qui, François. »

« Ne ero convinto anch'io prima di vederli. Pensavo a Che Guevara e dicevo: lascio uomini per trovare altri uomini, si scatenerà il terremoto in quel continente, e io sarò lì a vedere. Ma Che Guevara è morto, l'hanno fatto ammazzare godendosi il sole. E non vi sarà alcun terremoto quaggiù. Anche a loro è toccata la piqûre. »

« La... cosa? »

« La piqûre, l'iniezione. È un antico farmaco inventato da quelli al potere, e ora usato dagli americani. Molto efficace. Funziona sempre, funziona ovunque. In Europa, in Asia, qui. »

« Hai detto farmaco? »

« Sì. E un centimetro cubo, un millimetro cubo, basta per immunizzarti tutta la vita. »

« Immunizzarti da cosa? »

« Dalla rivoluzione, dalla disubbidienza, perfino dallo scontento, dal coraggio. Da cosa vuoi che immunizzi? »

« E chi lo somministra? »

« L'ambasciata americana, la CIA, i sindacati, i governi, la Chiesa. Dipende. »

« Di nascosto o per legge? »

« Per legge, per beneficienza. Tutti i mezzi son buoni. »

« Come hai detto che si chiama? »

« Piqûre. Puntura, iniezione. »

« E basta? »

« E basta. In passato non so, oggi si chiama così. »

« Ma che roba è, François? »

« È un prodotto molto complesso e allo stesso tempo molto semplice. Perché è composto di tante sostanze e di nessuna: felicità, salute, democrazia, sindacati, sesso, televisione, kleenex, jazz, dentifricio anticarie, fiori di plastica, Holiday Inn motels, la Luna. Sì, anche la Luna. Ci sbarcheranno e faranno dimenticare tutti i Mosé, tutti i Nguyen Van Sam. »

« Dunque fa male, avvelena. »

« Oh, no! Al contrario. Quando hai ricevuto una puntura simile ti senti proprio bene. Paralizzato e felice. Del resto il sogno dei paesi comunisti non è quello di somministrare la stessa puntura, la stessa droga? Il marxismo in fondo non vuole arrivare alle stesse conquiste? »

« Ma la droga fa male. Sei certo che anche l'iniezione non faccia male? »

« Certissimo. Gli americani non vogliono mica far soffrire nessuno, le loro intenzioni sono sempre oneste. Ricordi i due turisti che volevano staccare Cristo dalla croce e incominciarono togliendogli i chiodi alle mani? »

« Già, e Cristo cadde col capo all'ingiù. Mi venne in mente quando vidi cosa facevano ai montagnards. »

« A me viene in mente ovunque vada. E ogni volta vorrei gridare "Laissez-le tranquille! Lasciatelo stare!". Ma non ci riescono, non ne sono proprio capaci. »

« Be', allora qualche effetto negativo mi pare che questa iniezione ce l'abbia. »

« Uno. Uno solo. »

« Quale? »

« Impedisce di pensare. E quindi di ribellarsi, battersi. Che è poi la medesima cosa. »

Paralizzate e felici le lucertole cuocevano al sole di Copacabana ed erano identiche alle lucertole che potevi vedere in Italia, in America, in Russia, nelle nostre stesse coscienze di ipocriti che protestano, sì, ma protestano e basta: per non perdere il poco che hanno.

« È una iniezione che ha bucato un po' tutti, François. »

« Chi lo nega? Quasi tutti. Fuorché il piccolo popolo di un piccolo paese chiamato Vietnam. Ricordi cosa ti dissi quando lasciasti Saigon coi tuoi dubbi? »

« È il solo popolo al mondo, dicesti, che oggi si batte per la libertà. »

« E per la dignità dei propri figli. Ecco perché non puoi non amarli. »

« Anche i messicani che ho visto morire, François, non puoi non amarli. »

« Ovvio. E non puoi non amare i quattrocentomila cinesi che due anni fa furono massacrati in Indonesia, quattrocentomila in pochi giorni, sgozzati come maiali, in ogni città, in ogni villaggio, senza che il mondo ne facesse notizia, senza che gli americani intervenissero con la loro ipocrisia, l'accusa era che stessero tramando un complotto maoista e quindi ammazzali pure: quattrocentomila. Ma essi si lasciaron sgozzare, ecco il punto. E lasciarsi sgozzare non basta. Il martirio non basta e non serve. »

« Non serve? »

« Non serve. Tra un mese non si parlerà più del tuo Messico, allo stesso modo in cui non si parla più dell'Indonesia. Ma si parlerà sempre del nostro Vietnam. »

E così ci fermammo a guardare quel mare che non era lo stesso mare, a scaldarci in quel sole che non era lo stesso sole, e dalla cima del Corcovado l'enorme Cristo ci benediceva, suggestivo quanto una visione, di notte faceva un effetto straordinario, sembrava una stella scesa dal cielo per stupirci convincerci che i miracoli accadono, ma poi salivi lassù e ti accorgevi che non era una stella, non era una visione, non era un miracolo, era solo una bellissima statua, millecentoquarantacinque tonnellate di pietra illuminata dai riflettori della General Electric, e parlammo di molte cose, ad esempio del sacrificio che costa rifiutar la puntura, del coraggio che ci vuole a morire senza farsi sgozzare, e la domanda che non avevo mai dimenticato mi uscì dalle labbra.

« François, ti ho mai detto quel che mi chiese la mia sorellina prima che andassi in Vietnam? »

« No, che ti chiese? »

« Mi chiese: la vita, cos'è? »

« E tu che le rispondesti? »

« Non seppi risponderle. »

« Ci credo. »

« Ma vorrei risponderle, ora. La vita, cos'è? »

« La vita... Ci son tre miliardi di uomini su questa terra e ciascuno ti darà la sua definizione della vita... Ammetterai che la vita non è la stessa cosa per un indiano che nasce e che muore senza saperlo, per un americano che distribuisce la puntura, per un vietcong che assalta un carro armato con tre pallottole dentro il fucile... La vita... »

« La vita cos'è, François? »

« Non lo so. Ma a volte mi domando se non sia un palcoscenico dove ti buttano di prepotenza, e quando ti ci hanno buttato devi attraversarlo, e per attraversarlo ci son tanti modi, quello dell'indiano, quello dell'americano, quello del vietcong... »

« E quando l'hai attraversato? ».

« Quando l'hai attraversato, basta. Hai vissuto. Esci di scena e muori. »

« E se muori subito? »

« È lo stesso: il palcoscenico puoi attraversarlo più o meno alla svelta. Non conta il tempo che ci metti, conta il modo in cui lo attraversi. L'importante, quindi, è attraversarlo bene. »

« E cosa significa attraversarlo bene? »

« Significa non cadere nel buco del suggeritore. Significa battersi. Come un vietcong. Non lasciarsi sgozzare, non addormentarsi al sole, non paralizzarsi nella puntura, non chiacchierare e basta come fanno gli ipocriti e, tutto sommato, anche noi. Significa credere in qualcosa e battersi. Come un vietcong. »

« E se sbagli? »

« Pazienza. L'errore è sempre meglio del nulla. »

« François, rammenti i quaderni che riempivo a Saigon? »
« Quei dannati quaderni, sì. »
« Credo che li userò, che il libro lo scriverò. »
« Bene. E se sbagli, pazienza. »
Così l'ho scritto, e te lo do. E se ho sbagliato, se sbaglio, se sbaglierò, pazienza. Tieni. È un anno della mia vita, è passato un anno da quando lo incominciai. Il vento dell'inverno gela di nuovo i boschi della mia Toscana ed Elisabetta m'è venuta accanto nel letto, minuscola indifesa contenta. « La luna, guarda la luna! » Una nave spaziale con tre uomini a bordo sta orbitando la luna, presto altri vi sbarcheranno ad allargare i confini della nostra perfidia e del nostro dolore: guardala, eccola sullo schermo della TV. Ho amato molto la luna, ho invidiato molto chi ci sarebbe andato. Ma ora che la guardo, così grigia e vuota e priva di bene, di male, di vita, già sfruttata per farci dimenticare le colpe, le infamie di qui, per distrarci da noi stessi, ricordo una frase che tu mi dicesti, François: « La Luna è un sogno per chi non ha sogni ». E preferisco questa palla verde e bianca e azzurra e brulicante di bene di male di vita che chiamano Terra. È una palla avvelenata, lo so, e a toccarla a starci si muore, lo so: la vita, François, è una condanna a morte. Però hai ragione a non dirmelo. E proprio perché siamo condannati a morte bisogna attraversarla bene, riempirla senza sprecare un passo, senza addormentarci un secondo, senza temer di sbagliare, di romperci, noi che siamo uomini, né angeli né bestie ma uomini. Vieni qua, Elisabetta, sorellina mia. Un giorno mi chiedesti cos'è la vita: vuoi ancora saperlo?
« Sì, la vita, cos'é? »
« È una cosa da riempire bene, senza perdere tempo. Anche se a riempirla bene si rompe. »
« E quando è rotta? »
« Non serve più a niente. Niente e così sia. »

Indice

BUR
Periodico settimanale: 20 febbraio 2002
Direttore responsabile: Evaldo Violo
Registr. Trib. di Milano n. 68 del 1°-3-74
Spedizione in abbonamento postale TR edit.
Aut. N. 51804 del 30-7-46 della Direzione PP.TT. di Milano
Finito di stampare nel febbraio 2002 presso
il Nuovo Istituto Italiano d'Arti Grafiche - Bergamo
Printed in Italy

Oriana Fallaci

INSCIALLAH

Da una lettera del Professore:

«L'ho incominciato, cara, ci lavoro! Ogni notte mi chiudo in ufficio e lavoro, lavoro, lavoro: navigo nelle difficili acque del romanzo agognato. Non so in quale porto mi condurrà. Neanche a chi lo scrive un romanzo confessa subito i suoi molti segreti, rivela subito la sua autentica identità. Come un feto privo di lineamenti precisi, all'inizio chiude in sé una miniera di ipotesi: tiene in serbo una miriade di sorprese buone o cattive. E tutto è possibile. Anche il peggio. Però il corpo è già delineato, il cuore batte, i polmoni respirano, le unghie e i capelli crescono, nel volto incerto distingui con chiarezza gli occhi e il naso e la bocca: posso presentartelo. Posso addirittura anticiparti che la storia si svolge nell'arco di tre mesi, novanta giorni che vanno da una domenica di fine ottobre a una domenica di fine gennaio, che s'apre coi cani di Beirut, allegoria ai bordi della cronaca, che prende l'avvio dalla duplice strage, che segue il filo conduttore d'una equazione matematica cioè dell'$S = K \ln W$ di Boltzmann, e che per svilupparne la trama mi servo dell'amletico scudiero di Ulisse. Quello che cerca la formula della Vita. (L'ho battezzato Angelo, scelta che m'è parsa conforme al suo asettico raziocinio, e del resto a nessuno ho imposto i nomi del divino poema. Nella speranza di evitare che il solito imbecille in agguato mi tacci di presunzione e dileggi la mia fatica, ai capi Achei ho imposto indebiti nomi di uccelli guerreschi oppure nomignoli da caricatura. Agli altri, quel che capitava o mi pareva adatto al personaggio.) I personaggi sono immaginari. Lo sono perfino nei casi in cui si ispirano a supposti modelli. Non di rado infatti sfuggo all'esilio delle scartoffie e non osservato osservo. Ascolto, spio, rubo alla realtà. Poi la correggo, la realtà, la reinvento, la ricreo, e con l'amletico scudiero ecco il dispotico generale che crede di poter sconfigger la Morte, ecco il suo disincantato ed estroso consigliere, ecco il suo erudito e bizzarro capo di Stato Maggiore, ecco i suoi ufficiali ora bellicosi e ora mansueti, ecco la moltitudine sfaccettata della sua truppa...»

Oriana Fallaci
SE IL SOLE MUORE

A mio padre
che non vuole andar sulla Luna
perché sulla Luna
non ci sono fiori né pesci né uccelli.
A Teodoro Freeman
che morì ucciso da un'oca
mentre volava per andar sulla Luna.
Ai miei amici astronauti
che vogliono andar sulla Luna
perché il Sole potrebbe morire.

ORIANA FALLACI

Questo libro di Oriana Fallaci, coraggiosamente, spietata-
mente autobiografico, è il diario di una donna moderna lanciata alla scoperta del nostro futuro, la straordinaria avventura del viaggio alla Luna e agli altri pianeti, il trionfo di una società tecnologica che con le cosmonavi e i calcolatori elettronici cambia perfino la morale e i sentimenti.

Oriana Fallaci
UN UOMO

Da un'intervista a Oriana Fallaci:

«Un libro sulla solitudine dell'individuo che rifiuta d'essere catalogato, schematizzato, incasellato dalle mode, dalle ideologie, dalle società, dal Potere. Un libro sulla tragedia del poeta che non vuol essere e non è uomo-massa, strumento di coloro che comandano, di coloro che promettono, di coloro che spaventano; siano essi a destra o a sinistra o al centro o all'estrema destra o all'estrema sinistra o all'estremo centro. Un libro sull'eroe che si batte da solo per la libertà e per la verità, senza arrendersi mai, e per questo muore ucciso da tutti: dai padroni e dai servi, dai violenti e dagli indifferenti.»

Oriana Fallaci

INTERVISTA CON LA STORIA

Se il naso di Cleopatra fosse stato più corto, l'intera faccia della terra sarebbe cambiata: dice Pascal. E, a parte il paradosso, è lecito pensare che la nostra esistenza sia decisa da pochi: dai buoni o dai cattivi sogni di pochi, dall'iniziativa o dall'arbitrio di pochi che col potere o la lotta al potere cambiano il corso delle cose e il destino dei più. Ma allora come sono quei pochi? Più intelligenti di noi, più forti di noi, più illuminati di noi? Oppure identici a noi, né meglio né peggio di noi, creature qualsiasi che non meritano nemmeno la nostra collera, la nostra ammirazione, la nostra invidia? Ecco la domanda che si pone, all'inizio di questo libro, Oriana Fallaci. E la risposta ce la fornisce attraverso ventisette interviste ormai famose per il loro stile inconfondibile, la loro tecnica irripetibile, l'eco che hanno sollevato e sollevano nei vari paesi. Da Henry Kissinger a Willy Brandt, da Golda Meir a Indira Gandhi, dall'imperatore d'Etiopia allo scià di Persia, dal generale Giap al palestinese Arafat, da William Colby ad Alvaro Cunhal, da Andreotti a Carrillo, Oriana Fallaci li viviseziona tutti. Anzi, li induce tutti a vivisezionarsi. E senza cautele, senza timidezze, allo stesso tempo senza rinunciare mai alla sua umanità, gli denuda l'anima fino a mostrarceli per quello che sono e non per quello che dicono di essere. È un libro che fa paura. Non solo perché è così coraggioso, così dissacrante, ma perché ci costringe a meditare con rabbia. Un po' frettolosamente, la Fallaci lo definisce un documento a cavallo tra il giornalismo e la storia. Ma esso è molto di più. È una condanna spietata del potere, un invito disperato alla disubbidienza, un inno appassionato alla libertà.

Oriana Fallaci

PENELOPE ALLA GUERRA

Chi si chiede quale sia il volto della protagonista di «Lettera a un bambino mai nato», cioè il volto misterioso che nel suo libro la Fallaci non ha dipinto, può concludere che sì: almeno dieci anni prima esso avrebbe potuto essere il volto di Giò, la protagonista di «Penelope alla guerra».

La storia si svolge a New York ed è la storia di una Penelope che non si rassegna al ruolo domestico di chi tesse la tela aspettando il ritorno di Ulisse ma, Ulisse lei stessa, viaggia alla ricerca della sua identità e della sua libertà. Sia pure confusamente, Giò avverte i limiti e le ingiustizie degli schemi imposti dalla società maschilista. Sia pure confusamente, si batte per superarla. Si disfa con freddezza della sua verginità, si innamora con ribellione di un uomo debole e incerto che si rivela un omosessuale, affronta con coraggio il triangolo in cui si trova coinvolta da Richard (l'uomo che ama) e da Bill (l'uomo amato da Richard). Infine sfugge all'uno e all'altro per fare la sua guerra.

Oriana Fallaci

LETTERA A UN BAMBINO MAI NATO

«Lettera a un bambino mai nato» è il tragico monologo di una donna che aspetta un figlio guardando alla maternità non come a un dovere ma come a una scelta personale e responsabile. Una donna di cui non si conosce né il nome né il volto né l'età né l'indirizzo: l'unico riferimento che ci viene dato per immaginarla è che vive nel nostro tempo, sola, indipendente, e lavora.

Il monologo comincia nell'attimo in cui essa avverte d'essere incinta e si pone l'interrogativo angoscioso: basta volere un figlio per costringere alla vita quel figlio? Piacerà nascere a lui? Nel tentativo paradossale di avere una risposta la donna spiega al bambino quali sono le realtà da subire entrando in un mondo dove la sopravvivenza è violenza, la libertà è un sogno, la giustizia un imbroglio, il domani uno ieri, l'amore una parola dal significato non chiaro. Però mentre il discorso procede, razionale e insieme appassionato, un secondo problema emerge: il rapporto tra se stessa e il figlio. Una seconda domanda eplode: è giusto sacrificare una vita già fatta a una vita che ancora non è? E il monologo diventa quasi una confessione alla propria coscienza, mentre il dramma matura nutrito dagli altri personaggi. Sette personaggi anch'essi senza nome né volto né età né indirizzo: il padre del bambino, l'amica femminista, il datore di lavoro, il medico ottuso, la dottoressa moderna, i vecchi genitori. Tutti testimoni ignari di quel rapporto impossibile, basato su un'altalena di amore e di odio, di tenerezze e di risse, infine esasperato dalla rivolta di una creatura intelligente che accetta la maternità ma da quella si sente derubata. È in tale rivolta che la donna lancia la sfida definitiva a suo figlio: a lei il diritto di esistere senza lasciarsi condizionare da lui, a lui il diritto di decidere se vuole esistere o no. Il bambino decide, e non solo per se stesso. Il suo rifiuto della vita, ora che sa quanto sia faticosa e difficile, coinvolge infatti la madre. E nel modo più crudele, cioè attraverso un processo che ne deciderà la colpevolezza. Il nodo del libro è il Processo, celebrato da una simbolica giuria di cui fanno parte i sette personaggi. Poi, in un accavallarsi di suspense, l'allucinante colpo di scena e il verdetto con cui si conferma che è sempre la donna a pagare.

Oriana Fallaci
NIENTE E COSÌ SIA

È la vigilia dello sbarco sulla Luna e sulla Terra si continua
ad ammazzarci come mille, diecimila anni fa. Una donna,
una giornalista, parte per la guerra dove si trova subito dinanzi al dramma di una fucilazione e poi dentro una sanguinosa battaglia: quella di Dak To, villaggio ai confini della
Cambogia con il Vietnam. Qui incomincia il suo diario che è
il diario di un anno della sua vita e vuole rispondere alla domanda di una bambina: «La vita cos'è?». Giorno per giorno,
tra la morte sempre in agguato, la donna va alla ricerca di
una risposta quasi impossibile e annota tutto ciò che vede o
che ascolta: insieme alla sua paura, la sua pietà, la sua rabbia. Ne nasce un racconto che quasi inavvertitamente assume i contorni di un romanzo, con personaggi non inventati. Il
personaggio di François Pelou, l'amico francese che la guida
come una buona coscienza, il personaggio di Nguyen Ngoc
Loan, lo spietato generale che le piangerà tra le braccia, il
personaggio di Pip, il sergente che perde la memoria in combattimento e lei gliela rintraccia per buttarla via, infine i soldati, i vietcong, i giornalisti intorno ai quali si snoda lo spettacolo assurdo della guerra, l'offensiva del Tet, l'assedio di
Saigon, il dolore che esplode nell'atroce preghiera «Dacci
oggi il nostro massacro quotidiano, liberaci dall'insegnamento che ci dette tuo Figlio, tanto non è servito a niente, non
serve a niente e così sia...»

ISBN 88-17-15012-6